D0240560

KINDEREN VAN STALIN

OWEN MATTHEWS

KINDEREN VAN STALIN

Vertaald uit het Engels door
Pauline Moody

MISTRAL
uitgevers

Oorspronkelijke titel: *Stalin's Children*
Oorspronkelijke uitgave: Bloomsbury Publishing Plc, Londen
Vertaling door: Pauline Moody

Omslagontwerp: Wil Immink
Omslagillustratie: Three Lions / Getty Images
Auteursfoto: Rena Effendi
Typografie en zetwerk: ZetProducties, Amsterdam

www.mistraluitgevers.nl
www.fmbuitgevers.nl

Mistral uitgevers is een imprint van FMB uitgevers bv,
onderdeel van Foreign Media Group.

ISBN 978 90 499 5099 6
NUR 320

Proloog: Papier

'De handtekening op het papier verwoestte een stad...
Verdubbelde de wereld der doden en halveerde een land.'
Dylan Thomas

Op een kastplank in een kelder in het voormalige hoofdkwartier van de KGB in Tsjernigov, in het gebied van de zwarte aarde in het hart van de Oekraïne, ligt een dik dossier in een map van verbrokkelend bruin karton. Het bestaat uit ruim een kilo papier, in de vorm van zorgvuldig genummerde en gebonden vellen. Het gaat over de vader van mijn moeder, Boris Lwowitsj Bibikov, en zijn naam is op de map aangebracht in een merkwaardig keurig uitgevoerd lopend schrift. Vlak onder zijn naam staat gedrukt: 'Uiterst geheim. Volkscommissariaat van Binnenlandse Zaken. Anti-Sovjet Rechts-Trotskistische Organisatie in de Oekraïne'.

Dit dossier doet verslag van de gang van mijn grootvader van leven naar dood in handen van Stalins geheime politie toen de zomer van 1937 de herfst naderde. Ik zag het in een groezelige kamer in Kiev, achtenvijftig jaar na zijn dood. Het dossier lag zwaar op mijn schoot, spookachtig kwaadaardig, een enorm gezwel van papier. Het gaf een ietwat zurige muskusgeur af.

De meeste pagina's van het dossier zijn dunne officiële papieren, waarin door krachtig typen hier en daar gaatjes zijn ontstaan. Af en toe zitten er een paar dikkere, voddige krantenknipsels tussen. Tegen het einde een aantal vellen gewoon schrijfpapier, beschreven met een dun, vlekkerig handschrift: de bekentenissen van mijn grootvader dat hij een vijand van het volk was. Het achtenzeventigste document is een bevestigende verklaring dat hij het doodvonnis dat over hem was uitgesproken door het Militair Collegium in Kiev had gelezen en begrepen. De eronder gekrabbelde handtekening is zijn laatste vastgelegde daad op aarde. Ten slotte is er nog een onhandig gekopieerd papiertje dat bevestigt dat het vonnis de volgende dag, 14 oktober 1937, voltrokken is. De handtekening van zijn beul is een nonchalante krabbel. Aangezien de zorgvuldige bureaucraten die dit dossier samenstelden, nalieten vast te leggen waar hij begraven werd, komt deze stapel papier nog het dichtste bij de stoffelijke resten van Boris Bibikov.

Op de zolder van Alderney Street 7, in de wijk Pimlico in Londen, staat een mooie hutkoffer, met in keurige zwarte letters het opschrift 'W.H.M. MATTHEWS, ST ANTHONY'S COLLEGE, OXFORD, АНГ ЛИА' erop geschilderd. Deze bevat een liefdesgeschiedenis. Of misschien bevat hij een liefde.

In de koffer zitten honderden liefdesbrieven van mijn ouders, zorgvuldig in naar datum gerangschikte stapels, te beginnen in juli 1964 en eindigend in oktober 1969. Veel ervan zijn geschreven op dun luchtpostpapier, andere op talloze vellen keurig wit schrijfpapier. De helft – de brieven van mijn moeder, Ljoedmila Bibikova, aan mijn vader – is volgeschreven in een schuin handschrift met veel lussen, gelijkmatig maar toch heel vrouwelijk. De meeste van de brieven van mijn vader aan mijn moeder zijn getypt, omdat hij graag een doorslag bewaarde van elke brief die hij verstuurde, maar op elke brief heeft hij onderaan, boven zijn extravagante handtekening, nog iets met de hand geschreven, of soms een grappig tekeningetje gemaakt. De brieven die hij wel met de hand schreef, zijn dicht beschreven in dicht opeenstaand, rechtstandig en zeer correct cyrillisch schrift.

Gedurende de zes jaren dat mijn ouders gescheiden waren door de gang van zaken in de Koude Oorlog schreven ze elke dag aan elkaar, soms zelfs twee keer op een dag. Zijn brieven komen uit

Nottingham, Oxford, Keulen, Berlijn, Praag, Parijs, Marrakech, Istanbul, New York. De hare zijn afkomstig uit Moskou, uit Leningrad, van de familiedatsja in Vnoekovo. De brieven beschrijven tot in details elke handeling, elke gedachte in het dagelijks leven van mijn ouders. Hij zit op een eenzame zit-slaapkamer in Nottingham en typt over de kerriemaaltijd die hij heeft gegeten en over onbeduidende academische kibbelarijen. Zij zit te kniezen in haar kleine kamertje in een zijstraatje van de Arbat in Moskou en schrijft over gesprekken met haar vriendinnen, over avondjes uit naar het ballet, over boeken die ze aan het lezen is.

Soms is hun epistolair gesprek zo intiem dat het lezen van de brieven aandoet als een schending. Dan weer is de pijn van het gescheiden zijn zo intens dat het papier ervan lijkt te trillen. Ze hebben het over kleine gebeurtenissen in de paar maanden die ze samen in Moskou hebben doorgebracht, in de winter en het voorjaar van 1964, over hun gesprekken en wandelingen. Ze kwebbelen over wederzijdse vrienden, over maaltijden en films. Maar bovenal zijn de brieven geladen met verlies, met eenzaamheid en met een liefde zo groot dat ze, zoals mijn moeder schreef, 'bergen kan verzetten en de wereld om zijn as kan doen draaien'. En hoewel de brieven vol pijn zijn, geloof ik dat ze ook de beschrijving zijn van de gelukkigste periode in de levens van mijn ouders.

Nu ik hier door de brieven zit te bladeren op de vloer van de zolderkamer die mijn kamer was toen ik een kind was, waar ik achttien jaren heb geslapen op nog geen meter afstand van de plek waar de brieven lagen in hun afgesloten koffer in de opslagruimte onder de balken van het huis, en waar ik kon horen hoe de luide stemmen van mijn ouders langs de trap omhoogkwamen, krijg ik het idee dat dit de plaats is waar hun liefde huist. 'Elke brief is een stuk van onze ziel, ze mogen niet zoekraken,' schreef mijn moeder tijdens hun eerste martelende maanden. 'Jouw brief brengt mij stukjes van jou, van je leven, je adem, je kloppend hart.' En dus stortten ze hun ziel uit op het papier – stapels papier, geïmpregneerd met verdriet, verlangen en liefde, kordons van papier, voorraden van papier die bijna onafgebroken gedurende zes jaren 's nachts in posttreinen door Europa ratelden. 'Door het reizen krijgen onze brieven iets magisch... Daarin ligt hun kracht,' schreef Mila. 'Elke regel is geschreven in bloed van mijn hart, en er is geen beperking aan hoeveel ik kan afgeven.' Maar tegen de tijd dat mijn ouders elkaar weer zagen, ontdekten ze dat er nauwelijks genoeg liefde was overgebleven. Alles was in inkt veranderd en opgeschreven over duizend vellen papier, die nu zorgvuldig opgevouwen in een hutkoffer liggen, op de zolder van een rijtjeshuis in Londen.

We geloven dat we met onze redelijke geest denken, maar in werkelijkheid denken we met ons bloed. In Moskou? Daar vond ik overal om me heen bloed. Gedurende mijn jaren in Rusland merkte ik dat ik keer op keer struikelde over de wortels van ervaring die uitgroeiden tot herkenbare elementen van het karakter van mijn ouders. Echo's uit de levens van mijn ouders bleven als geesten opduiken in het mijne, iets wat onveranderd bleef in de ritmen van de stad waarvan ik aanvankelijk dacht dat ze zo vol van het nieuwe en van het nu was. De geur van vochtige wol van de metro in de winter. Regenachtige avonden in de zijstraatjes van de Arbat, wanneer de angstaanjagende massa van het ministerie van Buitenlandse Zaken gloeit als een oceaanstomer in de mist. De lichtjes van een Siberische stad als een eiland in een zee van bossen, gezien door het raam van een klein, op en neer dansend vliegtuig. De geur van de zeewinden in de haven van Tallinn. En, tegen het eind van mijn tijd in Moskou, het plotselinge, schokkende besef dat ik mijn hele leven had gehouden van precies de vrouw die naast me zat aan een tafel met vrienden, in een warme nevel van sigarettenrook en gesprekken in de keuken van een bovenwoning in een zijstraat van de Arbat.

Toch was het Rusland waarin ik woonde een totaal ander oord dan het land dat mijn ouders hadden gekend. Hun Rusland was een strak beheerste maatschappij waar onorthodox denken een misdaad was, waar iedereen alles van zijn buren af wist en waar het collectief een krachtige morele terreur uitoefende op elk lid dat het waagde kritiek te hebben op de conventie. Mijn Rusland was een maatschappij op drift. Gedurende de zeventig jaren van Sovjetheerschappij hadden de Russen veel verloren van hun cultuur, hun religie, hun God, en velen van hen verloren ook nog hun geestelijk welzijn. Maar de Sovjetstaat had hier tenminste iets tegenovergesteld door het ideologische vacuüm op te vullen met zijn eigen stoutmoedige mythen en strenge voorschriften. De staat voedde de mensen, onderwees en kleedde hen, regelde hun leven van de wieg tot het graf en, het allerbelangrijkste, dacht voor hen. De communisten – mannen zoals mijn grootvader – hadden geprobeerd een nieuw soort mens te creëren door de mensen te ontdoen van hun oude geloofsovertuigingen en hen te vullen met burgerplicht, vaderlandsliefde en volgzaamheid.

Er was veel as, maar weinig feniksen. De *narod*, de mensen, trokken zich grotendeels terug in zichzelf, bleven hun leven inrichten zoals ze gewend waren en besteedden geen aandacht aan de seismische schokken die hun wereld hadden getroffen. Werk, school, auto, datsja, volkstuin, televisie, worst en aardappels als avondeten. Het Rusland na de Val deed me vaak denken aan een doolhof vol ratten die gevangenzaten in een gestaakt experiment, die nog zinloos snuffelden aan de suikerwaterbuis, lang nadat de wetenschappers het licht hadden uitgedraaid en geëmigreerd waren.

Sommige leden van de Russische intelligentsia noemden het de '*revoloetsia v soznanii*', de revolutie in het bewustzijn. Maar dat was bij lange na geen goede beschrijving. Het was niet echt een revolutie, omdat slechts een kleine minderheid ervoor koos, of de verbeeldingskracht had, om de dag te plukken, om zichzelf opnieuw uit te vinden en zich aan te passen aan de heerlijke nieuwe wereld. Voor de overigen had het meer weg van een geluidloze implosie, als een in elkaar geklapte stuifzwam, een plotseling inkrimpen van de mogelijkheden in het leven, geen revolutie maar een traag wegzakken in armoede en verwarring.

Gedurende de meeste tijd dat ik in Rusland was, dacht ik dat ik me in een verhaal zonder vertelling bevond, een voortdurend veranderende diapresentatie van een fantasmagorie die Moskou op mijn leven projecteerde om mij persoonlijk te plezieren. In werkelijkheid was ik gevangen in een koel web van familiekennis dat me langzaam naar zich toe trok.

Ik kwam naar Moskou om weg te komen van mijn ouders. In plaats daarvan vond ik hen daar juist, hoewel ik dat lange tijd niet wist, of weigerde het te zien. Dit is een verhaal over Rusland en mijn familie, over een plaats die ons maakte, bevrijdde en inspireerde en die ons bijna kapotmaakte. En uiteindelijk is het een verhaal over ontsnappen, over hoe wij allemaal uit Rusland ontsnapten, zelfs al dragen wij allen – zelfs mijn vader, een Welshman, die geen Russisch bloed heeft, zelfs ik, die in Engeland opgroeide – nog altijd iets van Rusland in ons binnenste mee, wat ons bloed besmet als een koorts.

1 De laatste dag

'Ik geloof in slechts één ding; de kracht van de menselijke wil.'
Josef Stalin

Ik sprak Russisch voor ik Engels sprak. Voordat ik naar een Engelse school ging, keurig uitgedost met pet, blazer en korte broek, zag ik de wereld in het Russisch. Als talen een kleur hebben, was Russisch het hete roze van de jarenzeventigjurken van mijn moeder, het warme rood van een oude Oezbekische theepot die ze uit Moskou had meegenomen, het kitscherige zwart en goud van de beschilderde Russische houten lepels die in de keuken aan de muur hingen. Engels, dat ik met mijn vader sprak, was het gedempte groen van het vloerkleed in zijn werkkamer, het verschoten bruin van zijn tweedjasjes. Russisch was een intieme taal, een privécode waarin ik tegen mijn moeder praatte, warm, vleselijk en grof, de taal van de keuken en de slaapkamer, en het rook naar warme bedwalm en dampende aardappelpuree. Engels was de taal van het formele, volwassenheid, leren, bij mijn vader op schoot *Janet and John* lezen, en het rook naar Gauloises en koffie en de motorolie op zijn collectie modelstoommachines.

Mijn moeder las me verhalen van Poesjkin voor, zoals het bijzondere volksepos 'Roeslan en Ljoedmila'. De bovennatuurlijke wereld van donkere Russische wouden, van loerend kwaad en schrandere, stralende helden die op winteravonden tevoorschijn werd getoverd in een kleine zitkamer in Londen en werd geaccentueerd door het verre snerpen van treinen die het Victoria Station binnenreden, maakte een veel levendiger indruk op mijn kinder-ik dan alles wat mijn vader ook maar kon oproepen. 'Daar is de Russische geest, het ruikt daar naar Rusland,' schreef Poesjkin over een geheimzinnig land aan zee waar een grote groene eik stond; om de eik was een gouden ketting gewonden, en over die ketting stapte een zwarte kat, en in zijn verwarde takken zwom een zeemeermin.

Aan het eind van de snoeihete zomer van 1976 kwam mijn grootmoeder Martha ons in Londen opzoeken. Ik was vierenhalf jaar oud, en de gazons van het plantsoen op Eccleston Square waren geel verschroeid door een hittegolf. Het was een zomer van gloeiend heet plaveisel, van de smaak van aardbeienlolly's, en ik liep graag in een beige ribfluwelen broek met een grote gele bloem op een pijp genaaid. Ik herinner me de dikheid van mijn grootmoeder, haar muffe Russische geur, haar zachte, bollende gezicht. Op foto-'s lijkt ze niet op haar gemak, groot en boos en mannelijk; ze houdt mij vast als een wriemelende zak terwijl mijn moeder zenuwachtig glimlacht. Ik was bang voor haar omdat ze plotseling kon gaan schelden, omdat ze zo onvoorspelbaar was, omdat ik spanning bij haar voelde. Urenlang zat ze alleen en zwijgend in een fauteuil bij het raam van de zitkamer. Soms duwde ze me weg wanneer ik bij haar op schoot probeerde te klimmen.

Op een middag waren we op Eccleston Square, waar mijn moeder babbelde met andere moeders, terwijl mijn grootmoeder op een houten bank zat. Ik speelde in mijn eentje diefje, en ik had een plastic politiehelm op en zwaaide met een cowboypistool terwijl ik door het plantsoen rondrende. Ik besloop mijn grootmoeder van achteren, sprong van achter de bank tevoorschijn en probeerde een stel speelgoedhandboeien om haar polsen te doen. Ze bleef bewegingloos zitten terwijl ik pogingen deed om de handboeien te sluiten, en toen ik opkeek, zag ik dat ze huilde. Ik rende naar mijn moeder, die naar haar toe kwam; ze zaten daar een hele tijd bij elkaar terwijl ik me in de struiken verstopte. Toen gingen we naar huis, terwijl mijn grootmoeder nog steeds geluidloos huilde.

'Trek het je maar niet aan,' zei mijn moeder. 'Oma huilt omdat die handboeien haar deden denken aan de tijd dat ze in de gevangenis zat. Maar dat is heel lang geleden en het is nu wel weer goed.'

Mijn moeder heeft het grootste deel van haar leven voor een denkbeeldige toekomst geleefd. Haar ouders werden weggehaald en gevangengezet toen ze drie was. Vanaf dat moment werd ze grootgebracht door de Sovjetstaat, die haar geest, zo niet haar wezen, volgens zijn ideologie vormde. Vlak achter de horizon gloorde een stralende dageraad, zo werd haar generatie verteld, maar die kon alleen worden bereikt, zoals bij de Azteken, door het vergieten van bloed en door het offeren van de individuele wil aan het grotere heil. 'Overal zijn eenvoudige Sovjetmensen bezig wonderen te verrichten' is een zin uit een populair liedje uit de jaren dertig dat mijn moeder vaak, altijd zwaar ironisch, citeert wanneer ze geconfronteerd wordt met een voorbeeld van bureaucratische domheid of grofheid. Maar in diepere zin gaf de idee dat het individu schijnbaar onmogelijke hindernissen kon overwinnen vorm aan haar leven.

Haar vader, Boris Bibikov, geloofde dat ook. Hij inspireerde – en terroriseerde – duizenden mannen en vrouwen om een reusachtige fabriek op te bouwen, letterlijk uit de modder waarop hij kwam te staan. Mijn moeder op haar beurt verrichtte een nauwelijks minder opmerkelijk wonder. Gewapend met niets dan haar onwankelbare overtuiging nam ze het op tegen de hele behemoth van de Sovjetstaat, en won.

Ik denk nooit aan mijn moeder als klein, hoewel ze in feite heel klein is, nog geen een meter vijftig lang. Maar ze is een vrouw met een gigantische inborst; het kinetische veld van haar aanwezigheid vult grote huizen. Ik heb haar vaak zien huilen, maar nooit in wanhoop. Zelfs in haar zwakste momenten zal ze nooit aan zichzelf twijfelen. Ze heeft geen tijd voor navelstaren, voor de genotzuchtige levenswijze die mijn generatie aanhing, al bezit ze ondanks haar ijzeren zelfdiscipline een enorme voorraad vergevingsgezindheid voor menselijke fouten bij anderen. Vanaf mijn prilste jeugd heeft mijn moeder erop gehamerd dat men voor alles in het leven moet vechten, dat elk falen in de eerste plaats een falen van de wil is.

Haar hele leven legde ze zichzelf onwrikbare eisen op, en voldeed daaraan. 'We moeten hun geloof in ons waardig zijn, we moeten vechten,' schreef ze aan mijn vader. 'We hebben het recht niet om zwak te zijn... Het leven zal ons binnen de kortste keren verpletteren en niemand zal ons horen roepen.'

Ze is ook meedogenloos geestig en intelligent, al zie ik deze kant van haar meestal alleen wanneer ze in gezelschap is. Als ze 's avonds met gasten aan tafel zit, is haar stem helder en nadrukkelijk, en poneert ze haar meningen met onmodieuze zekerheid in een rond uitgesproken Engels.

'Alles is betrekkelijk,' zegt ze bijvoorbeeld schalks. 'Eén haar in een kom soep is te veel, één haar op je hoofd is niet genoeg.' Of ze verklaart: 'Het Russisch heeft zoveel wederkerende werkwoorden omdat de Russen pathologisch onverantwoordelijk zijn! In het Engels zeg je 'Ik wil', 'Ik heb nodig'. In het Russisch is het 'er is behoefte ontstaan', 'er is noodzaak ontstaan'. De grammatica weerspiegelt de psychologie! De psychologie van een infantiele maatschappij!'

Wanneer ze praat gaat ze moeiteloos over van Noerejev op Dostojevski, op Karamzin en Blok, en haar spottend snuiven en laatdunkende handgebaren worden afgewisseld met zuchten van bewondering en handen die hartstochtelijk op haar borst slaan terwijl ze op een nieuw onderwerp overgaat als een autocoureur die een bocht neemt. 'Huh, Nabokov!' zegt ze bijvoorbeeld met getuite lippen en een opgetrokken wenkbrauw, om alle aanwezigen te laten weten dat ze hem een onverbeterlijke uitslover en een kil, harteloos en kunstmatig individu vindt. 'Ah, Kharms,' zegt ze, terwijl ze haar handpalm ten hemel heft, om aan te geven dat dit nu een man is die het absurde van Rusland, het pathos en de dagelijks tragiek ervan waarlijk begrijpt. Zoals veel Russische intellectuelen van haar generatie is ze volkomen thuis in de dichte kashba van de literatuur van haar land, en beweegt ze zich door de stegen ervan als een inheemse dochter. Ik heb mijn moeder altijd bewonderd, maar op dit soort momenten, wanneer ze een tafel in haar ban heeft, ben ik buitengewoon trots op haar.

Milan Kundera heeft geschreven: 'De strijd van de mens tegen de macht is de strijd van het geheugen tegen het vergeten.' En zo is het voor mijn moeder, door dit verhaal te vertellen. Ze heeft me zelden iets over haar jeugd verteld toen ik zelf een kind was. Maar toen ik er als volwassene naar vroeg, begon ze er vrijelijk over te spreken, zonder melodrama. Nu roept ze de herinneringen aan haar eigen leven op met opmerkelijk weinig emotie en met grote oprechtheid. Tegelijkertijd maakt ze zich zorgen dat het verhaal, wanneer ik het vertel, te somber, te deprimerend zal zijn. 'Schrijf over de goede mensen, niet alleen over de narigheid', heeft mijn moeder tegen me gezegd toen ze haar jeugd beschreef. 'Er was zoveel menselijke edelmoedigheid, er waren zoveel geweldige, gevoelvolle mensen.'

Eén laatste beeld van mijn moeder, voordat we aan haar verhaal beginnen. Tweeënzeventig jaar oud zit ze tussen de middag aan een tafel, waarop een lunch is geserveerd, en waarop vlekjes zonlicht vallen. We zijn in het huis van een vriend op een eiland bij Istanbul, op een koel terras dat uitzicht biedt op de Zee van Marmara. Mijn moeder zit wat opzij gebogen op een eetkamerstoel; zo heeft ze altijd gezeten vanwege haar heup die in haar jeugd door tuberculose verminkt is. Onze gastheer, een Turkse schrijver, is goudbruin getint als een zeegod uit de oudheid. Hij schenkt wijn in, reikt borden uit met mosselen die hij zelf verzameld heeft en borden met gerechten die zijn uitmuntende kok heeft bereid.

Mijn moeder is ontspannen, op haar charmantst. Een van de gasten is een Turkse balletdanseres, een lange, mooie vrouw met de weidse fysiek van een danseres. Mijn moeder en zij praten met veel hartstocht over ballet. Ik zit aan het eind van de tafel met onze gastheer te praten, wanneer ik de toon van mijn moeders stem hoor veranderen; niets dramatisch, alleen een stembuiging. Maar deze kleine verandering snijdt door de verschillende gesprekken aan de tafel en we draaien ons naar haar toe om te luisteren.

Ze vertelt een verhaal over Solikamsk, een plaats waar in de oorlog verlaten kinderen werden ondergebracht en waar zij in 1943 heen werd vervoerd. Haar onderwijzeres in de overvolle school die ze daar bezocht, bracht een blad met droog, zwart brood mee om haar klas tussen de middag te voeden. Dan vroeg ze de kinderen die in het plaatsje woonden hun stuk brood aan de wezen te gunnen, hoewel ze allemaal zowat verhongerd waren.

Mijn moeder vertelt het verhaal heel eenvoudig, zonder veel pathos. Ze kijkt niemand aan. Op haar gezicht is een glimlach te zien die ik alleen kan beschrijven als een glimlach van verdriet. Met een klein gebaar van haar beide wijsvingers laat ze ons zien hoe groot de stukken brood op het dienblad waren. De tranen stromen uit haar ogen. De danseres begint ook te huilen en slaat haar armen om mijn moeder heen. Hoewel ik het verhaal eerder heb gehoord, word ik getroffen door het simpele wonder van het menselijke leven en het lot – dat het hongerige kind in dat winterse schoollokaal dezelfde persoon is die daar op die warme middag bij ons zit.

De keuken van mijn tante Lenina aan de Froenzenskaja-kade, op een lichte Moskouse zomeravond eind jaren negentig. Ik zit op de brede vensterbank van mijn tante een sigaret te roken na een gigantisch, vetrijk avondmaal dat ik minstens vijf keer heb moeten prijzen voor ze ervan overtuigd is dat ik tevreden ben. Lenina heeft water opgezet in haar oude geëmailleerde ketel; ze maakt geen gebruik van de Duitse elektrische ketel die ze van haar dochters heeft gekregen.

Lenina, de zuster van mijn moeder, is net zo zwaargebouwd als hun moeder Martha was, met brede heupen en grote borsten, en een rug gebogen onder het gewicht van de ellende in de wereld. Ze heeft Martha's doordringende blauwe ogen. Die heeft mijn moeder ook, en ik ook, en mijn zoon Nikita ook. Maar qua temperament lijkt Lenina meer weg te hebben van haar sociabele vader, Boris Bibikov. Ze vindt het heerlijk om vrienden te verzamelen rond de keukentafel, te babbelen, te roddelen, plannetjes te smeden. Ze vindt het leuk om dingen te regelen en de levens van andere mensen te organiseren door middel van eindeloze telefoongesprekken. Ze is zeer bedreven in het terroriseren van televisiepresentatoren tijdens opbelprogramma's en van bedrijfsleiders in winkels persoonlijk. Ze is een forse vrouw met een krachtige stem en ze lijdt aan talloze bijna dodelijke kwalen, waarover ze graag praat.

Terwijl ze de thee inschenkt, steekt Lenina van wal over haar favoriete onderwerp: het bont geschakeerde liefdesleven van haar neef. Haar oog glinstert van een meisjesachtige wellustigheid. Ik heb Lenina's optreden als strenge oude dame al veel eerder doorzien. Dat is maar één wapen van het formidabele arsenaal dat ze inzet in het dagelijkse drama van strijd, conflict en schandaal met de buitenwereld. Wat ze eigenlijk wil doen is vooroverbuigen op haar kruk bij de hoek van de tafel, haar neef met een star kraaloog fixeren en de laatste bijzonderheden te horen krijgen. Bij de ondeugende stukken kakelt ze als een viswijf.

'Je mag van geluk spreken dat ik hiervan niets aan je moeder vertel,' gniffelt ze. Heel vreemd: hoewel ze het nooit moe wordt op haar eigen dochters te vitten, vit ze nooit op mij tijdens onze wekelijkse roddelzittingen. In plaats daarvan valt ze me in de rede met wereldwijze en vaak tamelijk cynische raadgevingen. Mijn tante Lenina is ondanks de halve eeuw leeftijdsverschil tussen ons een echte vriendin en vertrouwelinge.

Lenina heeft een fenomenaal geheugen voor details. Onze gesprekken beginnen altijd in het heden, maar dat is van voorbijgaande aard en is gauw afgehandeld; het is onvoldoende kleurig en dramatisch om haar aandacht lang vast te houden. Ze gaat dan naadloos, van de ene zin op de andere, terug naar het verleden en begint aan een nachtelijke zwerftocht over de paden van haar geheugen, waarbij haar aandacht nu eens hierheen, dan weer daarheen wordt getrokken, als een glas op een ouijabord, door verschillende verhalen en stemmen.

Naarmate ze ouder wordt, minder mobiel en blinder, lijkt haar verbeelding steeds helderder te worden. Het verleden begint haar nader te liggen dan het heden. 's Nachts komen de doden haar bezoeken, klaagt ze. Ze willen haar niet met rust laten – haar man, haar ouders, haar vriendinnen, haar kleindochter Masja, die op haar zesentwintigste aan kanker is gestorven, allemaal kibbelen ze, vleien, lachen en zeuren ze, gaan ze door met de dingen van het leven alsof ze niet beseffen dat ze dood zijn. Ze ziet het verleden in haar dromen, zonder ophouden. 'Het is net een bioscoop,' zegt ze. Nu ze het einde van haar leven nadert, lijkt het begin ervan steeds levendiger te worden. Bijzonderheden borrelen omhoog, gesprekken, gebeurtenissen, verhalen, stukjes leven gezien als kleine filmclips, die ze noteert om aan mij te vertellen, de volgende keer dat ik langskom. Ze weet dat ik de dramatis personae inmiddels zo goed ken dat ze geen introductie nodig hebben.

'Heb ik je verteld wat ik me herinnerde over oom Jasja en de meisjes die hij in zijn Mercedes oppikte? Wat Varja zei?' vraagt ze me over de telefoon, en ik weet meteen dat ze het over een berucht immorele automobiel heeft die mijn oudoom Jakov in 1946 uit Berlijn naar huis verzond, en de woede die dit bij mijn oudtante opriep. 'Ze was zo kwaad dat ze hem alle bloempotten in het huis naar het hoofd slingerde, en al het serviesgoed uit de keuken. Jasja bleef maar lachen, zelfs toen de borden om hem heen in scherven braken. Daar werd ze nog het allerkwaadst om!'

Lenina ziet de wereld in termen van gesprekken, stembuigingen, mensen. Anders dan haar zus, mijn aan boeken verslingerde moeder, leest ze niet veel. Ze is een actrice, met de keukentafel als haar schouwburgzaal en een steeds veranderend stel vrienden, smekelingen, oud-studenten, buren en familieleden als publiek.

Het verhaal van Ljoedmila en Lenina begint in een andere keuken in een mooie woning met een hoog plafond in het centrum van Tsjernigov, midzomer 1937. De hoge ramen stonden wijd open om de wind toe te laten die van de Desna-rivier kwam aanwaaien. In een hoek zat mijn drie jaar oude moeder met een lappenpop te spelen. Mijn tante Lenina stond over de brede vensterbank geleund de straat in te kijken in afwachting van het slanke silhouet van de grote zwarte officiële Packard van haar vader. Zij was twaalf jaar oud, en had een rond gezicht met grote, intelligente ogen. Ze was modieus gekleed in haar favoriete wit katoenen tennisrokje, dat was nagemaakt naar een foto in een Moskous tijdschrift. Buiten kon ze, over de toppen van de platanen in de Lermontov-straat heen, de gouden koepels zien van het middeleeuwse *kremlin* van Tsjernigov; die zagen eruit als iets uit de sprookjesboeken die haar vader voor haar kocht.

Aan de keukentafel was haar moeder Martha bezig een lunch in te pakken voor haar man Boris: gebraden kip, gekookte eieren en komkommer, wat crackers, een snuifje zout in een stuk krantenpapier, en dit alles verpakt in vetvrij papier. Boris zou op weg naar het station langskomen om zijn bagage op te halen, voordat hij zou vertrekken voor een vakantie in een gezondheidskolonie van de Partij in Gagry, aan de kust van de Zwarte Zee. Het zou zijn eerste vakantie worden sinds drie jaar.

Martha stond tegen niemand in het bijzonder te mopperen dat haar man weer te laat was, en dat was typerend: echt iets voor hem. Boris was zo obsessief bezig met zijn werk dat hij nog niet eens een ochtend vrij nam op de dag dat zijn vakantie zou beginnen. Hij leek altijd meer tijd te hebben voor zijn Partijcomités dan voor zijn gezin.

Martha was een grote, forse vrouw; ze begon al dik te worden, zoals vaak gebeurt met Russische boerenvrouwen als ze eenmaal moeder zijn. Ze droeg een jurk van geïmporteerde katoen en zorgvuldig aangebrachte make-up. Haar stem leek altijd een vitterige klank te hebben, althans dat vond Lenina, die erg opzag tegen het idee een week alleen met haar moeder te zijn, zonder haar vader om tussenbeide te komen. Bij het aanrecht stond Warja, het lankmoedige dienstmeisje, een stevig plattelandskind dat een ruime *sarafan* aanhad, de traditionele jurk van de Russische boerin, met een gesteven schort aan de voorkant gespeld. Warja sliep in een soort kast achter in de gang, maar ze verdiende geld en kreeg te eten, dus ze verdroeg Martha, en erger. Ze knipoogde naar Lenina toen ze elkaar aankeken op het moment dat Martha grommend de keuken uit rende om Boris' bagage te controleren, die in de ruime hal stond.

Ljoedmila – of afgekort Mila – was haar oudere zus Lenina even toegewijd als een hondje, en verloor haar liever niet uit het oog. De meisjes hadden een soort verbond met hun vader, een wederzijds verdedigingspact dat Martha niet waardeerde en niet begreep.

Lenina, bij het raam, zag de grote zwarte auto van haar vader de hoek om komen en stoppen voor het flatgebouw. Op de trap klonk geklepper en Boris kwam de flat binnengesprongen. Hij was een krachtig gebouwde man, die al wat dikker begon te worden, en voortijdig kaal met een geschoren hoofd. Hij was bewust proletarisch gekleed: 's zomers droeg hij eenvoudige linnen overhemden, 's winters gestreepte matrozenvesten. Hij zag er veel ouder uit dan zijn vierendertig jaar. Hij was al de op een na machtigste man in de stad, secretaris-generaal van het regionale comité van de Communistische Partij. Als politiek volksmenner van naam, als rijzende ster binnen de Partij, als drager van de Orde van Lenin vervulde Boris zijn leertijd in een provinciaal bestuur als voorspel voor een machtige positie in Kiev of Moskou. Hij was een man die zijn weg wel zou vinden. Zonder aandacht te besteden aan de tirade van verwijten en raadgevingen van zijn vrouw gaf hij zijn beide dochters snel een afscheidskus.

'Lief zijn, zorg goed voor je moeder en je zusje,' fluisterde hij Lenina toe.

Met een snelle omhelzing legde hij zijn vrouw het zwijgen op, wisselde een paar woorden ten afscheid met haar, greep zijn ingepakte koffer en het lunchpakket en rende naar beneden. Lenina holde naar het raam en zag de chauffeur van haar vader bij de auto staan; hij rookte een sigaret, die hij gauw weggooide toen hij zijn baas de stenen trap af hoorde komen. Lenina wuifde als bezeten toen haar geliefde papa in zijn auto klom, en hij wuifde terug, heel even maar, een zwaaigebaar dat meer weg had van een militaire groet. Het was de laatste keer dat ze hem zag.

Nadat ze haar man had zien vertrekken, stak Martha de overloop over om te kijken of er bij de buren iets mis was. Ze had hen niet hun deur horen dichtslaan zoals gewoonlijk wanneer ze 's morgens naar hun werk gingen, en er was niemand thuisgekomen voor de lunch. Toen Martha terugkwam zag Lenina dat ze bleek en zenuwachtig was. Er was geen reactie gekomen toen ze bij hen aanbelde. Toen had ze een gestempeld papier gezien dat op de deur was geplakt, met daarop het zegel van het Volkscommissariaat van Interne Zaken, de NKVD. Ze wist meteen wat dat betekende. De buren van de Bibikovs, het gezin van een collega van haar man, waren die nacht gearresteerd.

De volgende morgen was er een vermoeidheid in Martha's ogen terwijl ze de kleine Ljoedmila aankleedde, iets gebiedends in haar stem toen ze de kinderen zei dat ze mee moesten gaan boodschappen doen, en hun katoenen zomerhoeden op het hoofd drukte.

Op weg naar de markt hield Martha stil om de veters van de kleine Ljoedmila te strikken. Terwijl ze gehurkt zat, kwam een meisje van ongeveer Lenina's leeftijd zwijgend naar hen toe lopen. Ze boog zich naar Martha's oor en fluisterde iets, waarna ze snel wegliep. In plaats van op te staan, zakte Martha op haar knieën neer op het trottoir als een aangeschoten dier. Haar kinderen probeerden haar te helpen opstaan, geschrokken. Na enkele ogenblikken herstelde ze zich, stond op en keerde om naar huis, terwijl ze Ljoedmila meesleurde, struikelend om sneller vooruit te komen. Jaren later vertelde Martha aan Lenina wat het meisje had gezegd: 'Vannacht zullen ze komen met een bevel tot huiszoeking.' Niemand wist wie dat meisje was, of wie haar had gestuurd.

Terug in de woning begon Martha te huilen. Ze was in de twaalf jaar van hun huwelijk maar één keer van haar echtgenoot gescheiden geweest, toen hij, kort nadat ze elkaar hadden leren kennen, wegging om dienst te doen in het Rode Leger. En nu was hij weg, en de wereld die ze hadden opgebouwd stond op het punt uit elkaar te spatten.

Die avond gingen de kinderen hongerig naar bed na een avondmaal van keukenrestjes die haar moeder haastig bij elkaar had gegooid. Martha kon niet slapen, vertelde ze later aan Lenina, en was de halve nacht bezig de was te doen. Daarna ging ze bij het open raam zitten, om te luisteren of ze soms een auto hoorde. Ze viel kort voor zonsopgang in slaap, en hoorde niets.

Martha werd gewekt doordat er hard op de deur werd geklopt. Ze keek op haar horloge; het was even over vier uur in de morgen. Martha trok een ochtendjas aan en deed open. Voor de deur stonden vier mannen, allen gekleed in zwartleren jacks met kogelriemen, en leren laarzen aan. De officier van het stel liet haar een bevel tot huiszoeking zien en een arrestatiebevel voor haar man. Hij vroeg of Bibikov thuis was. Martha zei nee, hij was weg, en begon om uitleg te smeken. De mannen drongen zich langs haar en begonnen de woning te doorzoeken. De kinderen werden wakker doordat ze stemmen hoorden. Ljoedmila begon te huilen. Een man deed de deur van hun kamer open, knipte even het licht aan, keek rond en zei tegen de kinderen dat ze stil moesten zijn. Ljoedmila kroop bij Lenina in bed en huilde zich weer in slaap. Hun moeder kwam binnen om hen te troosten, maar werd afgeleid door de geluiden van laden die werden doorzocht en kasten die werden leeggehaald in de kamer ernaast.

De mannen bleven twaalf uur lang; ze doorzochten systematisch elk boek en elk dossier in Boris' werkkamer. De mannen stonden Martha niet toe naar de keuken te gaan om de kinderen te eten te geven. Lenina herinnert zich hun gezichten, 'even hard als hun leren jassen'. Toen ze hun zoektocht hadden beëindigd, en een doosvol documenten in beslag hadden genomen waarvoor ze Martha lieten tekenen, sloten de agenten van de NKVD de vier kamers van de woning af en lieten Martha en haar kinderen in de keuken achter, nog altijd in hun nachtkleding. Toen de deur dichtklapte, zakte Martha in tranen in elkaar op de vloer. Ljoedmila en Lenina begonnen ook te blèren, met hun armen om hun moeder.

Toen het Martha lukte zich te beheersen, ging ze naar de badkamer en wrong een natte jurk uit. Ze veegde haar gezicht af voor de badkamerspiegel, zei tegen Lenina dat ze op haar zusje moest passen, en ging het huis uit. Ze haastte zich naar het plaatselijke hoofdkwartier van de NKVD, in de overtuiging dat hun gezin het slachtoffer was geworden van een vreselijke vergissing. Laat die avond kwam ze terug bij de kinderen, met lege handen en wanhopig. Ze was bijna niets te weten gekomen, behalve dat zij maar één van de tientallen panische vrouwen was die de onbewogen receptionist hadden bestookt met vragen over hun afwezige echtgenoot, en alleen te horen hadden gekregen dat er 'onderzoek' werd gedaan naar de mannen, en dat de vrouwen op de hoogte zouden worden gehouden.

Hoewel Martha het op dat moment niet wist, was haar echtgenoot nog steeds vrij man; hij lag ontspannen in een eersteklas slaapwagen op weg naar het zuiden, en verheugde zich op zijn dagen in de gezondheidskolonie van de Partij.

2 'Geen mannen maar reuzen!'

'Jongens, laten we het Plan uitvoeren!'
Oproep met krijt op de muur van het toilet
in de fabriek, geschreven door Boris Bibikov.

Er bestaan nog maar twee foto's waar Boris Bibikov op staat. De ene is een informele groepsfoto, genomen omstreeks 1932 bij de tractorfabriek in Charkov. Hij zit op de grond voor een twintigtal fris ogende, stralende jonge arbeiders, met zijn arm om de schouder van een jonge man met borstelig kortgeknipt haar. Bibikov heeft een gekreukt overhemd met open hals aan en zijn hoofd is gladgeschoren, in de proletarische stijl die veel van zijn generatie van Partijbonzen graag gebruikten. In tegenstelling tot de meeste anderen op de foto heeft hij geen glimlach op zijn gezicht, alleen een strenge, strakke blik.

De andere foto, van zijn Partijkaart, is begin 1936 genomen. Bibikov draagt de tuniek van een Partijkaderlid, tot aan de hals dichtgeknoopt, en ook hier staart hij doelgericht naar voren. Zijn omlaaggebogen mond heeft duidelijk iets wreeds. Hij is op-en-top de meedogenloze Partijman. Het formele van de pose en het feit dat Bibikov geboren is in een tijd voordat men zich voor een camera volkomen ongedwongen voelde, betekenen dat dit masker bijna volmaakt is. Er is op geen van beide foto's iets te zien van de man die hij was, alleen van de man die hij wilde zijn.

Hij stierf als een man zonder verleden. Zoals velen van zijn tijd en klasse wierp Bibikov zijn vroegere zelf als een beschamende huid van zich af, om herboren te worden als een Homo Sovieticus, een nieuwe Sovjetmens. Hij wist zichzelf zo doeltreffend opnieuw uit te vinden dat zelfs de onderzoekers van de NKVD die in de zomer en herfst van 1937 zijn overgang van vroeger naar later moeizaam door de 'gehaktmolen' van de NKVD draaiden, slechts een spoor van zijn vroegere bestaan wisten op te diepen. Er waren geen foto's, geen papieren, geen vastgelegde gegevens van zijn leven vóór de Partij.

Zijn familie stamde af van een van de generaals van Catharina de Grote, Alexander Bibikov, die de gunst van de keizerin en een vorstentitel verwierf door in 1773 een boerenopstand onder leiding van Jemeljan Poegatsjov neer te slaan. De opstand werd met grof geweld verpletterd, precies zoals de keizerin bevolen had; duizenden rebellen die het hadden gewaagd de staat uit te dagen werden standrechtelijk opgehangen of geranseld.

Boris Bibikov werd in de Krim geboren in 1903 of 1904 – zijn NKVD-dossier zegt het eerste, zijn moeder schrijft het tweede. Zijn vader Lev, een kleine landeigenaar, overleed toen Boris en zijn twee broers, Jakov en Isaac, nog heel jong waren. Hun moeder, Sofia, was een Jodin uit een gegoede Krimse koopmansfamilie; haar vader Naoem bezat een molen en een graanpakhuis, hetgeen wellicht de verklaring is van het vreemde 'beroep' dat Bibikov op zijn arrestatieformulier invulde: 'molenarbeider'. Boris kende Engels; hij vocht niet in de Burgeroorlog. Dat is ongeveer alles wat we weten over zijn vroege leven. Jakov, de enige van de broers Bibikov die nog leefde na de Tweede Wereldoorlog, en die tot 1979 in leven bleef, was al net zo obsessief – hij sprak nooit over zijn achtergrond, of over zijn geëxecuteerde broer. Voor de broers Bibikov bestond alleen de toekomst; terugkijken was er niet bij.

Ik geloof niet dat mijn grootvader een held was, maar hij leefde in heldhaftige tijden, en dergelijke tijden haalden in mensen, groot en klein, de impuls naar voren groots te zijn. De leuzen van de bolsjewistische revolutie waren Vrede, Land en Brood; en toentertijd moet deze boodschap ambitieuze en idealistische mannen fris en opwindend in de oren hebben geklonken, verwoord als een profetie. De kaderleden van de Partij zouden de avant-garde van de wereldgeschiedenis worden, niet minder. Op zeker moment, kort nadat de Oktoberrevolutie het oude Rusland had weggevaagd, lijkt Bibikov, net als veel leden van de 'voormalige klassen', een soort romantische revelatie te hebben ervaren. Of misschien – wie zal het zeggen – was het een impuls van ambitie, ijdelheid of hebzucht. Zijn erfgoed, het kleine Krimse molenaarsimperium van zijn grootvader aan moederskant, was in 1918 genationaliseerd. Velen van zijn voornamere verwanten in Moskou en Petrograd waren het land uit gevlucht of waren als klassenvijanden gearresteerd. De bolsjewieken waren de nieuwe meesters van Rusland, en de weg naar boven voor een energieke en intelligente jongeman bestond erin zich zo snel mogelijk aan de winnende kant te scharen.

Maar de enige getuige die we nog hebben, is Lenina, en haar getuigenis is dat haar vader een hoogstaand en altruïstisch mens was. En zelfs als dat niet het geval was, heeft het woord van Lenina een soort eigen emotionele waarde. Dus laten we zeggen dat er een nieuwe wereld in aanbouw was, en dat Boris' verbeelding werd aangesproken door de grootsheid van dat visioen, fris, nieuw en mooi, en dat hij en zijn twee jongere broers, Jakov en Isaac, zich er dus vol overtuiging in stortten.

Tijdens het laatste jaar van de Burgeroorlog liet Boris zich inschrijven in de kort tevoren geopende Hogere Partij School in de Krimse havenstad Simferopol. De school was opgezet om een nieuwe generatie commissarissen op te leiden om te heersen over het grote rijk dat de bolsjewieken sinds kort veroverd hadden, zeer tot hun eigen verrassing. Na een jaar scholing in theoretisch marxisme-leninisme en de rudimenten van agitatie en propaganda, trad mijn grootvader in mei 1924 toe tot de Partij, als een jonge stokebrand van eenentwintig, klaar om de Revolutie te dienen waar die hem ook maar nodig had.

Het bleek dat het meest dringende punt op dat moment nogal prozaïsch was. Boris werd uitgestuurd om toezicht te houden op de zomerse tomaten- en auberginеoogst in een pas gestart collectief landbouwbedrijf in Koerman Kimiltsji, een oorspronkelijk Tataarse nederzetting die sinds twee eeuwen bevolkt was door etnische Duitsers, in de hooglanden van het Krimse schiereiland. Daar, op de stoffige zomerse akkers, ontmoette hij zijn toekomstige vrouw, Martha Platonovna Sjtsjerbak.

Enkele weken voordat ze Boris ontmoette, had Martha Sjtsjerbak haar jongere zus Anna stervend achtergelaten op een stationsperron in Simferopol.

De twee meisjes waren op weg van hun geboortedorp bij Poltava, in de westelijke Oekraïne, om zomerwerk te zoeken op de landbouwbedrijven van de Krim. Martha, al drieëntwintig jaar oud, was ruim de leeftijd gepasseerd waarop van boerenmeisjes van haar generatie werd verwacht dat ze trouwden. Ze kwamen uit een gezin met elf zusjes; twee broertjes waren al heel jong gestorven. Het lijdt nauwelijks twijfel dat haar vader, Platon, het als niets minder dan een ramp beschouwde dat hij zoveel dochters had, en hij schijnt maar al te blij te zijn geweest om van twee daarvan af te komen.

Martha groeide op omringd door de tobberige argwaan en achteloze grofheid van een straatarm dorp op de Oekraïense steppen. Maar zelfs gemeten naar de harde normen van het Russische boerenleven vonden haar zusjes Martha ruziezoekend, jaloers en moeilijk in de omgang. Dat verklaart misschien waarom het haar niet gelukt was in haar dorp een echtgenoot te vinden, en waarom Anna en zij de twee zussen waren die het gezin te veel kostten en dus werden weggestuurd om voor zichzelf te zorgen. De afwijzing door haar vader was het eerste, en misschien het diepste, van de vele littekens op haar ziel die zouden uitgroeien tot een diepe, valse karaktertrek.

Tegen de tijd dat Anna en Martha in Simferopol aankwamen hadden ze al zeker een week een zwaar leven gehad; ze hadden gereisd in boemeltreintjes en waren meegelift op vrachtwagens die landbouwproducten vervoerden. Anna had onderweg koorts gekregen, en in de mensenmenigte op het stampvolle perron viel ze bewusteloos neer. Er kwamen mensen om het meisje heen staan, dat blauw aanliep en rilde. Iemand riep: 'Tyfus!' en er ontstond paniek. Martha stapte van haar zusje weg, draaide zich om, en sloeg met de rest op de vlucht.

Martha was jong, bang en voor het eerst alleen na een leven in de drukkende intimiteit van het houten boerenhuis van het gezin. Haar angst om in quarantaine geplaatst te worden in een van de beruchte en dodelijke tyfushospitaals in de buurt was misschien best redelijk. Maar haar besluit om haar zusje in de steek te laten zou haar de rest van haar leven blijven obsederen, een erfzonde waarvoor ze wreed werd gestraft. Gedreven, ongetwijfeld, door angst, in de war en voor het eerst in haar korte leven alleen, ontkende Martha te weten wie de koortsige tiener was die daar languit op het perron lag. Ze voegde zich bij de massa mensen die zich in de eerste trein in westelijke richting persten.

Vele jaren later, toen moeder en dochter een half leven van gruwelen achter de rug hadden, vertelde Martha haar dochter Lenina het verhaal van de vermoedelijke dood van haar zusje. Maar Martha sprak terloops over die gebeurtenis, en deed net alsof het iets heel normaals was. Iets in haar binnenste was gebroken, of misschien was het er nooit geweest.

Zelfs zo klein als ik was, was ik bang voor mijn grootmoeder Martha. Toen ze in 1976 bij ons op bezoek kwam, was dat de eerste en enige keer dat ze uit de Sovjet-Unie weg was, en voor het eerst dat ze in een vliegtuig vloog. Vóór haar reis naar Engeland was de langste reis die ze had gemaakt die als goelaggevangene in een trein naar Kazachstan, en nog eens op haar weg terug. In de zware koffers die ze in Londen meebracht, had ze haar eigen stel dikke katoenen lakens gepakt, zoals de gewoonte was voor Sovjetreizigers.

Wanneer Martha bewoog, leken haar ledematen onmogelijk log, alsof haar lichaam haar een last was. Thuis droeg ze de goedkoopst mogelijke jurken van bedrukte Sovjetkatoen, en zware pantoffels; wanneer ze naar buiten ging, trok ze een muffe tweed twinset aan. Je zag haar bijna nooit glimlachen. 's Avonds aan tafel zat ze streng te kijken zonder iets te zeggen, alsof ze de bourgeois luxe waarin haar dochter leefde, afkeurde. Eén keer, toen ik net deed alsof mijn mes en vork trommelstokken waren, gaf Martha me een uitbrander met een plotselinge boosheid waardoor de tranen in mijn ogen prikten. Ik vond het niet jammer toen ze wegging. Ze huilde opeens hartstochtelijke tranen toen ze afscheid nam, wat ik gênant vond. 'Ik zal je nooit meer zien,' zei ze tegen mijn moeder, en daar had ze gelijk in. Er was geen tijd om nog veel meer te zeggen, want mijn vader wachtte al buiten in zijn oranje Volkswagen Kever om haar naar Heathrow te brengen.

Ik denk nu vaak aan Martha, en probeer de lagen van geruchten en volwassen kennis die in mijn geest om haar beeld zijn gegroeid weg te halen om mijn eigen herinneringen aan haar op te roepen. Ik probeer me het knappe, weelderige meisje voor te stellen met wie Boris Bibikov trouwde. Ik vraag me af hoe zij een dochter kon hebben gekregen, zo levendig en vol van positieve energie als mijn eigen moeder. Na het ontrafelen van een deel van het verhaal van Martha's gebroken leven zie ik wel in dat een soort afwijking in haar ziel al haar energie en levenskracht naar binnen richtte, op zichzelf. Ze haatte de wereld, en omdat haar zelf elk geluk ontnomen was, probeerde ze het te vernietigen in iedereen om haar heen. Ik was een klein kind toen ik haar kende. Maar zelfs toen voelde ik in de doodsheid van haar oogopslag, in haar houten omhelzing, iets griezeligs en beschadigds.

De trein vanuit Simferopol bracht Martha westwaarts naar Koerman Kilimtsji. Ze kreeg te horen dat daar werk te krijgen was, dus ze stapte uit op het stoffige perron en liep naar het bureau van het collectieve landbouwbedrijf. Ze kreeg een veldbed toegewezen in een door de moffen gebouwde barak voor reizende zomerarbeiders. Daar ontmoette ze de jonge volkscommissaris Boris Bibikov.

De verbintenis tussen Martha en Boris was een revolutionair huwelijk. Hij was een snel stijgend en onderlegd lid van de nieuwe revolutionaire elite, zij een eenvoudig boerenmeisje met onberispelijke proletarische geloofsbrieven. Er kan een element van berekening een rol hebben gespeeld in Bibikovs keuze. Of het was, misschien waarschijnlijker, een moetje, het resultaat van een zomerliefde die voltrokken werd in het hoge gras van een Krimse weide op een warme zomeravond.

Hun eerste dochter werd geboren zeven maanden nadat ze in maart 1925 hadden 'getekend' – het nieuwe jargon voor een burgerlijk huwelijk. Bibikov noemde haar Lenina, naar de niet lang daarvoor overleden leider van de Revolutie, Vladimir Iljitsj Lenin. Toen Lenina acht maanden oud was, trad haar vader toe tot het Rode Leger om zijn militaire dienst te vervullen. Martha liet Lenina altijd de brieven zien die Bibikov naar huis stuurde; ze wees ernaar en zei dan: 'Pappie'.

Toen Bibikov naar huis terugkeerde, was Lenina twee jaar oud, en ze huilde toen die vreemde man het huis binnenkwam. Martha vertelde haar dat pappie was teruggekomen. De kleine Lenina zei nee, dat is niet pappie, en wees naar de blikken doos waarin Martha de brieven van haar man bewaarde – dát is pappie, in die doos. Het was alsof ze een kinderlijk voorgevoel had van de dag waarop Boris de deur uit en hun leven uit zou lopen – en zou terugkeren in de vorm van een stapel papier.

Het leven van Boris Bibikov wordt pas echt zichtbaar in 1929, wanneer Lenina's duidelijkste herinneringen aan hem beginnen, en het project waaraan hij zijn loopbaan wijdde en dat hem een zekere faam zou brengen, van start ging.

In april van dat jaar gaf de zestiende conferentie van de Communistische Partij haar goedkeuring aan het eerste Vijfjarenplan voor de Ontwikkeling van de Volkseconomie. De Burgeroorlog was gewonnen, de secretaris-generaal van de Partij, Josef Stalin, had zijn aartsrivaal Leon Trotsky verdreven, en het Plan was het grootse ontwerp van de Partij om uit de ruïnes van een door oorlog en revolutie verwoest Rusland een socialistisch land op te bouwen. Het was niet alleen een economisch project – het was voor jonge gelovigen zoals Bibikov niet minder dan een blauwdruk voor een stralende socialistische toekomst.

De sleutel tot het Plan was de socialisatie van de boeren, die meer dan 80 procent van de bevolking vormden en door de Partij beschouwd werden als gevaarlijk reactionair. De Revolutie was overwegend stedelijk, hoogopgeleid, doctrinair – net als Bibikov zelf. De boeren, met hun blasfemische wens land te bezitten, en hun sterke gehechtheid aan familie, eigen groep en kerk, vormden een regelrechte uitdaging van het monopolie van de Partij over hun zielen. Het beoogde doel was het platteland te hervormen tot een 'graanfabriek', en de boeren tot arbeiders.

'Honderdduizend tractoren zullen van de *moezjiek*, de boer, een communist maken,' schreef Lenin. Zoveel mogelijk boeren zouden naar de steden gedreven worden, waar ze goede proletariërs zouden worden. Degenen die op het land bleven, zouden werken in gigantische, efficiënte collectieve landbouwbedrijven. En wat nodig was om die bedrijven efficiënt te maken en arbeid vrij te maken voor de steden, waren tractoren. Tijdens de voorjaarsaanplant van 1929 waren er in de hele Oekraïne maar vijf tractoren in gebruik. De rest van de arbeid werd uitgevoerd door mannen en paarden. Het uitgestrekte gebied van zwarte aarde bewoog nog altijd, zoals het gedurende talloze generaties had gedaan, op de trage hartslag van de seizoenen en de ritmen van menselijke en dierlijke arbeid.

Hier zou de Partij verandering in brengen. Stalin gaf persoonlijk bevel tot de bouw van twee reusachtige tractorfabrieken in het hart van de graangordel van zuidelijk-centraal Rusland – een in Charkov, in de Oekraïne, de broodmand van het Rijk, en een tweede aan de rand van de lege steppen van westelijk Kazachstan, in Tsjeljabinsk. De Partij bedacht ook een leus: 'Wij zullen eersteklas machines produceren, teneinde de maagdelijke grond van het boerenbewustzijn grondiger om te ploegen!'

De Charkovse tractorfabriek, of CHTZ, zou gebouwd worden op met kreupelhout begroeid terrein buiten de stad, in een kaal veld. Voor het eerste jaar van de bouw reserveerde de Partij 287 miljoen gouden roebels, 10.000 arbeiders, 2000 paarden, 160.000 ton ijzer en 100.000 ton staal. Bakstenen zouden gemaakt worden van de voor de funderingen uitgegraven klei. De enige machines ter plaatse toen de eerste schop in de grond ging, waren vierentwintig mechanische betonmolens en vier grindmaalmachines.

De grote meerderheid van de werkers bestond uit ongeschoolde boeren die net van hun land waren beroofd. De meesten hadden nog nooit een andere machine gezien dan een door een paard getrokken dorsmachine. Metselaars wisten hoe ze een Russische oven moesten bouwen, maar hadden geen idee hoe een gebouw van baksteen moest worden geconstrueerd, timmerlieden konden een *iezba*, een blokhut, bouwen met een bijl, maar geen barak.

Het lijkt passend om in heroïsche taal over deze tijd te spreken, omdat Bibikov zichzelf en zijn missie beslist zo zag. Dat het project van start ging, en zeker dat het in recordtijd werd voltooid, getuigt van het meedogenloze geloof en de fanatieke energie van de bouwers ervan. In tegenstelling tot latere generaties van Sovjetbureaucraten waren de Partijmannen van de CHTZ geen achter een bureau gezeten pennenlikkers. Zelfs als we de hyperbool van de officiële verslagen buiten beschouwing laten, werkten zij in de modder te midden van de verbijsterde, norse en half verhongerde boeren. En meer dan dat: ze veranderden hen niet alleen in arbeiders, maar in gelovigen op hun beurt. En bij gebrek aan passende apparatuur of vakkundige werkers was het niet veel meer dan zuiver geloof – en zuivere angst – dat een kleiveld omzette in negentig miljoen bakstenen, en uit die bakstenen een industrieel monster bouwde. Het hele project zou uiteindelijk demonstreren hoe de onwrikbare wil van de Partij tegen alle verwachtingen in kon triomferen.

Bibikov en zijn gezin woonden in een grote communewoning aan de Koejbisjeva-straat 4 in het centrum van Charkov, een behoorlijk luxueus appartement in een oud bourgeois gebouw, passend bij zijn status als opkomend Partijfunctionaris. Ze deelden de woning met een kinderloos Joods echtpaar, Rosa en Abram Lamper. Abram was ingenieur, Rosa een uitnemend kokkin. Martha's jaloerse verdenking dat haar kinderen het door Rosa bereide eten lekkerder vonden dan het hare werd versterkt door haar voor een boerin vanzelfsprekende antisemitisme.

Bibikov verdween vaak dagen achtereen naar de fabriek; Lenina zag hem bijna nooit. 's Morgens vroeg verscheen een dienstauto om hem op te halen, en hij kwam meestal heel laat thuis, wanneer Lenina al naar bed was gegaan. Toch vond hij in de weekends tijd om Duitse les te nemen bij een mooie, aristocratische jonge lerares. Omdat Martha haar echtgenoot ervan verdacht dat hij een verhouding had met deze lerares, nam Bibikov Lenina altijd mee naar de lessen; ze liepen hand in hand langs de technische universiteit, de 'Gigant'. Onderweg kocht hij dan snoep voor Lenina. Bibikov begroette de lerares door haar de hand te kussen – een onvergeeflijk bourgeois gebaar als het in het openbaar werd uitgevoerd. Dan gaf hij Lenina altijd een boek om in te lezen, en trok zich terug in de kamer van de lerares, waarna hij de deur achter zich sloot.

Op sommige avonden bracht hij vrienden uit de fabriek mee naar de woning – mannen als Potapenko, het hoofd van het Partijcomité, en Markitan, hoofd van de Partij in Charkov. Hoewel hij niet dronk of rookte, herinnert Lenina zich dat het toch altijd om haar vader draaide. Ze beschreef hem als een grote '*zavodilo*' – letterlijk, een groot opwinder, een agitator, van het werkwoord *zavodit*, een klok opwinden. 'Ik was er trots op het kind van een leider te zijn, en hij was een leider, hij had een magisch vermogen mensen te enthousiasmeren,' herinnert Lenina zich.

Magisch of niet, Bibikov schijnt zeker met een aan fanatisme grenzend enthousiasme te hebben gewerkt aan de bouw van de grote fabriek. Een van zijn collega's vertelde later aan Lenina dat haar vader met krijt 'Jongens, laten we het Plan uitvoeren!' op de muur van het toilet schreef, in een poging zijn werkers aan te moedigen. Hij had ook de leiding over ritten om werkkrachten te werven op het land en bij eenheden van het Rode Leger die gedemobiliseerd werden. Tijdens deze bliksembezoeken hielden Bibikov en enkele speciaal geselecteerde werkers lovende toespraken over de CHTZ. Bibikov kwam altijd vuil en uitgeput terug van deze tochten. Lenina herinnert zich dat haar moeder klaagde over de luizen die hij had opgedaan door in boerenhuisjes te slapen, en dat ze zijn ondergoed uitkookte in een grote emaillen pan op het gasfornuis.

De officiële geschiedenis van de fabriek werd, anoniem, geschreven in 1977. Maar de auteur ervan, kennelijk een gepensioneerd staflid van de fabriek, is duidelijk ooggetuige geweest van de gedenkwaardige begintijd van de CHTZ. Een van de heldinnen van de geschiedenis is Varvara Sjmel, een boerenmeisje dat uit een afgelegen dorp naar Charkov kwam om zich op het bouwterrein bij haar broer te voegen. Haar tijd in de fabriek wordt een metafoor van de vooruitgang van het proletariaat onder de invloed van de '*stroika*', het bouwproject. Varvara, verbaasd toen ze voor het eerst een tractor zag, kreeg haar handen en gezicht vol smeer toen ze het ding onderzocht. Het tafereel werd waargenomen door 'een sardonische jongeman op gele rubberlaarzen', een buitenlandse correspondent die het terrein bezocht en die een allegorie wordt van het spottende Westen, dat overtuigd is van de achterlijkheid van Rusland.

"'Symbolisch!' zei de buitenlandse journalist. 'De boerenjuffrouw bekijkt een tractor. En wat gebeurde er? Ze heeft alleen een vies gezicht gekregen. Ik herhaal en zal blijven herhalen dat de bouw van deze fabriek geen realistisch project is. Ik zou deze juffrouw van harte aanraden haar tijd niet verder te verdoen en naar huis te gaan om – hoe noemen jullie het ook weer – *sjehi* met kool te koken.'"

Deze geschiedschrijver beweert dat er mensen kwamen 'vanuit de hele Unie, en velen gaven gehoor aan de oproep van de Partij en de Komsomol [de communistische jeugdbond]. Dit waren mensen die zich hartstochtelijk aan hun taak wijdden en er al hun kracht aan gaven, echte enthousiastelingen. Zij vormden de wezenlijke ruggengraat van het bouwwerk, het front van de actieve vechters voor het creëren van een stevige grondslag voor de socialistische economie.' De werkelijkheid was anders. De meesten van de boeren die naar het bouwterrein kwamen, waren uitgehongerde vluchtelingen voor een oorlog die de jonge Sovjetstaat tegen haar eigen mensen had ontketend.

'De Partij is gerechtigd een beleid van beperken van de uitbuitende neigingen van de koelaks [welvarende boeren] om te buigen tot een beleid van liquideren van de koelaks als klasse,' aldus de uitspraak van het Centraal Comité op 5 januari 1930. Het memorandum van de Wannseeconferentie van 1942 waarin de Endlösung van het Jodenprobleem in kaart werd gebracht is beroemder – maar de veroordeling van de koelaks tot uitroeiing door de Sovjet Communistische Partij zou dubbel zo dodelijk blijken te zijn.

Legereenheden werden gemobiliseerd om de boeren van hun land te verdrijven en hun 'gehamsterde' graan in beslag te nemen voor de steden en voor export. Officieren van de NKVD gingen met hen mee om verdachte koelaks eruit te halen – en dat betekende elke boer die iets harder werkte dan zijn buren, of die zich verzette tegen de overplaatsing naar collectieve landbouwbedrijven. Het Rode Leger, verdierlijkt door de gruwelen van de Burgeroorlog, trok in dezelfde geest ten oorlog tegen de boeren. Er vonden snelrechtelijke executies plaats, dorpen werden afgebrand en de bewoners ervan hartje winter gedwongen op mars gestuurd of in veewagens gepakt om zich te hervestigen in slavenwerkkampen overal in de Sovjet-Unie. De gedeporteerden werden door hun bewakers 'witte steenkool' genoemd.

'Het was een tweede Burgeroorlog – ditmaal tegen de boeren,' schreef Alexander Solzjenitsyn in zijn epische geschiedenis, *De Goelag Archipel*, een 'literair onderzoek' naar de verschrikkingen van deze periode. 'Het was werkelijk het Grote Keerpunt, of zoals de zegswijze luidde, de Grote Breuk. We krijgen alleen nooit te horen wat er brak. Dat was de ruggengraat van Rusland.'

Begin 1930 was na een winter van virtuele oorlogvoering – virtueel omdat één kant ongewapend was – de helft van de boerderijen van de Oekraïne gedwongen gecollectiviseerd. Op 2 maart 1930 publiceerde Stalin een artikel in de *Pravda*, de Partijkrant, waarin hij de schuld van het geweld en de chaos van de wintermaanden toeschreef aan plaatselijke kaders wie 'het succes naar het hoofd was gestegen'. De werkelijkheid was dat plaatselijke Partijleden in de war waren en gedemoraliseerd, dat de boeren massaal uit de nieuwe collectieve landbouwbedrijven waren vertrokken, en dat het verzet van de boeren tegen het systeem en zijn vertegenwoordigers toegenomen was tot een niveau dat zelfs Stalin noopte het een tijdelijk halt toe te roepen.

Ondanks de gruwelen die overal rondom op het land plaatsvonden, zetten Bibikov en de andere kaderleden die voor de bouw van de grote tractorfabriek waren geselecteerd door.

'Toen zwermen zwaluwen terugkeerden uit verre warme landen, toen leeuweriken in de lucht begonnen te tierelieren en de grond ontdooide onder de vriendelijke zon, begon de steppe te glinsteren van duizenden spaden,' schrijft de auteur van de officiële geschiedenis, in de zinderende taal van een hoofdartikel in de *Pravda*. Maar de omstandigheden waren bar. Groepen arbeiders sleepten ladingen opgegraven klei op sleden voort omdat er onvoldoende paarden beschikbaar waren. Timmerlieden zetten 150 ruwhouten barakken voor de werkers in elkaar, en een geïmproviseerde ondergrondse oven leverde het vuur voor de eerste bakstenen om de schoorsteen van de eigenlijke baksteenfabriek te bouwen. Vloeibare modder spoot omhoog door de planken vloeren van de werkplaatsen, en elke avond werden rijen met modder doorweekte schoenen van boombast buiten gelegd om in de voorjaarszon te drogen. Langzaam aan begonnen de muren van de fabriek op te rijzen uit de zware kleivelden waaruit ze gemaakt werden.

Het was een wonder dat zich door de hele Sovjet-Unie herhaalde. De reusachtige staalsteden Magnitogorsk in de Oeral en Tomsk in Siberië werden volgens opdracht gebouwd op kale steppen, in Sverdlovsk kwam de reusachtige fabriek van zware machines, Oeralmasj; de andere grote tractorfabriek in Tsjeljabinsk, bekend als TsjTZ, en een fabriek voor oogstcombines, de 'schepen van de steppe'. In de Oekraïne rezen nieuwe metaalfabrieken op in Krivy Rog en Zaporozjije, en er werden nieuwe antracietmijnen uitgegraven in het bekken bij Donetsk. Op elke dag van het eerste Vijfjarenplan werd één nieuwe fabriek opgericht en werden er 115 nieuwe collectieve landbouwbedrijven geopend. In het hele land werden de schijnbaar fantastische projecten waartoe het Politburo in Moskou opdracht gaf tot werkelijkheid gemaakt. De staat had natuurlijk bewezen genadeloos te zijn bij het straffen van de vijanden van de Revolutie, en de prijs voor mislukking zou ongetwijfeld hoog zijn. Maar het is moeilijk te geloven dat deze wonderen van industrialisatie uitsluitend door angst werden gecreëerd. Achter de stortvloed van propagandafoto's van gelukkige, lachende arbeiders lag naar mijn overtuiging een vonk van waarheid. Gedurende een kort maar intens ogenblik bloeide er een echte en vurige trots in de mannen en vrouwen die bij het grootse project betrokken waren.

Tegen het eind van de zomer van 1930, toen het Vijfjarenplan nog geen jaar oud was, stond de structuur van de fabriek overeind – de muren, duizenden vierkante meters glazen daken, schoorstenen, ovens, wegen, rails. Er kwam een fabrieksrkrant, *Temp* of wel *Snelheid* genaamd, om arbeiders tot grotere productiviteit aan te zetten, de snelheid op te voeren. Hiervan was Bibikov de hoofdredacteur; hij schreef geregeld artikelen en gaf cursussen voor journalisten in spe onder de meer geletterde arbeiders. Er werden ook stukken van hem gepubliceerd in de *Izvestija*, het grote Moskouse dagblad dat door Lenin zelf was gesticht. Lenina herinnert zich dat hij de ochtend dat zijn stukken verschenen opgewonden meerdere exemplaren kocht bij de kiosk. Helaas werden de meeste artikelen in die tijd gepubliceerd zonder vermelding van de auteur en zijn veel van de archieven van de krant uit die periode door de oorlog vernietigd, zodat het een mysterie blijft wat Bibikov geschreven heeft.

Alexander Grigorjevitsj Kasjtanjer, die in 1931 als stagiair bij *Snelheid* werkte, schreef in 1963 aan Ljoedmila over wat hij zich van Bibikov herinnerde. 'In die tijd hoorde je de naam van jouw vader voortdurend uitspreken overal in de fabriek. Ik heb de toespraken van kameraad Bibikov gehoord op de werkvloer, bij vergaderingen, op de bouwterreinen. Ik herinner me dat het krachtige, strijdvaardige toespraken waren. Het was een woelige tijd, en de naam van de krant alleen al, *Snelheid*, weerspiegelde de gedachten van de arbeiders in de tractorfabriek: vooruit, er valt geen tijd te verspillen, hou het tempo aan! Je kunt trots zijn op je vader, hij was een echte soldaat van Lenin. Bewaar een stralende herinnering aan hem in jullie hart!'

De *Pravda*, de krant van de Partij, publiceerde in februari 1966 (na Bibikovs officiële rehabilitatie door Chroesjtsjov) een verhaal over de CHTZ waarin de stemming van de epische geboorte van de fabriek wordt opgeroepen. 'Ik bracht de zondag door in het huis van [de arbeider] Tsjernoivanenko, waar veel werd gepraat over het tegenwoordige werk van de fabriek,' schrijft de anonieme correspondent van de *Pravda*. 'Maar de herinnering riep ons telkens terug naar de jaren dertig. Dat was me een tijd! Het begin van het tijdperk van industrialisatie in de USSR! We dachten terug aan de mensen van de CHTZ, hoe ze toen waren. De streng ogende maar buitengewoon redelijk denkende directeur, Svistoen, de massa-agitator van de Partij, Bibikov – hij was een opgewekte, gevoelvolle kameraad, die onze jonge mensen kon inspireren om moeilijkheden te overwinnen, of dat nu was in recordtijd een dak met glas bedekken, de vloer teren of nieuwe machineonderdelen installeren – en niet door te bevelen maar eenvoudig door de hartstocht van zijn overtuigingen. "Dat waren niet zomaar gewone mannen," zegt Tsjernoivanenko met een holle stem vol onderdrukte passie, "dat waren reuzen!"'

Om het project op schema te houden was hij een voorvechter van het schijnbaar paradoxale systeem van 'socialistische competitie' – in essentie wedstrijden tussen verschillende ploegen arbeiders wie het meest productief kon zijn. Hij gaf de arbeiders ook helden die uit hun midden werden gekozen: 'Mannen die de anderen door hun voorbeeld inspireerden tot grote daden van arbeid, en die als echte helden in de geschiedenis van de fabriek werden opgenomen. Mensen die legenden werden.'

De helden die door Bibikov en de propaganda-afdeling van *Snelheid* werden gecreëerd waren mannen als Dmitri Melnikov; hij zette een Amerikaanse 'Marion' grondgraafmachine in zes dagen in elkaar, niet in veertien dagen zoals in de handleiding van de fabrikant stond. Deze en andere wonderbaarlijke daden werden gepubliceerd op '*stengazety*', gestencilde muurkranten die overal in de fabrieksgebouwen werden opgehangen. Degenen die minder hard werkten daarentegen werden door hun collega's aan de kaak gesteld: 'Ik, betongieter van de Koezmenko-groep, heb drie uur niet gewerkt door de onbekwaamheid van x,' stond eind 1930 als een openbare mededeling te lezen op een *stengazeta*. 'Ik eis dat de heldenwerkers van onze groep voor deze verloren uren uit zijn zak worden betaald.'

Maar ondanks deze aansporingen was het werk achteropgeraakt toen de dertiende verjaardag van de Revolutie in oktober 1930 naderde en de deadline voor de voltooiing van de fabriek opdoemde. Op instigatie van Bibikovs Partijcomité organiseerden ploegbazen 'stormnachten' van arbeid, begeleid door een fanfarekorps, waarin ploegen arbeiders tegen elkaar in het geweer kwamen.

De fabrieksarbeiders en de directie raakten algauw geobsedeerd door deze wedstrijden, in overeenstemming met een nationale krantencampagne waarin uitvoerig verslag werd gedaan van deze wonderbaarlijke (en steeds merkwaardiger) prestaties. Een van de leidmotieven van de eindeloze verslaggeving in de *Pravda* werd het uitjouwen van buitenlanders en het tenietdoen van hun voorspellingen. De CHTZ liet zich niet de loef afsteken en produceerde algauw zijn eigen records.

'De [arbeiders] ontzenuwden ook de berekeningen van buitenlandse deskundigen over de productiviteit van de Kaiser-betonmolen,' meldt de geschiedenis van de CHTZ trots. 'Professor Zailiger beweerde bijvoorbeeld dat de machine tijdens één arbeidsperiode van acht uur niet meer dan 240 ladingen beton kon produceren. Maar de communisten van de tractorfabriek besloten boven de norm uit te stijgen.' Er werkten vierhonderd man in die periode en zij presteren het 250 ladingen te produceren. 'Wij laten ons de wet niet voorschrijven door buitenlandse specialisten en hun theorieën,' pochte voorman Maroesoenin tegen de correspondent van *Snelheid*.

De fanfarekorpsen van de fabriek speelden nu elke nacht de hele nacht; het galmde door de fabriekshal en overstemde het geluid van de zes Kaiser-betonmolens van de CHTZ. De voormannen renden heen en weer en spoorden hun mannen aan te werken. In de loop van de volgende maanden werden nieuwe records gevestigd van 360 ladingen, en vervolgens 452 ladingen. In Charkov werd een bijeenkomst van betongieters uit de hele Unie gehouden om de verbluffende records van de CHTZ te vieren. De buitenlandse betonspecialist, de geheimzinnige professor Zailiger in eigen persoon, kwam uit Oostenrijk en keek vol verbazing toe – 'Ja, jullie werken, het is een feit,' citeert *Snelheid* hem.

Er waren ook wonderen in het metselen. Arkadi Mikoenis, een jonge enthousiasteling uit de Komsomol, die na het werk achterbleef om ervaren metselaars aan het werk te zien en in zijn vrije tijd specialistische metselbladen las, evenaarde zijn leraren algauw met hun norm van 800 bakstenen per werkperiode. Tijdens een speciaal georganiseerde 'stormnacht' metselde Mikoenis 4700 bakstenen tijdens één werkperiode; meer, schrijft *Snelheid* trots, dan 'zelfs Amerika'. Tijdens een door de fabriek gesponsorde vakantie in Kiev werd hij uitgenodigd om de plaatselijke metselaars zijn vaardigheden te tonen en metselde 6800 stenen. Het raakte bekend in de hele metselaarswereld en er kwam een Duitse kampioen uit Hamburg om het met eigen ogen te zien; na een halve werkperiode tegen Mikoenis gaf hij de strijd op. En Mikoenis hield nog steeds niet op – zijn record steeg tot 11.780 bakstenen in één dag, een toch ietwat onwaarschijnlijk drievoud van het voormalige wereldrecord. Vanwege zijn wonderbaarlijke vaardigheden in het snelmetselen – kennelijk in een tempo van één baksteen per vier seconden gedurende twaalf uren achtereen – werd Mikoenin beloond met de Lenin-orde.

Alsof het vestigen van nieuwe records niet genoeg was, gaf Bibikov ook de aanzet tot avondcursussen om 'het niveau van socialistisch bewustzijn' bij de fabrieksarbeiders op te krikken. In het voorjaar van 1931 volgden de meesten van de arbeiders, die een jaar eerder nog uitgehongerde boeren waren geweest die klei opgroeven, vrijwillig avondcursussen om zich te kwalificeren als monteurs en technici. Na afloop van de werktijd verdrong men zich om in de kantine te komen en zich te wassen voor de cursussen begonnen. 500 arbeiders hadden zelfs het geluk naar Stalingrad en Leningrad te worden gestuurd om te leren werken met nieuwe specialistische machines die daar in fabrieken waren geïnstalleerd. Een van de vele verontschuldigingen die Bibikov bij zijn lankmoedige echtgenote aanvoerde voor het feit dat hij altijd zo laat thuiskwam, was dat hij persoonlijk cursussen marxisme-leninisme gaf voor een gevorderde groep voormannen en leidinggevenden, en massabijeenkomsten en lezingen over politieke economie voor de gewone man. We zien het voor ons: rijen van gretige, en minder gretige, toehoorders die opkeken naar de kale, bezielde figuur achter de katheder in zijn gestreepte matrozenhemd en even kritiekloos als sponzen informatie opzogen, zodat Marx en Lenin geleidelijk de plaats innamen van de niet minder naijverige oude God van het Russische rijk waarmee ze waren opgegroeid.

Op 31 mei 1931 werd de industriële leider van het Politburo, Sergo Orzjonikidze, eerbiedig rondgeleid door de vrijwel voltooide fabrieksgebouwen. Orzjonikidze gaf bevel dat de bouw op 15 juli voltooid moest zijn, en dat de installatie van de productielijnen onmiddellijk daarna moest beginnen. Het is, gezien de onuitgesproken straffen in het geval dat dit niet zou lukken, niet verrassend dat het werk op tijd afkwam.

Op 25 augustus 1931 kwamen de eerste te testen tractoren van de montageband. Op 25 september stuurde de fabrieksdirecteur een telegram naar het Centrale Comité met de mededeling dat de CHTZ volgens plan op 1 oktober klaar zou zijn om met de volledige produktie te beginnen, niet meer dan vijftien maanden nadat de eerste schop de grond in was gegaan.

Twintigduizend mensen kwamen in de reusachtige machinehal bijeen voor de officiële opening. Demjan Bedny, de 'proletarische dichter' wiens pseudoniem Demjan de Arme betekende, was aanwezig om de gebeurtenis in dichtvorm te verslaan, evenals een delegatie van hoogwaardigheidsbekleders uit Moskou. Een tweedekker vloog over het terrein en strooide folders uit met een gedicht, getiteld 'Saluut aan de Reus van het Vijfjarenplan'. De buitenlandse journalist met de gele rubberlaarzen was er ook: 'even voddig, maar minder zelfverzekerd'. Varvara, het boerenmeisje dat hij smalend had bejegend, was naar de fabrieksschool geweest en was nu een gekwalificeerd staalperser.

Grigori Ivanovitsj Petrovsky, hoofd van het Oekraïense Centrale Comité van de Volkseconomie, knipte het ceremoniële lint door, liep de hal in en kwam eruit rijden op een knalrode tractor, bedekt met anjers en bestuurd door de kampioen-arbeidster, Maroesja Boegajeva, terwijl de fabrieksfanfare de 'Internationale' speelde. Deze werd gevolgd door tientallen andere tractoren. Eén arbeider van een collectief landbouwbedrijf riep, zo meldt de speciale editie van *Snelheid* over de opening: 'Kameraden – dit is echt een wonder!'

Het satirische Sovjettijdschrift *Krokodil* publiceerde het telegram van de fabrieksdirectie woordelijk: 'Eén oktober opening van Charkov Tractorfabriek uitnodiging redactielid bijwonen viering opening fabriek – Fabrieksdirecteur Svistoen. Partijsecretaris Potapenko. Directeur Fabriekscomité Bibikov.' Het tijdschrift schreef een speciaal gedicht ter ere van de gebeurtenis: 'Aan de Bouwers van de Charkov Tractorfabriek'.

'Aan allen, aan allen, de bouwers-helden,
Deelnemers aan een van onze grote overwinningen,
Die aan de bouw van de Charkov Tractorfabriek hebben gewerkt
De vlammende groet van een Krokodil!
De Krokodil, overmand door vreugde over dit nieuws,
Buigt zijn kaken voor jullie:
Jullie vervulden je taak met bolsjewistische eer,
Charkov hield de snelheid in ere...
Een record! Eén jaar en drie maanden!'

Maar achter de algemene vreugde ontwikkelde zich op het platteland een volgende catastrofe. De tractoren van de CHTZ kwamen te laat om invloed te hebben op de oogst van 1931, die na de schade door de collectivisering rampzalig was. De geplande 'graanfabrieken' produceerden niet veel meer dan de helft van wat hetzelfde gebied vijf jaar eerder had opgeleverd. De enige manier voor de boeren om te protesteren tegen het verlies van hun land en hun huizen was hun dieren te slachten en zoveel mogelijk van hun voedselvoorraden op te eten voor de volkscommissarissen kwamen.

Ooggetuigen van het Rode Kruis meldden dat ze boeren zagen die 'dronken waren van het eten', met ogen die dof stonden door hun waanzinnige, zelfvernietigende vraatzucht en het weten wat hiervan de gevolgen zouden zijn.

Het is niet verbazingwekkend dat ze met tegenzin voor de nieuwe staatsboerderijen werkten. Toch eiste de staat graan, niet alleen om de steden te voeden maar ook om het voor harde valuta te exporteren teneinde buitenlandse machineonderdelen te kopen voor projecten zoals de CHTZ. Sovjetingenieurs werden uitgezonden naar de Verenigde Staten en Duitsland om stoomhamers, machines om vellen staal uit te rollen en persen te kopen met koffersvol Sovjetgoud, dat verdiend was met de verkoop van graan tegen Depressie-prijzen. De Amerikaanse stoomhamer van de CHTZ, die Bibikov volgens de latere beschuldiging zou hebben gesaboteerd, kostte voor 40.000 roebels aan goud, het equivalent van bijna duizend ton graan, genoeg om een miljoen mensen drie dagen lang te voeden.

In oktober 1931 eiste de Sovjetregering 7,7 miljoen ton op van een magere totale oogst van 18 miljoen ton. Het meeste hiervan werd gebruikt om de steden, bastions van Sovjetmacht, te voeden, hoewel er 2 miljoen naar het Westen werd geëxporteerd. Het resultaat was een van de ergste hongersnoden van de eeuw.

Tijdens de onteigeningen van 1929 en 1930 waren individuele dorpen verhongerd als ze weerstand boden aan de volkscommissarissen, die voor straf al het voedsel dat ze konden vinden in beslag namen. Maar nu, nu de winter van 1931 begon, nam de honger de hele Oekraïne en zuidelijk Rusland in zijn greep. Miljoenen boeren werden vluchtelingen, trokken naar de steden, stierven op de straten van Kiev, Charkov, Lvov en Odessa. Op treinen die door hongerende gebieden reden, werden gewapende wachten geplaatst zodat ze niet bestormd zouden worden. Een van de gruwelijkste beelden van de Russische eeuw is een foto van holwangige boeren die erop betrapt waren afgehakte ledematen van kinderen als vlees te verkopen op een marktkraam in de Oekraïne.

De nieuwe uitgestrekte velden van de collectieve boerderijen hadden wachttorens langs de randen, net zulke torens als de goelags, om uit te kijken naar graandieven. Er werd een wet ingevoerd volgens welke er minimaal tien jaar dwangarbeid stond op het stelen van graan; één rechtbank in Charkov veroordeelde in een maand 1500 graanverzamelaars ter dood. De torens werden bemand door Jonge Pioniers, de Communistische Kinderbond (voor kinderen van zes tot zeventien jaar). De veertienjarige Pavlik Morozov werd in 1930 een nationale held toen hij zijn eigen vader bij de autoriteiten aangaf omdat hij zijn koelakeigendom niet had overgedragen aan het plaatselijke collectieve landbouwbedrijf. De klikkende Pavlik werd vervolgens (misschien niet onredelijk) vermoord door zijn eigen grootvader. Het verhaal van deze jonge revolutionaire martelaar werd voorpaginanieuws in de *Pravda* en was aanleiding tot boeken en liederen over zijn heldendom.

'Er heerste daar zo'n onmenselijke, onvoorstelbare ellende, zo'n verschrikkelijk onheil, dat het bijna abstract begon te lijken, het paste eigenlijk niet binnen de grenzen van het bewustzijn,' schreef Boris Pasternak na een reis naar de Oekraïne. De jonge Hongaarse communist Arthur Koestler trof het 'reusachtige land gewikkeld in stilte' aan. De Britse socialist Malcolm Muggeridge nam een trein naar Kiev, waar hij zag dat de bevolking verhongerde. 'Ik bedoel verhongeren in absolute zin,' schreef hij. Erger nog, Muggeridge ontdekte dat de graanvoorraden die nog wel bestonden, aan legereenheden werden gegeven die daar naartoe werden gehaald om uitgehongerde boeren te verhinderen in opstand te komen. Verbitterd vertrok de idealistisch ingestelde Muggeridge uit de Sovjet-Unie, in de overtuiging dat hij getuige was geweest van 'een van de meest monsterachtige misdaden in de geschiedenis, zo vreselijk dat mensen in de toekomst nauwelijks zullen kunnen geloven dat het ooit gebeurd is'.

Zelfs geharde revolutionairen zoals Politburolid Nikolai Boecharin waren ontzet. 'Tijdens de Revolutie heb ik dingen gezien, het zien waarvan ik zelfs mijn vijanden niet zou toewensen. Maar toch valt 1919 niet te vergelijken met wat er tussen 1930 en 1932 gebeurde,' schreef Boecharin kort voordat hij in 1938 tijdens de Zuivering werd doodgeschoten. 'In 1919 vochten we voor ons leven... maar in die latere periode voerden we een massale vernietiging uit van volstrekt weerloze mannen, samen met hun vrouwen en kinderen.'

De hongersnood was meer dan alleen een ramp – het was een wapen dat met opzet tegen de boeren werd gebruikt. 'Er was een hongersnood voor nodig om hen te laten zien wie hier de baas is,' zei een oudere Partijfunctionaris tegen Victor Kravtsjenko, een planningsapparatsjik van de Partij die in 1949 uitweek naar de Verenigde Staten. 'Dat heeft miljoenen levens gekost... maar wij hebben de strijd gewonnen.'

Bibikov moet de honger ook gezien hebben – de ingevallen gezichten, de gezwollen buiken en de lege ogen. Hij reisde vaak voor Partij- en fabriekszaken in zijn zwarte Packard, of in eersteklas treinwagons met bewakers in de gangen. Hij moet geweten hebben dat speciale vrachtwagens, op geheim bevel van de stedelijke autoriteiten, 's nachts door de steden van de Oekraïne patrouilleerden om de lijken te verzamelen van boeren die daar vanuit de dorpen heen waren gekropen. Velen moeten het met prikkeldraad omheinde terrein van de CHTZ, aan de buitenrand van de stad, nog hebben bereikt. De volgende ochtend was er, voor degenen die het niet wensten te zien, geen spoor meer zichtbaar van de gruwel die zich overal voltrok. George Bernard Shaw verklaarde, na een zorgvuldig opgezette rondleiding door de Oekraïne in 1932, dat hij 'in Rusland niet één ondervoed persoon had gezien'. Walter Duranty, correspondent van *The New York Times*, winnaar van de Pulitzerprijs, deed verhalen over hongersnood af als propaganda tegen de Sovjet-Unie. Voor de Partij waren uitgehongerde boeren domweg het afvalproduct van de revolutie, aan wie geen aandacht hoefde te worden besteed tot ze zo behulpzaam waren te sterven – waarna ze vergeten konden worden. De leiders van de Partij wilden dat de wereld alleen de stralende prestaties zag, niet de prijs die daarvoor betaald werd.

Bibikov zorgde er wel voor dat zijn gezin van niets wist. Lenina's herinnering aan die jaren in Charkov behelst bazaars vol fruit en groenten, en haar vader die thuiskwam beladen met worstjes uit de kantine van de fabriek en dozen met snoepjes voor de kinderen. Ze herinnert zich niet dat het haar ontbrak aan wat dan ook. Wat dacht Bibikov, wanneer hij die in papier gewikkelde worstjes in zijn aktetas stopte wanneer de schemering inviel en de nacht meebracht met zijn oogst aan uitgehongerde en wanhopige zwervers? Hij dacht, daar ben ik wel zeker van, godzijdank dat zij het zijn, niet wij.

De gruwelen van de collectivisatie twee jaar tevoren konden worden afgedaan als een oorlog tegen de klassenvijanden van de Revolutie, de koelaks; nu waren die vijanden geliquideerd en waren de collectieve landbouwbedrijven van de toekomst gevestigd. Maar zelfs voor hen die opzettelijk blind waren, slaagde de Staat van Arbeiders en Boeren er pijnlijk duidelijk niet in haar eigen mensen te voeden. Bovendien was het, alle glorieuze prestaties van de industrialisatie ten spijt, eveneens duidelijk dat de hele droom van het socialisme steeds sterker door dwang bijeen werd gehouden. Reeds in oktober 1930 verbood een wet vrije beweging van arbeid, zodat boeren aan hun land en arbeiders aan hun fabriek werden gebonden, net als in hun dagen van slavernij. In december 1932 werden binnenlandse paspoorten ingevoerd in een poging om de uittocht van de hongerenden naar de steden in te dammen.

Maakt Bibikovs besluit om te blijven geloven, ondanks toenemende bewijzen dat de droom een nachtmerrie begon te worden, een cynicus van hem? Dat is moeilijk te zeggen, omdat hij eigenlijk geen andere keus had dan de Partijlijn te volgen. Het alternatief was zich bij de hongerenden aan te sluiten, of erger. Toch was hij intelligent genoeg om in te zien dat er vreselijke barsten verschenen in het paradijs waarvoor hij in zijn volwassen jaren gestreden had.

Misschien overtuigde hij zichzelf, net als velen van zijn generatie, van die twintigste-eeuwse dwaalleer die alle andere overtrof: dat bourgeois-sentimentaliteit geen plaats had in het hart van een dienaar van een hoger soort menselijkheid. Misschien geloofde hij dat de Partij uiteindelijk uit deze hele chaos een heerlijke nieuwe wereld zou creëren. Of misschien wist hij zich, minder zelfingenomen, ervan te overtuigen dat het zijn plicht was te doen wat hij kon om de achterlijkheid van Rusland, met zijn hongersnoden en verpletterende armoede, te overwinnen door te helpen het om te vormen tot een moderne, industriële natie. Het meest waarschijnlijk echter is een meer menselijke verklaring: het was veel gemakkelijker om volgens je mythen te leven, en in de uiteindelijke wijsheid van de Partij te blijven geloven, dan je mond open te doen en rampen te riskeren. Toch schijnt het door hongersnood geteisterde land dat Bibikov tijdens de winter van 1931-32 zag, hem diepgaand te hebben veranderd. De Partij had altijd gelijk, ja – maar de handelwijze van de Partij zou op zijn minst veranderd kunnen worden. Net als veel leiders van de Partij in de Oekraïne die met eigen ogen de gruwelen hadden gezien die de harde lijn van Stalin teweegbracht, raakte Bibikov ervan overtuigd dat Stalins beleid verzacht diende te worden, wilde men meer rampen in de toekomst afwenden. Zijn kans om zich uit te spreken kwam achttien maanden later, kort voor de geboorte van zijn tweede dochter, mijn moeder, Ljoedmila Borisovna Bibikova.

3 Dood van een Partijman

'Het was lang geleden, en het is nooit gebeurd.'
Jevgenija Ginzburg

In de eerste dagen van januari 1934 liet Bibikov zijn zwangere vrouw thuis achter en reisde met verscheidene hooggeplaatste leiders van de fabriek per speciale trein naar Moskou om het Zeventiende Partijcongres van de Hele Unie bij te wonen als waarnemer ex officio. Omdat hij met Martha nooit over politiek praatte, had zij geen idee dat haar man besloten had een daad van opstandigheid te plegen die hem zijn leven zou kosten.

De bijeenkomst was aangekondigd als het 'Congres der Overwinnaars', om de overwinning van de collectivisatie, de triomfale verwezenlijking van het eerste Vijfjarenplan en de stabilisatie van de Revolutie te vieren. Maar ondanks de officiële lofzangen op het succes van de Partij bestond er allerwegen uitputting bij de lagere geledingen. Bibikov was, zoals velen, van mening dat er een eind moest worden gemaakt aan de hongersnood die nog steeds in een groot deel van zuidelijk Rusland heerste. Het Vijfjarenplan was verwezenlijkt, ja, maar de mannen en vrouwen van het platteland, die meer bestuurders dan ideologen waren, zagen met eigen ogen dat het krankzinnige tempo van verandering niet kon worden volgehouden. Toch eiste Stalin, de achter zijn bureau gezeten stokebrand, hogere productie, grotere oogsten en meer kracht bij het streven naar collectivisatie, ondanks de duidelijk rampzalige gevolgen hiervan.

Er was geen openlijk verschil van mening tijdens het congres. Maar er werd wel over gesproken Stalin behoedzaam te ontzetten uit de machtspositie die hij gevormd had uit de tot dan toe onbeduidende positie van secretaris-generaal en hem te vervangen door de meer gematigde Sergej Kirov. Kirov, de secretaris van de Partij in Leningrad, was op dat moment nog altijd meer dan een gelijke van Stalin. Hij was een held uit de Eerste Wereldoorlog, voorheen een nauw bondgenoot van Lenin en de grootste redenaar die de Partij had gezien sinds Trotsky.

Bibikov voelde zich, net als velen van zijn collega's uit de Oekraïne, aangemoedigd door een schijnbare geest van openheid, een gevoel dat er een stevig ideologisch debat zou komen over de toekomst van het grootse experiment dat ze gezamenlijk aan het bouwen waren, en ze stemden voor Kirovs plan om het tempo wat te minderen. Dit bleek een fatale vergissing te zijn. In Stalins reeds paranoïde geest vormde Kirovs poging de brute snelheid van de collectivisatie te verzachten een onvergeeflijke belediging en een uitdaging van zijn ideologisch leiderschap van de Revolutie. Stalin vergat niet wie er gestemd had en hoe, al zou het nog vier jaar duren voor zijn wraak gestalte kreeg. Van de 1966 gedelegeerden naar het Zeventiende Partijcongres zouden er 1108 sterven tijdens de Zuivering. De conferentie eindigde met de inmiddels gebruikelijke staande ovaties en aansporingen tot nog grotere triomfen in de toekomst. Bibikov stond en applaudisseerde met de anderen voor Stalin en het Politburo. Maar het resultaat was politiek onbeslist. Kirov had geweigerd Stalin openlijk uit te dagen. Toch was het evenzeer duidelijk dat Stalin nog niet de onbetwiste baas van de Partij was. Het zogenaamd open debat over de toekomst van de Partij zou pas herhaald worden in de tijd van Michail Gorbatsjov, en dan zou het gebrek aan overeenstemming de Partij voorgoed uiteenrijten.

Bibikovs tweede dochter, Ljoedmila, werd op 27 januari 1934 geboren, vlak nadat haar vader was teruggekomen van het congres. Hoewel hij zijn oudste dochter naar Lenin vernoemde, noemde hij zijn tweede dochter niet, zoals sommige pluimstrijkers al begonnen te doen, Stalina.

Het jaar ging voorbij met woest werken aan de fabriek, zonder dat er iets te merken was van de politieke apocalyps die Stalin in stilte voorbereidde. Maar op de avond van 2 december 1934, herinnert Lenina zich, kwam haar vader in tranen thuis van zijn werk. Hij stortte zich op de leren bank in de zitkamer en bleef daar lange tijd bewegingloos liggen met zijn hoofd in zijn handen.

'*My propali*,' zei Bibikov zacht tegen zijn vrouw. 'We zijn verloren.'

Lenina vroeg aan haar moeder wat er aan de hand was. Martha gaf geen antwoord en stuurde haar naar bed.

De avond daarvoor was Sergej Kirov door een alleen opererende moordenaar doodgeschoten in zijn kantoor in het hoofdkwartier van de Partij, in het Smolny Instituut in Leningrad. 'We zijn verloren,' zei Bibikov terwijl hij huilde om de dood van een man die hij bewonderde. Maar huilde hij ook om zichzelf? Huilde hij van woede op zichzelf vanwege de vergissing die hij had begaan door zich te nauw te identificeren met de verliezende kant? Ondanks zijn aangewende proletarische plompheid moet Bibikov een politiek dier zijn geweest, een man van besturen, met het gevoel van een rijzende ster voor de hoek waaruit de wind waaide. Terwijl Bibikov op de bank om Kirov lag te huilen, moet hij die inmiddels gevaarlijke gesprekken in januari in gedachten zijn nagegaan, zich afvragend of hij te veel had gezegd.

Toch viel de hamer nog niet meteen. Ook Stalin huilde in het openbaar bij Kirovs begrafenis en hij trad op als eerste drager van de baar; hij ging de natie voor in rouw. Er was nog tijd genoeg om wraak te nemen op de vijanden in het hart van de Partij van wie Stalin tijdens het congres de identiteit had vastgesteld.

Op plaatselijk niveau bleef de Partijmachine soepel draaien. De productiecijfers van de CHTZ stegen al hoger en de hongersnood nam genadiglijk af – al was het maar omdat de miljoenen doden niet langer gevoed hoefden te worden. Bibikov werd, met nog drie leden van de directie van de CHTZ, beloond met de Orde van Lenin, nummer 301, in een stijlvol met fluweel bekleed kistje. Eind 1935 kwam de verwachte promotie tot Provinciaal Secretaris van de streek Tsjernigov in het golvende boerenland van de noordelijke Oekraïne. Bibikov was nog maar tweeëndertig jaar oud en hard op weg naar een hoge toekomstige functie – misschien een lidmaatschap van het Oekraïense of nationale Centrale Comité van de Partij. Of misschien nog hoger.

Na de rook uitbrakende fabrieksschoorstenen en de krijsende spoorverbindingen van Charkov moet Tsjernigov hebben aangedaan als een stap terug in een trager, ouder Rusland. Het kremlin van Tsjernigov, met zijn middeleeuwse kathedralen, staat op de hoge oever van de traag stromende rivier Desna. Bebost parkterrein loopt helemaal door tot in het centrum van de stad, en 's zomers is de lucht gevuld met stuifmeel van de populieren die langs de straten staan. De logge, versierde huizen die door de rijke kooplieden van Tsjernigov gebouwd zijn, staan er nog altijd, en de plaats heeft een sfeer van prerevolutionair, bourgeois fatsoen behouden. De stad telt vele grote kerken die op de een of andere manier ontkomen zijn aan het dynamiet van de *bolsjeviki*. Tsjernigov lag misschien te ver weg om een grondige afbraak van religieuze gebouwen te rechtvaardigen, te ver van de grote industriële kernen van de oostelijke Oekraïne waar de toekomst van het socialisme gesmeed werd. Het was een achterlijk gat, maar Bibikov was ervan overtuigd dat, als hij een succes maakte van zijn nieuwe baan in de Partij, hij er niet lang zou blijven.

De Bibikovs leidden het leven van de bevoorrechten. De spartaanse ethiek van de Partij van de jaren dertig begon al wat te verslappen. De elite eigende zich algauw voorrechten toe die hen boven hun medeburgers plaatsten. Martha deed de boodschappen in exclusieve kruidenierszaken van de Partij, en Bibikov had recht op vakanties in speciaal gebouwde gezondheidskolonies aan de Zwarte Zee. Elke maand gaf Bibikov Martha een boekje met bonnen voor geïmporteerde etenswaren, textielwaren en schoenen bij de '*Insnab*' of 'Buitenlands Aanbod'-winkel. Het gezin verhuisde naar een grote vierkamerwoning met fraai meubilair, bij een rijke koopmansfamilie in beslag genomen ten behoeve van de nieuwe heersers van Tsjernigov. Daar schuurde Warja de pannen van de Bibikovs met baksteenpoeder tot ze glommen.

Boris bracht boekenplanken aan tot aan het hoge plafond van zijn werkkamer en vulde die met boeken, die hij in zijn grote lederen fauteuil zat te lezen. Op weg van werk naar huis ging hij langs bij de plaatselijke boekhandel en kocht kinderboeken voor de meisjes en ideologische boekdelen voor zichzelf. Wanneer Martha Lenina uitschold, liep ze op haar tenen Bibikovs werkkamer in en klom snikkend op zijn schoot. 'Laten we niet over haar klagen,' zei hij dan, 'laten we in plaats daarvan onze Unie versterken.' Het was een grappige imitatie van de toen gangbare Partijtaal.

Tijdens hun eerste winter in Tsjernigov imponeerden de meisjes Bibikov de stad met hun smeedijzeren slede, die hun oude buurman in Charkov voor hen had gemaakt en die massa's jaloerse kinderen aantrok om dit wonder te aanschouwen van onder de steile aarden wallen van het kremlin, die zich uitstekend leenden voor het sleeën. In de zomer maakte Martha modieuze witte clochehoeden voor de meisjes, die ze namaakte van Moskouse modeprenten, en naaide jurkjes voor hen van geïmporteerde bedrukte katoen. In overeenstemming met haar nieuwe status als elite-echtgenote begon ze zichzelf 'Mara' te noemen, omdat ze vond dat 'Martha' te boers klonk – een vreemd staaltje van sociaal snobisme in het land van proletarisch dictatorschap. Bibikov was net zo'n workaholic als altijd, maar begon meer tijd in zijn keuken door te brengen om te kletsen – maar niet te drinken – met Partijkameraden. Hij kocht seizoenkaarten voor het pas gebouwde theater voor Martha en Lenina, al kon hij zelf niet mee omdat hij elke avond tot negen uur werkte, en tegen die tijd was het toneelstuk al zowat afgelopen.

Lenina was nooit zo gelukkig geweest als in die dagen van haar geheime verbond met haar geliefde vader. 'Ik zie het als een droom. Het is moeilijk om te geloven dat het ooit echt gebeurd is.'

Bibikov begon zich zelfs genoeg te ontspannen om op de versiertoer te gaan – althans, openlijker op de versiertoer te gaan. Lenina herinnert zich dat Martha hem in de keuken de huid vol schold over de liefjes die hij eropna hield. Het was in deze tijd, januari

1936, toen alle Partijleden hun Partijkaart moesten vernieuwen zodat onwaardige elementen konden worden weggezuiverd, dat de portretfoto in zijn Partijtuniek die we van hem hebben, genomen werd. Misschien valt er in de harde trekken van het gezicht ook een spoor van zelfingenomenheid te zien, van tevredenheid over zichzelf.

Maar achter de uiterlijke normaliteit van het Oekraïense kleinsteedse leven begon het land af te glijden naar waanzin. De NKVD, nu onder het leiderschap van de meedogenloze en sadistische Nikola Jezjov, was bezig voorbereidingen te treffen om weer een burgeroorlog te ontketenen. Ditmaal zou het niet tegen de Witten of tegen de boeren gaan, maar tegen de meest geniepige van alle vijanden: verraders binnen de Partij zelf.

Oude bolsjewieken van wie de lange ervaring en het moreel gezag een uitdaging konden vormen voor Stalins positie gingen als eersten. Lev Kamenev en Grigory Zinovjev, beiden leden van Lenins eerste Politburo, stonden in de houding op showprocessen in Moskou in augustus 1936 en bekenden dat ze imperialistische spionnen waren, terwijl ze werden uitgefoeterd door de hysterische openbaar aanklager, Andrej Vysjinski. 'Saboteurs', oftewel oudere technici die ervan werden beschuldigd de industrialisatiebeweging te saboteren, werden ook in het openbaar berecht. Zij bekenden lid te zijn van een antirevolutionaire organisatie die eropuit was de triomf van het socialisme te ondermijnen. Stalins rivaal Leon Trotsky, het hoofd van de beweerde antirevolutionaire beweging, was al gevlucht in ballingschap op het eiland Büyükada, bij Istanbul. Het vocabulaire en de tactiek van de komende Zuivering werden gerepeteerd en verbeterd.

Tot 1937 was de Oekraïne een betrekkelijke vrijplaats voor de showprocessen waarmee mensen binnen het leger, de intelligentsia en de overheid werden vervolgd. Maar het zou juist de Oekraïne zijn, die door Stalin werd gezien als een broedplaats van trotskisme en potentiële oppositie, die de volle zwaarte van zijn woede zou voelen toen hij uiteindelijk de macht ontketende van de veiligheidsmachine die hij zo zorgvuldig had opgebouwd.

Tijdens de voltallige vergadering van de topleden van de Partij in februari-maart 1937 namen de tegenstanders van Stalin nog een laatste, vergeefse keer stelling om te protesteren tegen Stalins machtsmonopolie. Onmiddellijk na de vergadering werd een vijfde deel van de Oekraïense partijleiding geroyeerd. Toen Bibikov het korte bericht in de *Pravda* las, moet hij gevreesd hebben dat erger op komst was. Tegen het begin van de zomer begonnen er naaste collega's opgeroepen te worden voor ondervraging door de NKVD. Weinigen keerden daarvan terug.

De mensen trokken zich instinctief in zichzelf terug; ze hulden zich in zelfbeschermend stilzwijgen als voetgangers die zich naar huis haasten tijdens een zomers onweer. Lenina merkte een plotselinge verandering van sfeer op. Haar vader zag er vermoeid uit en had veel van zijn gebruikelijke vrolijkheid verloren. Het vriendschappelijk gekwebbel van de Partijechtgenotes in het trappenhuis was veranderd in zenuwachtige beleefdheden. Het moet met opluchting geweest zijn dat Bibikov zich voorbereidde op zijn zomerse reisje naar een gezondheidskolonie van de Partij in Gagry, aan de Georgische kust van de Zwarte Zee, in juli 1937.

Ik opende de bruin kartonnen omslag van het NKVD-dossier van mijn grootvader, dat nu van ouderdom uit elkaar begon te vallen, op een grauwe decembermorgen in een sombere kantoorruimte in het voormalige NKVD-gebouw in Kiev, nu het hoofdkwartier van de Oekraïense Veiligheidsdienst. Het dossier, inmiddels uitgedijd tot 260 pagina's, nam een plaats in op die typisch Russische grens tussen banale bureaucratie en pijnlijke scherpheid. Het was een opeenstapeling van het absurd onnozele (inbeslagneming van de Komsomol-kaart, inbeslagneming van een Browning automatisch pistool en drieëntwintig kogels, inbeslagneming van Lenina's Jonge Pioniers-vakantiebon) en het heftig schokkende: lange bekentenissen, geschreven in microscopisch, krabbelend handschrift, vol vlekken en kennelijk geschreven onder marteling, de formele aanklacht ondertekend door Openbaar Aanklager Vysjinski, het papiertje met de slordige ondertekening dat bevestigt dat het doodvonnis was uitgevoerd. Papieren, formulieren, aantekeningen, reçu's – alle parafernalia van een nachtmerrieachtige, zichzelf verslindende bureaucratie. Een stapel papier die gelijkstond aan één mensenleven.

Het eerste document, even fataal als alle andere die erop volgden, was een getypt besluit van de Regionale Aanklager van Tsjernigov dat de arrestatie wettigde van 'Boris L- Bibikov, Hoofd van de Afdeling Bestuur van Partij-Organen in de Regio Tsjernigov' wegens verdenking van betrokkenheid bij een 'antirevolutionair trotskistische organisatie en georganiseerde anti-Sovjetactiviteiten'. Het adviseert dat Bibikov in hechtenis moet worden gehouden zolang het onderzoek gaat duren, zonder mogelijke vrijlating tegen borgtocht. Zijn middelste naam is opengelaten, alsof de naam van een lijst is overgeschreven door iemand die Bibikov niet kende en niets over zijn zaak wist. Het besluit van de burgerlijke aanklager werd dezelfde dag gesteund door een machtiging van de NKVD tot arrestatie, en dit werd, naarmate de ingewikkelde bureaucratie op gang kwam, op 22 juli een formeel arrestatiebevel, uitgegeven door de plaatselijke aanklager. Agent Kosjichoersin – of zoiets, de naam is geschreven in een nauwelijks leesbaar handschrift – werd belast met de taak Bibikov te vinden 'in de stad Tsjernigov'. Dat lukte hem niet – Bibikov was al op weg naar Gagry. Op 27 juli wisten ze hem daar eindelijk te vangen, en brachten hem terug naar de gevangenis van de NKVD in Tsjernigov.

Wat hij dacht op dat moment, toen hij overging naar de andere kant van de spiegel, van de wereld der levenden naar die der veroordeelden, of wat hij zei, zal niemand nu meer weten. Het zou voor hem het gemakkelijkst zijn geweest als hij niets had gezegd, en zich berustend had overgegeven, omdat hij zich reeds als een dode had beschouwd. Maar zo was zijn karakter niet. Hij was een vechter, en hij vocht voor zijn leven, omdat hij, arme man, niet besefte dat zijn dood al door de Partij was bepaald. Als Partijman had hij moeten weten dat er geen manier was om tegen die almachtige wil in te gaan – al weten we wel dat hij op een zeker punt in de maanden die volgden ophield de apparatsjik te zijn en gewoon een man werd, die weigerde door middel van leugens te leven voor een paar korte ogenblikken van verdwaasde dapperheid.

Alexander Solzjenitsyn schrijft in *De Goelag Archipel* over de eenzaamheid van de beklaagde bij zijn arrestatie, de verwarring en ontregeling, de angst en verontwaardiging van de mannen en vrouwen die de gevangenissen van de Sovjet-Unie die zomer algauw tot barstens toe vulden. 'Het hele apparaat stortte zich met zijn volle gewicht op één eenzame en openstaande wil,' schrijft Solzjenitsyn. 'Mijn broeder! Veroordeel niet diegenen die zwak bleken te zijn en meer bekenden dan ze hadden moeten doen. Wees niet de eerste om een steen naar hen te gooien.'

Jevgenija Ginzburgs aangrijpende verslag van haar eigen arrestatie en achttien jaar durende gevangenschap, *Gegrepen door de wervelwind*, beschrijft de schandelijke 'lopende band' van de NKVD. Gevangenen werden aan één stuk door ondervraagd door teams van onderzoekers, kregen geen eten of slaap, werden dreigend toegesproken, geslagen en vernederd tot ze hun bekentenissen ondertekenden of neerschreven. Degenen die het als eersten opgaven werden geconfronteerd met degenen die meer veerkracht hadden, teneinde hun solidariteit te breken. Ze kregen te horen dat verzet zinloos was; zodra er één een bekentenis aflegde, kon de rest alleen al op grond daarvan worden doodgeschoten. Hun vrouwen en kinderen werden bedreigd. Gruwelijk genoeg konden overtuigde communisten worden overgehaald te tekenen in het belang van de Revolutie – je Partij vraagt het van je! Ga je je Partij trotseren? Verklikkers drongen er bij medegevangenen op aan te bekennen – het is de enige manier om je leven te redden, de levens van je gezinsleden! Solzjenitsyn vertelt hoe overtuigde communisten hun kameraden toefluisterden: 'Het is onze plicht om het Sovjetonderzoek te ondersteunen. Het is een toestand van oorlog. Het is onze eigen schuld. We zijn te teerhartig geweest; nu zie je hoe het bederf zich heeft vermeerderd. Er is een gevaarlijke geheime oorlog gaande. Zelfs hier zijn we omringd door vijanden.'

Belogen, gemarteld, levend in een wereld van pijn en verwarring, weigerde Bibikov de Partijman voor één keer de bevelen van de

Partij te gehoorzamen en hield hij zijn onschuld vol zo lang hij het kon. Maar net als bijna alle anderen brak hij uiteindelijk.

Negentien dagen na zijn arrestatie ondertekende hij zijn eerste bekentenis. Het was een verrassend lange tijd om het te hebben volgehouden. Gebroken bekende Bibikov schriftelijk dat hij misdaden tegen de Sovjet-Unie had gepleegd. De fabriek die hij had helpen bouwen had gesaboteerd. Trotskistische agenten had geworven. Propaganda tegen de staat had geuit. Hij gaf toe dat hij de Partij waaraan hij zijn leven had gewijd, verraden had. Zijn naaste collega's wezen hem aan als medeschuldige, en op zijn beurt wees hij hen aan als medeschuldigen. Niet één van de vijfentwintig veronderstelde leden van zijn kring weigerde te bekennen.

De eerste bekentenis is gedateerd 14 augustus 1937. Het is de eerste keer dat Bibikov iets zegt in het dossier – het eerste spoor van een menselijke stem tussen het dorre ambtenarentaaltje. De misdaden die hij bekent zijn zo bizar, zo ontstellend onwaarschijnlijk, dat ik letterlijk misselijk werd door de slingerbeweging van banale dode letters naar de groteske taal van een nachtmerrie.

'Afschrift van ondervraging. Aangeklaagde Bibikov, Boris Lvovitsj, geboren 1903. Voormalig Partijlid. Vraag: In de verklaring die u vandaag hebt afgelegd in uw eigen handschrift geeft u toe te hebben deelgenomen aan een contrarevolutionaire terroristische organisatie. Door wie, wanneer en onder welke omstandigheden bent u in deze organisatie geïntroduceerd?

Antwoord: Ik ben in de contrarevolutionaire terroristische organisatie aangeworven door de vroegere tweede Partijsecretaris van Charkov, ILJIN, in februari 1934... Wij zagen elkaar vaak in de loop van ons werk voor de Partij. Tijdens onze bijeenkomsten in 1934 gaf ik uiting aan mijn twijfels over de juistheid van het Partijbeleid ten aanzien van landbouw, beloning van arbeiders en zo meer. In februari 1934, na een vergadering van het comité, nodigde ILJIN me uit in zijn werkkamer en zei dat hij openhartig met me wilde praten. Toen heeft hij me voorgesteld lid te worden van de trotskistische organisatie.'

Het afschrift was getypt, en Bibikov ondertekende het onderaan.

Aan niets valt te zien wat er door zijn hoofd ging toen hij zijn handtekening neerkrabbelde.

Maar één eenvoudige bekentenis was niet genoeg. De bureaucratie vereiste meer bijzonderheden, meer namen om te voldoen aan het aantal vijanden van het volk die in elk district en in elke streek van het land te vinden waren. Als scenarioschrijvers die een waanzinnig ingewikkelde televisieserie in elkaar zetten, eisten de ondervragers van hun enorme hoeveelheid acteurs dat ze elkaars verhalen ondersteunden, dat ze nieuwe lagen toevoegden aan de plot. Bibikovs eerste bekentenis gaf geen respijt. De ondervragingen gingen door. Maar op zeker moment moet iets in hem in opstand zijn gekomen tegen de perversiteit en de gruwelijkheid, en hij probeerde zich een weg terug te klauwen naar de wereld van de normale mensen. Die momenten van verzet zijn door de dunne, laconieke bladzijden van het dossier heen te horen als een stilzwijgende kreet.

'Vraag aan Fedajev,' aldus de kale tekst van het afschrift van zijn eerste 'confrontatie' met een mede'samenzweerder', het voormalige hoofd van het Regionale Comité van Charkov. 'Vertel ons wat u weet over Bibikov.'

'Fedajevs antwoord: "In de loop van twee gesprekken met Bibikov bevestigde ik dat hij klaar was om deel te nemen aan de organisatie van trotskistisch werk. In ons laatste gesprek kwamen we overeen om een trotskistische groep op te zetten bij de CHTZ..."

Vraag aan Bibikov: "Bevestigt u de verklaring van de beklaagde Fedajev?"

Bibikovs antwoord: "Nee. Dat is een leugen. Zo'n gesprek hebben we nooit gehad."

Deze verklaring is ons voorgelezen en is juist. (Was getekend) Fedajev. De beklaagde Bibikov weigerde te tekenen.'

Maar uiteindelijk was zijn verzet zinloos, en de enige getuigen ervan waren de NKVD-inspecteurs Tsjavin en Tsjalkov, die de confrontatie leidden, en Fedajev zelf, die waarschijnlijk te bang was om te denken dat Bibikovs houding iets anders was dan masochistische domheid. Uiteindelijk stortte Bibikov volledig in.

'In de Charkovse Tractorfabriek besloten we een dure, ingewikkelde machine te saboteren die van cruciaal belang was voor de productie van tractoren op wielen...' schreef hij in een vlekkerig, minuscuul handschrift in zijn derde en laatste uitvoerige bekentenis. 'Wij haalden de technicus KOZLOV over een stuk gereedschap in de machine te laten liggen zodat deze langdurig kapot zou zijn. De machine alleen al kostte 40.000 roebel in goud en is er een van slechts twee in het hele land... In de CHTZ kwamen we overeen een artilleriepatroon uit de oorlog in een smeltoven te gooien om deze twee tot drie maanden buiten werking te stellen... Ik heb ook mijn eigen waarnemer, Ivan KAVITSKY, aangeworven in onze organisatie... we probeerden het werk van de CHTZ te ondermijnen door de uitvoering van orders voor de Hamer en Sikkel Tractorbasis te vertragen, en we stelden de betaling van loon aan de arbeiders uit.'

In de kantlijn staan onverklaarbare aantekeningen in zijn eigen handschrift, kennelijk op bevel geschreven, luidend: 'Wie, Wat, Wanneer?' 'Preciezer', 'Welke organisatie?'

'Onze boosaardige contrarevolutionaire daad werd alleen afgewend door de waakzaamheid van ingenieur GINZBURG,' besluit de laatste bekentenis. 'Zo heb ik mijn Partij verraden. Bibikov.'

Het manuscript was zorgvuldig halverwege het blad doorgescheurd. Boven de scheur is nog net iets geschrevens te zien, alsof de schrijver, in wanhoop, had geprobeerd het doodvonnis dat hij zojuist voor zichzelf had geschreven, uit te wissen.

Dan verdwijnt zijn stem weer. Er zijn fragmenten van de afschriften van bekentenissen van andere beklaagden waarin Bibikovs naam wordt genoemd – zestien onderling samenhangende bekentenissen, alle zorgvuldig uitgetypt met boze, bijna door het papier heen geslagen komma's tussen de in hoofdletters geschreven namen: 'ZELENSKY, BUTSENKO, SAPOV, BRANDT, DZJENKIN, BIBIKOV...'

Hij stond terecht in een gesloten zitting van het Militair College in Kiev op 13 oktober 1937, voor de zogeheten *troika*-rechtbanken van drie rechters die in besloten zitting de zaken hoorden van hen die aangeklaagd waren onder Artikel 58 van de Sovjet Strafwet, dat inhield 'elke handeling met het doel het gezag van de Sovjets van arbeiders en boeren ten val te brengen, te ondermijnen of te verzwakken'. De conclusie van de rechtbank is lang en uitvoerig, en herhaalt grotendeels woordelijk de weergaven van sabotagehandelingen uit de bekentenissen. Maar welbeschouwd verhoogde de uiteindelijke uitspraak de aanklachten en besloot dat 'Bibikov lid was van de *k.r.* [de term "*kontrarevoloetsionnaya*" wordt zo vaak gebruikt dat de typiste een afkorting begint te gebruiken] trotskistisch-zinovievistische terroristische organisatie die de boosaardige moord op kameraad Kirov op 1 december 1934 uitvoerde en in de jaren daarna terroristische daden tegen andere leiders van Partij en regering voorbereidde en uitvoerde... Wij veroordelen de beklaagde tot de hoogste vorm van straf voor misdaden: hij zal doodgeschoten worden, en zijn eigendommen worden in beslag genomen. Was getekend: A.M. ORLOV, S.N. ZJDANA, F.A. BATNER.'

Bibikov ondertekende een formulier dat bevestigde dat hij de uitspraak en het vonnis van de rechtbank had gelezen. Dat waren de laatste vastgelegde woorden die hij schreef. Een laatste handtekening, met bureaucratische netheid, op het dossier dat de versie van de staat van zijn levensgeschiedenis bevatte. Het was de laatste handeling van een leven dat gewijd was aan het dienen van de Partij.

Het allerlaatste formulier van het zogeheten 'levensdossier' bevestigt dat het vonnis van de rechtbank is uitgevoerd. Nergens staat iets over waar of hoe, hoewel de gebruikelijke methode 'negen gram' was, het gewicht van een pistoolkogel, achter in het hoofd. De handtekening van de bevelvoerende gerechtsdienaar is onleesbaar; de datum is 14 oktober 1937.

Tijdens de twee dagen dat ik in Kiev het dossier zat te bestuderen, zat Alexander Panamarjev, een jonge agent van de Oekraïense Veiligheidsdienst, bij me; hij las passages in nauwelijks leesbaar handschrift voor en verklaarde juridische termen. Hij was bleek en intelligent, zo'n type stille jongeman dat eruitzag alsof hij nog bij moeder thuis woonde. Hij maakte, onder een voorgewende professionele stroefheid, de indruk bijna even getroffen te zijn als ik door wat we lazen.

'Dat waren vreselijke tijden,' zei hij zacht toen we een rookpauze namen in de invallende schemering van de Volodimirskaya-straat, terwijl de granieten massa van het oude gebouw van de NKVD boven ons uittorende. 'Uw grootvader geloofde ergens in, maar denkt u niet dat degenen die hem aanklaagden ook ergens in geloofden? Of de mannen die hem doodschoten? Hij wist voordat hij gearresteerd werd dat er mensen waren doodgeschoten, maar deed hij zijn mond open? Hoe weten we wat wij in die situatie gedaan zouden hebben? Moge God verhoeden dat wij ooit op dezelfde manier op de proef worden gesteld.'

Solzjenitsyn heeft die vreselijke vraag ook eens gesteld. 'Als mijn leven anders was verlopen, had ik dan zelf niet precies zo'n beul kunnen worden? Was het maar zo eenvoudig! Waren er maar ergens slechte mensen die sluw slechte daden verrichten, dan zou het alleen nodig zijn om hen te scheiden van ons overigen en hen te vernietigen. Maar de lijn die goed van kwaad scheidt, loopt dwars door het hart van elk menselijk wezen. En wie is bereid een stuk van zijn of haar eigen hart te vernietigen?'

Bibikov zelf zou, met zijn rationele geest, terwijl hij in een kelder of in zijn laatste ogenblikken met zijn gezicht naar een gevangenismuur stond, de logica van zijn beulen heel goed begrepen hebben. En misschien – waarom niet? – had hij, als hij in zijn begintijd in de Partij andere mensen was tegengekomen, andere beschermheren had gevonden, zelf een beul geworden kunnen zijn. Deed hij de hongersnood die zijn Partij over de Oekraïne had gebracht niet af als een noodzakelijke zuivering van vijandige elementen? Beschouwde hij zichzelf niet als een van de uitverkorenen van de Revolutie, gehoorzamend aan een hoger moraalsysteem? Bibikov was geen onschuldige die gegrepen was door een boosaardige en afwijkende macht die zijn begrip te boven ging. Integendeel, hij was een propagandist, een fanatiek aanhanger van de nieuwe moraal – de moraal die nu, hoe zinloos ook, zijn leven eiste ter wille van het grotere heil.

'Nee, het was niet om op te vallen of uit hypocrisie dat ze in de cellen alles wat de regering deed probeerden te verdedigen,' schrijft Solzjenitsyn. 'Ze hadden behoefte aan ideologische argumenten om vast te kunnen houden aan een gevoel dat ze zelf aan de goede kant stonden – anders dreigden ze krankzinnig te worden.'

Wanneer mensen tot bouwblokken van de geschiedenis worden, kunnen intelligente mannen afstand doen van morele verantwoordelijkheid. En inderdaad was de Zuivering – in het Russisch *'tsjistka'* – voor degenen die haar organiseerden iets heroïsch, zoals het bouwen van de grote fabriek voor Bibikov heroïsch was geweest. Het verschil was dat Bibikov zijn persoonlijke revolutie vormgaf in fysieke bakstenen en beton, terwijl de bakstenen van de NKVD klassenvijanden waren, en iedereen die naar de executieruimte werd gestuurd een stuk van het grote bouwwerk van het socialisme vormde. Wanneer men het doden van een mens door de vingers ziet ter wille van een goed doel, vergoelijkt men al het doden.

In bepaalde opzichten was Bibikov misschien schuldiger dan de meeste anderen. Hij was een hoog Partijlid. Mannen zoals hij gaven de bevelen en stelden de lijsten samen. De ondergeschikte onderzoekers volgden hen. Waren deze mannen dan slecht, gegeven het feit dat ze geen andere keus hadden dan te doen wat hun werd opgedragen? Was inspecteur Tsjavin, een man die door marteling bekentenissen afdwong bij Partijmensen zoals Bibikov, niet minder schuldig dan de Partijmensen zelf, die hun ondergeschikten leerden dat doelen de middelen heiligen? De mannen die dienst namen in de NKVD konden, naar de beroemde woorden van de oprichter van de dienst, Felix Dzerzjinski, zowel heiligen als schurken zijn – en het is duidelijk dat de dienst meer dan een gemiddeld aandeel aan sadisten en psychopaten aantrok. Maar dat waren geen vreemdelingen, geen buitenlanders, maar mannen, Russische mannen, die uit hetzelfde weefsel bestonden en door hetzelfde bloed gevoed werden als hun slachtoffers. 'Waar is dit wolvengebroed verschenen van tussen onze eigen mensen?' vroeg Solzjenitsyn. 'Komt het werkelijk voort uit onze eigen wortels? Ons eigen bloed? Het is van ons.'

Dit was het ware, duistere geniale van de Zuivering. Niet domweg twee vreemden in een kamer te zetten, de een als slachtoffer, de ander als beul, en de een overhalen de ander te doden, maar beiden ervan te overtuigen dat deze moord een hoger doel diende. Het is gemakkelijker je voor te stellen dat dergelijke daden door monsters worden begaan, door mannen wier geest verdierlijkt was door de gruwelen van oorlog en collectivisatie. Maar het feit is dat gewone, fatsoenlijke mannen en vrouwen, vol van humanistische idealen en waardige beginselen, bereid waren de massamoord op hun medemensen te rechtvaardigen en er zelfs aan deel te nemen. 'Om iets slechts te doen moet een mens allereerst geloven dat het goed is wat hij doet,' schrijft Solzjenitsyn. 'Of anders dat het een weloverwogen handeling is die in overeenstemming is met een natuurwet.' Dit kan alleen gebeuren wanneer een man een politiek voorwerp wordt, een eenheid in een koude rekensom, en zijn leven en dood gepland en van de hand gedaan kunnen worden net als een ton staal of een lading bakstenen. Dit was, ongetwijfeld, wat Bibikov geloofde. Hij leefde ernaar, en hij stierf erdoor.

Er was een gedeelte van het dossier dat voor mij afgesloten was. Een pagina of dertig van het 'onderzoek in verband met eerherstel', dat in 1955 door Chroesjtsjov was ingesteld als onderdeel van een totale heroverweging van de slachtoffers van de Zuivering, was zorgvuldig met plakband dichtgeplakt. Op mijn aandringen haalde Panamarjev, even nieuwsgierig als ik, tersluiks het plakband eraf en we begonnen snel het afgesloten deel van het dossier door te bladeren.

De verboden bladzijden betroffen de NKVD-mannen die hadden deelgenomen aan de ondervraging van Bibikov. Zelfs een halve eeuw later probeerde de Oekraïense Veiligheidsdienst nog zichzelf te beschermen. Hun dossiers waren aangevraagd door de onderzoekers die aan de rehabilitatie van Bibikov gingen werken. Maar de NKVD-beambten zelf konden niet ondervraagd worden, omdat ze tegen eind 1938 zelf allemaal doodgeschoten waren.

'De voormalige werkers van de Oekraïense NKVD TEITEL, KORNEV en GEPLER ... zijn berecht wegens het falsificeren van bewijsmateriaal en anti-Sovjetactiviteiten,' staat in een van de documenten. 'De onderzoekers SAMOVSKI, TROESJKIN en GRIGORENKO ... moesten terechtstaan wegens contrarevolutionaire activiteiten,' staat in een ander document.

Bijna iedereen wiens naam in het dossier voorkomt, van de aangeklaagden en hun ondervragers van de NKVD tot de plaatselijke Partijsecretaris Markitan, die het bevel Bibikov uit de Partij te zetten ondertekende, twee dagen na zijn arrestatie, zijn zelf binnen een jaar ter dood gebracht. De Zuivering had haar makers opgegeten, en alles wat ons van hun levens rest, zijn enkele gesmoorde echo's in een enorme stilte van papier.

Het laatste document in het dossier, gestempeld en genummerd, was een brief die ik die zomer aan de Oekraïense Veiligheidsdienst had geschreven, met het verzoek het dossier van mijn grootvader te mogen bekijken, waarvoor ik een beroep deed op een Oekraïense wet die naaste verwanten toegang vergunt tot overigens geheim verklaarde NKVD-archieven. Het dossier was voorzichtig door vaardige handen opengemaakt en mijn brief was erin geniet en genummerd net als de rest, helemaal achter in het dossier. Dus bleek de laatste handtekening in het fatale dossier, onder aan de brief gekrabbeld, die van mijzelf te zijn.

4 Arrestatie

'Bedankt, Kameraad Stalin, voor onze gelukkige jeugd.'
Kinderliedje uit de jaren dertig

Zelfs na jaren in Moskou te hebben verbleven kon ik nooit helemaal afkomen van het gevoel me in een vreemd mengelmoes van tegenstrijdige tijdperken te bevinden. Er waren ouderwets aandoende historische accenten: soldaten met kniebroeken en hoge laarzen; baboesjka's met hoofddoeken; voddige, bebaarde bedelaars die zo uit Dostojewski gekomen konden zijn; verplichte garderobes en alleen mogen bellen op bepaalde tijden; bonthoeden; chauffeurs en dienstmeisjes; brood met spek; telramen in plaats van kassa's; inkt afgevende kranten; de geur van houtrook en buitentoiletten in de voorsteden; vlees dat verkocht werd vanuit vrachtwagens volgestapeld met runderkarkassen, bemand door een moezjiek met een bloederige bijl. Sommige levensritmes leken absoluut niet veranderd sinds de tijd van mijn vader, of zelfs de tijd van mijn grootvader.

Er waren een paar momenten waarop ik, denk ik, een glimp te zien kreeg van de nachtmerrieachtige wereld waarin mijn grootvader in juli 1937 terechtkwam. Een paar uur lang zag, rook en voelde ik hem. Het was, misschien, genoeg om een idee te krijgen van hoe het was, in elk geval fysiek. Hoe het in zijn hoofd en hart was, daar wil ik liever nooit zicht op krijgen.

Op een avond, begin januari 1996, een maand nadat ik in Kiev was geweest om het dossier van mijn grootvader te bekijken, liep ik naar het Metropole Hotel. Het sneeuwde licht. Ik probeerde een taxi te krijgen, en merkte niet dat ik door twee mannen gevolgd werd. Het eerste dat ik van hun nadering merkte, was dat de mouw van een gelige schapenvachtjas voor mijn gezicht omhoogkwam, gevolgd door een harde stoot tegen mijn kaak. Ik voelde geen pijn, alleen een schok, als in een hotsende trein. Gedurende enkele vreemde balletachtige minuten stond ik, viel ik, krabbelde ik weer op, terwijl de mannen me bleven slaan. Ik rook het natte bont van mijn muts die ik tegen mijn gezicht drukte om mijn neus te beschermen.

Toen zag ik, terwijl ik op de straat lag, de aangekoekte voorwielen en vuile koplampen van een rode Lada die door de sneeuw naar ons toe knerpte. Heel onwaarschijnlijk hees een man met zijn hele linkerbeen in het gips zich uit het portier aan de passagierskant. Hij riep iets, en de drie mannen leken plotseling in de war en begonnen weg te lopen met een uitdrukking van geveinsde onschuld op hun gezicht. De mannen in de auto hielpen me overeind en reden toen weg.

Op dat moment kwam er een politiejeep de hoek om. Ik zwaaide om hem te laten stoppen, opende het portier, mompelde wat er gebeurd was en stapte erin. Op het moment dat we sneller begonnen te rijden door de Neglinnaja-straat, achter de aanvallers aan, voelde ik opeens mijn hoofd helder worden, en de tijd schakelde plotseling in overeenstemming met de politiechauffeur over van heel traag naar heel snel. We reden de Ochotny-weg op en zagen mijn aanvallers in de sneeuw spelen bij de Loebjanka Metro. De jeep voerde een keurige glijbocht uit dwars door acht rijstroken met verkeer en kwam glijdend tot stilstand.

De drie mannen begonnen hun paspoort uit hun zak te halen; ze zagen er kalm en vrolijk dronken uit, ze lachten in de veronderstelling dat het een normale controle van hun papieren was. Ze hadden de Aziatische trekken van Tataren. Toen ze mij uit de jeep zagen klauteren, verstijfden ze en leken een maat te krimpen.

'Dat zijn de mannen,' zei ik op dramatische toon terwijl ik naar hen wees. De twee Tataren werden in een kleine kooi achter in de jeep geduwd. Er waren nog geen tien minuten voorbijgegaan sinds ze waren begonnen me te slaan.

In het politiebureau hing de eeuwige Russische gevangenislucht van zweet, pis en wanhoop. De muren waren egaal beige aan de bovenkant en donkerbruin aan de onderkant. Mijn twee aanvallers zaten in een kooi in een hoek van de receptieruimte, met hun hoofd in hun handen; ze mompelden tegen elkaar en keken af en toe omhoog naar mij.

De brigadier van de receptie zat achter een perspex scherm; zijn werkplek lag zo'n dertig centimeter hoger dan de rest van de kamer. Voor hem lagen verscheidene grote, victoriaans ogende registers, een bak met postzegels, een stapel formulieren en een asbak, gemaakt van een Fanta-blikje. Hij noteerde onaangedaan mijn gegevens, pakte vervolgens zijn telefoon en belde zijn meerderen. Vanaf dat moment, denk ik, was het lot van de mannen bezegeld. Ik was een buitenlander, en dat betekende problemen voor de politie als de zaak niet naar behoren werd behandeld – de consul zou zich beklagen bij het ministerie van Buitenlandse Zaken, er zou onnoemelijk veel papierwerk komen.

De onderzoeker die aan de zaak werd toegewezen was Svetlana Timofejevna, een luitenant-kolonel van de Moskouse afdeling Crimineel Onderzoek. Ze was een matroneachtige vrouw vol zelfvertrouwen die mij taxerend opnam met een schaamteloze, doordringende blik, gewend mannen te scheiden in doetjes en brutale kerels. Ze was een van die gezette, onwankelbare Russische vrouwen van middelbare leeftijd – die als dobermannpinchers op wacht zaten in de entreeruimtes van alle grote mannen van Rusland; ze beheerden de kaartjeskassa's en speelden de baas over de receptiebalies van hotels.

Met een eerbiedig gebaar haalde ze een blanco formulier tevoorschijn met het opschrift '*Protokol*', oftewel officiële verklaring, en begon mijn getuigenverklaring op te schrijven. Ik zette mijn handtekening onder aan elk blad en zette mijn initialen bij elke correctie. Ten slotte pakte ze een blanco map met het opschrift 'Criminele

Zaak' en vulde nauwgezet de gegevens van de beklaagden in op de bruin kartonnen omslag. Dat was het begin van het dossier. Vanaf dat moment waren ik, mijn aanvallers en de onderzoekers allemaal schepsels van het dossier.

Gedurende de volgende drie dagen wankelde ik na een oproep van Svetlana Timofejevna naar het politiebureau, onvast ter been door een lichte hersenschudding. Bij daglicht was het bureau nog deprimerender, een laag betonnen gebouw met één bovenverdieping aan een binnenplaats vol vuile sneeuwbrij, vuilnisvaten en zwerfhonden. Ik ontmoette de politieagenten die me hadden vergezeld op de avond van de aanval, en een van hen verzekerde me, vertrouwelijk fluisterend, dat 'we er wel voor hebben gezorgd dat die lui een interessante tijd doormaken'. Ik voelde een schuldbewuste siddering van wraaklust.

Tussen langdurige perioden van rusteloze slaap in mijn zonloze woning op de tweede verdieping en de lange middagen op het bureau leek het alsof ik op de een of andere manier was terechtgekomen in een venijnige onderwereld, waar ik eindeloos zat te kijken naar de pen van de onderzoekster die over riemen papier krabbelde, terwijl mijn hoofd bonsde en ik wenste dat het afgelopen zou zijn. 's Nachts droomde ik erover, een koortsige, gefrustreerde droom waarin ik geobsedeerd zat te kijken naar de krabbelende pen, de manier waarop hij half door het goedkope officiële papier drukte, vastgehouden door een lichaamloze hand en verlicht door schel, institutioneel lamplicht.

Op de derde dag – het leek alleen op de een of andere manier zoveel langer dan drie dagen, deze wakende-slapende bureaucratische nachtmerrie – voelde ik me als een oudgediende toen ik de uitgesleten trap naar het politiebureau op sjokte, langs het stinkende agententoilet waaruit de bril gestolen was. Ik trof Svetlana Timofejevna voor het eerst sinds ik haar had leren kennen in uniform aan.

'Nu gaan we de *ochnaja stavka* hebben,' zei ze. De ochnaja stavka, of 'confrontatie', was een vaste Russische procedure in een onderzoek waarin de beklaagde zijn beschuldigers ontmoet. Ze pakte het behoorlijk uitdijende dossier op en ging me voor naar beneden, naar een ruimte die eruitzag als een groot klaslokaal, vol met rijen houten banken tegenover een verhoogd podium, waar we zwijgend plaatsnamen. Ik staarde naar de nerven in het hout van de tafel.

De mannen kwamen zo stilletjes binnen dat ik hen pas hoorde toen de politieagent de deur dichtdeed. Ze waren beiden geboeid en schuifelden met gebogen hoofd stijf naar voren. Ze gingen zwaar zitten in de voorste banken en keken schaapachtig naar ons op als schuldige schooljongens. Het waren broers, had Svetlana Timofejevna me verteld, Tataren uit Kazan. Ze waren allebei getrouwd, hadden kinderen en woonden in Moskou. Ze zagen er jonger uit dan ik me hen had voorgesteld, en kleiner.

'Matthews, vergeef het ons alstublieft als we u hebben pijn gedaan, alstublieft, als er iets is wat we kunnen doen...' begon de kleinste man, de oudste broer. Maar Svetlana Timofejevna snoerde hem de mond. Ze las mijn onbeholpen verklaring voor, de langste van de vier versies daarvan, en vervolgens een medisch rapport. Ze luisterden zwijgend; de jongste had zijn hoofd in zijn handen. Hun eigen getuigenverklaring bestond uit slechts vier zinnen, waarin ze zeiden dat ze te dronken waren geweest om zich te herinneren wat er was gebeurd en dat ze hun schuld en berouw zonder meer toegaven. Na afloop van elke verklaring volgde een pijnlijk moment wanneer ze de beklaagden papieren toeschoof om te ondertekenen. Behulpzaam duwde ik de papieren verder naar voren over het bureau zodat ze die konden ondertekenen met hun rinkelende handboeien. Ze knikten telkens beleefd om me te bedanken.

'Hebben jullie iets te zeggen?'

De oudste broer, nog steeds met zijn gele jas aan, begon te spreken. Hij was eerst kalm, met een geforceerde, vriendelijke klank in zijn stem. Hij bleef me voortdurend aankijken, en terwijl hij sprak, hoorde ik niet meer wat hij precies zei en voelde ik alleen de toon ervan, en kon ik de uitdrukking van zijn ogen interpreteren. Hij smeekte me hen te sparen. Mijn gezicht was verstard in een soort glimlach van ontzetting. Hij boog zich wat naar voren, terwijl er een panische klank in zijn stem kwam. Toen viel hij op zijn knieën en begon te huilen. Hij huilde luid, en zijn broer huilde in stilte.

Toen waren ze weg. Svetlana Timofejevna zei iets, maar ik hoorde het niet. Ze moest herhalen wat ze had gezegd, en op mijn schouder tikken. Ze zei dat we weg moesten. Ik mompelde iets van dat we de aanklacht in moesten trekken. Ze zuchtte diep en vertelde me, op vermoeide toon, alsof ze probeerde de harde feiten van het leven aan een kind uit te leggen, dat dit niet mogelijk zou zijn. Ze was geen hardvochtige vrouw, zelfs niet na het jarenlang oppakken van stomme kleine mensen voor stomme kleine misdaden. Maar hoewel ze de huilende echtgenotes van de mannen had gezien en wist dat de zaak onbeduidend was, de vreselijke straf niet waard die ze op het punt stond te ontketenen, wist ze toch dat ze die middag een volledig verslag zou uittikken waarin ze zou aanbevelen dat de twee mannen in voorarrest zouden blijven in afwachting van de rechtszaak.

We moesten er nu allemaal in meedraaien, de vaart, de knarsende wielen. Mijn buitenlanderschap betekende dat dit allemaal volgens het boekje moest gebeuren. Het dossier, het allesbepalende dossier. We waren nu allemaal gedwongen de loop ervan te volgen, stap voor stap, omdat wat neergeschreven was, niet ongeschreven kon worden gemaakt.

De twee mannen brachten elfenhalve maand door in de Boetirskaja-gevangenis, een van de meest beruchte gevangenissen in Rusland, wachtend op een datum voor de rechtszitting. Na verloop van tijd kreeg ik een oproep voor de rechtszitting, maar ik durfde niet te gaan. Een vriend ging in mijn plaats, om mijn excuses aan te bieden. Hij hoorde dat beide broers in de gevangenis tuberculose hadden gekregen. Ook al was het slachtoffer niet aanwezig, ze werden veroordeeld en kregen een straf die even lang was als de tijd die ze al in voorarrest hadden doorgebracht. Ze waren hun baan kwijt en hun gezinnen waren teruggegaan naar Tatarstan. Tegen de tijd dat ik het nieuws hoorde, was de schok en zelfs de herinnering aan de avond dat onze levens zo rampzalig op elkaar botsten, vervaagd. Het verhaal was verloren gegaan, zo probeerde ik mezelf te overtuigen, in het Babel van gruwelverhalen die rondzwierden in de redactiekamer waar ik werkte. Het was verkeerd, hield ik mezelf voor, om te treuren over het lot van schuldige mannen terwijl de kranten die zich massaal op mijn bureau ophoopten vol stonden met verschrikkelijke verhalen over het lijden van onschuldigen.

Maar de herinnering aan de afschuw en het schuldgevoel dat me kwelde toen die twee mannen voor me kropen zat diep in me, en etterde maar door. Volgens mij dragen veel Russen een soortgelijk brok zwart slijm in hun binnenste, bestaande uit trauma en schuldgevoel en opzettelijk vergeten. Dit vormt een vruchtbare compost waarin al hun hedonisme, hun ontrouw, al hun plezier en verraad wortel schieten. De verwende Europeanen te midden van wie ik ben opgegroeid hebben dit niet, al waren velen van hen ervan overtuigd dat ze geleden hadden onder onverschilligheid van ouders, wreedheid van echtgenoten of persoonlijk falen. Nee, de gemiddelde Russische zeventienjarige, concludeerde ik na de jaren waarin ik door de minder aangename kant van het nieuwe Rusland had gezworven, heeft al meer misbruik en hopeloosheid en corruptie en onrecht gezien dan de meesten van mijn Engelse vrienden in hun hele leven. En om te overleven en gelukkig te zijn, moeten Russen heel veel begraven, opzettelijk ontkennen. Geen wonder dus dat de intensiteit van hun genoegens en verzetjes zo sterk is; die moet overeenkomen met de mate van hun lijden.

Nadat de woning van de Bibikovs in Tsjernigov doorzocht was, was er dagenlang geen nieuws. Boris kwam niet terug van zijn vakantie. De NKVD bleef tegen Martha zeggen dat ze het zou horen zodra er ontwikkelingen waren. Varja werd weggestuurd naar haar familie op het platteland, en Martha en haar twee dochtertjes woonden in de badkamer en de keuken van de woning omdat alle andere kamers afgesloten en verzegeld waren. Martha kocht eten met het geld dat ze nog in haar portemonnee had, en accepteerde de liefdadigheid van hun nog aanwezige buren.

Bibikovs collega's wisten niets – in feite waren velen van hen zelf verdwenen, en de rest was of doodsbang, of zo naïef om erop te vertrouwen dat de NKVD haar fout wel gauw zou herstellen.

Er was een moment van paniek toen Martha de kinderen alleen achterliet om hun kersensoep, een Oekraïense zomerlekkernij, te eten terwijl zij nog maar eens naar het bureau van de NKVD ging om te horen of er nieuws was. Lenina zat een boek te lezen dat haar vader haar had gegeven, en merkte niet dat haar kleine zusje Ljoedmila alle kersenpitten in haar neus had geduwd, zo ver dat ze er niet meer uit gehaald konden worden.

'Ik ben een spaarpot,' zei Ljoedmila tegen haar zus terwijl ze er nog een pit in duwde. Er ontstond opschudding toen hun moeder thuiskwam. Ljoedmila werd snel naar het ziekenhuis gebracht om de pitten er door een strenge verpleegster uit te laten halen met een lange tang die kennelijk voor dit doel bewaard werd. Lenina kreeg een pak slaag omdat ze niet had opgelet, en huilde omdat ze niet naar haar vader kon om getroost te worden.

Na bijna twee weken van ongerustheid besloot Martha dat het enige wat ze nog kon doen was Lenina naar Moskou te sturen naar de broers van haar man, die goede connecties hadden. Zij konden toch vast wel ergens te weten komen wat er gebeurd was? Ze had geen geld om een treinkaartje te kopen, dus ze wikkelde een stel zilveren lepels in een servet en ging naar het station om een plaats af te smeken van een conductrice op een van de exprestreinen Kiev-Moskou die 's avonds laat door Tsjernigov reden. De conductrice duwde Lenina op een bagagerek en zei dat ze zich niet mocht bewegen. Ze zei ook tegen Martha dat ze de lepels mocht houden. Martha rende over het perron terwijl de trein het station uit reed en hield hem bij terwijl hij steeds sneller reed, tot ze hem niet meer kon bijhouden.

Tien jaar eerder had Martha's vader haar weggestuurd uit het huis waarin ze was opgegroeid. Op een stationsperron in Simferopol had ze haar stervende zus aan haar lot overgelaten. Nu besefte Martha, terwijl ze de lichtjes van de trein die haar oudste dochter naar Moskou bracht in de nacht zag verdwijnen, dat het nieuwe gezin dat ze gevormd had, uit elkaar begon te vallen. Ze ging naar het telegraafkantoor en stuurde een kort telegram naar de familie van haar man in Moskou om te melden dat Lenina eraan kwam. Daarna liep ze naar huis. Ze vond Ljoedmila slapend op een deken op de keukenvloer, nam haar in haar armen en, zo vertelde ze later aan Lenina, 'brulde als een gewond dier'.

Op het Koerski Station in Moskou werd Lenina opgewacht door haar oom Isaac, Boris' jongste broer. Hun andere broer, Jakov, een officier bij de luchtmacht, deed dienst bij de Staf voor het Verre Oosten in Chabarovsk, bij Vladivostok, en was nog niet op de hoogte van Boris' arrestatie. Isaac was drieëntwintig, een veelbelovende technicus bij de Dynamo-fabriek van vliegtuigmotoren. Hij omhelsde zijn jonge nicht en zei dat ze haar verhaal moest bewaren tot ze per tram naar huis waren gereden, naar de kleine flat waarin hij samen met zijn en Boris' moeder, Sofia, woonde. In de keuken luisterden ze zwijgend naar Lenina's verhaal. Lenina begon te huilen en snikte dat ze niet wist wat haar vader verkeerd had gedaan. Isaac probeerde haar gerust te stellen. Het was allemaal een misverstand, zei hij, hij kende mensen die konden uitzoeken hoe het zat.

De volgende dag sprak Isaac in de Dynamo-fabriek een vriend van hem aan, een van de interne politieke ambtenaren van de NKVD. Deze man was tot voor kort een van de persoonlijke lijfwachten geweest van een hoge NKVD-generaal. De politieke beambte zei dat hij het aan zijn vroegere collega's zou vragen, en kijken of hij een onderhoud kon regelen om uit te zoeken wat hij, heel tactvol, een 'vreselijke vergissing' noemde.

Twee dagen later kwam Isaac vroeg thuis, zei tegen Lenina dat ze haar mooiste zomerjurk moest aantrekken en liep met haar aan de hand naar de tramhalte. Ze reden zonder iets te zeggen naar het hoofdkwartier van de NKVD aan het Loebjanka-plein. Het Loebjanka zelf was een reusachtig, bourgeois gebouw waarin voor de revolutie een verzekeringsmaatschappij gevestigd was geweest. In 1937 was het gebouw uitgebreid en de kelders waren omgezet in een flinke gevangenis- en ondervragingsruimte die inmiddels uitpuilde van de nachtelijke oogst aan nieuwe slachtoffers van de Zuivering. Isaac en zijn nichtje gingen de hoofdingang binnen, toonden Isaacs paspoort aan de baliesergeant en werden naar een wachtruimte boven verwezen. Een man in een donkergroen NKVD-uniform, met kniebroek en leren laarzen, kwam binnen om kort met Isaac te spreken – blijkbaar de vriend die de bijeenkomst had geregeld.

Toen ze uiteindelijk in het kantoor werden binnengelaten, dacht Lenina eerst dat het leeg was. Er stond een enorm bureau van donker hout, met daarop een fel schijnende lamp. De zware gordijnen waren half dichtgetrokken, ondanks de zomerzon buiten. Er waren hoge ramen en er lag een dik kleed. En toen zag ze, achter het bureau, een klein, kalend, met een bril getooid hoofd. De generaal, dacht Lenina, 'leek precies een dwerg'.

De dwerg keek op naar Isaac en het kleine meisje en vroeg waarom ze daar waren. Isaac begon stotterend uit te leggen dat zijn broer, een goede en loyale communist, gearresteerd was, ten gevolge van een of andere vergissing, een misverstand, misschien een overmaat aan ijver bij zijn mannen om de vijanden van de staat uit te roeien. Terwijl hij luisterde, pakte de generaal een dun dossier van zijn bureau, bladerde het door terwijl Isaac praatte, en sprak één woord: '*Razberemsja*' – 'We zullen het uitzoeken.' Daarmee was de bijeenkomst afgelopen. Isaac, ontsteld, nam Lenina mee naar huis en zette haar de volgende dag op een trein terug naar Tsjernigov. Enkele dagen later verkocht Martha zoveel mogelijk van haar keukenspullen en kocht treinkaartjes voor zichzelf en de kinderen naar de Krim, om bij haar oudere zus Feodosia te gaan logeren. Maar voor ze vertrok, meldde ze braaf haar verblijfplaats bij de NKVD in Tsjernigov, zodat haar man zich geen zorgen zou maken wanneer hij in een lege woning terugkwam, nadat het misverstand was opgehelderd.

Het werd al winter, en nog steeds was er geen nieuws. Martha en de kinderen woonden in de keuken van Feodosia's kleine houten huis aan de buitenkant van Simferopol. Het was een enorme terugval na hun leven als leden van de verwende Partijelite in Tsjernigov. Martha kreeg werk als verpleegster in een kinderziekenhuis voor besmettelijke ziekten, en bracht overgebleven eten uit het ziekenhuis mee naar huis voor de kinderen.

Het klimaat in de Krim is milder dan dat in Europees Rusland, maar de winter brengt een koude zeewind vanaf de Baai van Sebastopol. Het tochtige huisje van Feodosia werd verwarmd met een kleine metalen kachel, een zogeheten *boerzjoeika* – een 'bourgeois' kachel die snel en heet brandde, maar tegen de ochtend koud was. De kinderen mochten hem overdag wanneer Martha in het ziekenhuis was niet aansteken, en ze zaten bij het raam, ineengedoken in hun truien, en keken naar de regen die neerviel op de kleine boomgaard rondom het huis.

Het leven was ergens anders, dacht Lenina, tijdens die trage maanden. Ze miste de drukte van hun leven in Tsjernigov, hun buren en haar schoolvriendinnetjes en de eindeloze stroom van beambten en vrienden die tot laat in de avond bij hen in de keuken zaten. Maar het allermeest miste ze haar vader, die haar beste vriend en toeverlaat was geweest. Ze bleef steeds geloven dat hij leefde en gezond was, ergens, en haar miste zoals zij hem miste.

Ljoedmila was altijd een rustig kind geweest, maar nu scheen ze zich helemaal in zichzelf terug te trekken. Ze speelde met haar poppen in een hoek van de vloer van Feodosia's keuken, naast de hutkoffer waarop Lenina sliep, en probeerde bij haar vittende moeder en tante uit de buurt te blijven. Martha kwam laat en uitgeput thuis, met haar haar als een warrige bos. Sinds de arrestatie van haar echtgenoot deed ze niets meer aan haar uiterlijk.

Begin december kreeg Ljoedmila de mazelen. Het kan zijn dat ze die had gekregen van het eten, of misschien van de ziekenhuiskleding van haar moeder. Toen de koorts van het kind hoog werd, bleef Martha thuis om voor haar te zorgen. Ze stuurde Lenina naar de drogist om mosterdpleisters te halen om het hoesten van haar zusje te verzachten, en oogdruppels voor haar gezwollen ogen.

In de derde of vierde nacht van Ljoedmila's koorts werd er hard op de deur geklopt. Feodosia ging opendoen. Verscheidene mannen in donkere uniforms met pistolen aan hun gordel drongen het huis binnen. Ze wensten 'burgeres Bibikova' te zien. Martha krabbelde, met Ljoedmila in haar armen, overeind toen ze de keukendeur openduwden.

'Opstaan jij!' beval een van de mannen Lenina, en hij gooide de hutkoffer waarop ze had liggen slapen open, zodat zij en de dekens op de vloer vielen. Martha begon krijsend te protesteren en pakte de agent bij de arm. Hij duwde haar achteruit, zodat ze in de open hutkoffer duikelde met haar driejarige dochtertje in haar armen. Lenina herinnert zich het gekrijs; iedereen krijste en haar moeder deed moeite om uit de hutkoffer te komen; een moment van groteske lachwekkendheid binnen de zich ontvouwende nachtmerrie. De mannen van de NKVD trokken Martha eruit, hielden haar armen op haar rug vast en duwden haar het huis uit en het trapje af, nog in haar nachtpon. Op straat duwden ze haar in een van twee politieauto's – 'Zwarte Kraaien' – die op hen stonden te wachten. Een tweede agent volgde met de twee kinderen, Ljoedmila onder zijn arm en Lenina aan de hand. Toen ze op de straat waren, wurmde Lenina zich los uit de greep van de man die haar hand vasthield en probeerde naar haar moeder te rennen; ze werd gepakt en met haar zusje in de tweede auto geduwd. Terwijl ze wegreden, hield Lenina haar koortsige zusje, dat hysterisch huilde, tegen zich aan geklemd. Aan het eind van de straat sloegen de twee auto's elk een andere richting in. De meisjes zouden hun moeder elf jaar lang niet terugzien.

Mijn eigen zoon, Nikita, is nu ik dit schrijf precies zo oud als Ljoedmila toen Martha gearresteerd werd – over twee maanden zal hij vier jaar oud zijn. Hij heeft een rond gezichtje en een bos donker haar, en de opvallend blauwe ogen van zijn grootmoeder Ljoedmila. Toen we een paar weken geleden bij Lenina op bezoek waren, omhelsde ze hem zo stevig dat hij ervan moest huilen; ze zei dat hij zo sprekend op Ljoedmila leek dat ze het niet aankon. 'Ik werd een moeder op mijn twaalfde, toen ze moeder weghaalden,' zei ze. 'Ljoedmila was mijn eerste kind. Hij is een kleine Ljoedmila.'

Soms, wanneer ik naar Nikita kijk als hij zit te spelen, voel ik – net als de meeste ouders, denk ik zo – een flits van duistere, irrationele angst. Wanneer hij in de bloembedden rondscharrelt op zoek naar slakken, of bollen opgraaft, verzonken in zijn eigen gedachten, ben ik bang dat mijn kind dood zou kunnen gaan, of me op de een of andere manier afgenomen zou kunnen worden. Andere keren, meestal wanneer het laat in de avond is en ik dronken ben en ver van huis, iets te doen heb in Bagdad of in een van de andere godvergeten gaten waar ik veel van mijn leven heb doorgebracht sinds ik uit Moskou ben weggegaan, stel ik me voor wat er met hem zal gebeuren als ik doodga. Ik vraag me af of hij het zal redden, wat hij zich van mij zal herinneren, of hij het zal begrijpen, of hij zal huilen. De gedachte hem te verliezen is zo gruwelijk dat het me doet duizelen. Ik denk vaak aan Martha op die avond en probeer me voor te stellen hoe ik me zou voelen als het Nikita was die door vreemden uit mijn armen werd gerukt. Maar ik kan me daar geen beeld van vormen.

De mannen van de NKVD reden met Lenina en Ljoedmila naar de Simferopol Gevangenis voor Minderjarige Overtreders, waar ze moesten blijven tot de staat bepaalde wat hun lot zou zijn. Volgens de grimmige logica van de Zuivering werden de gezinsleden van een 'vijand van het volk' geacht besmet te zijn geraakt met zijn of haar ketterij, alsof het een ziekte was. Zoals het oude Russische gezegde luidt: de appel valt niet ver van de boom. Daarom waren deze twee kinderen, twaalf en drie jaar oud, gedoemd te lijden voor de zonde van hun vader. Net als hij waren ze door de Partij voorbestemd om het afval van de geschiedenis te worden.

De gevangenis was slecht verlicht en stonk naar urine, carbolzeep en koolteersmeersel. Lenina herinnert zich de gezichten van drie mannen die hun gegevens opnamen, de zurige lucht van de volle cel waar ze heen werden gebracht en waar hun gezegd werd dat ze maar een plaatsje voor zichzelf moesten zoeken op de met stro bedekte vloer, en het blaffen van de waakhonden in de gang. Met

5 Gevangenis

Wij, de kinderen van Ruslands vreselijke jaren,
hebben de kracht niet om te vergeten.
Georgy Ivanov

Op een warme, mistige morgen in de Novoslobodskaja-straat in de zomer van 1995 verscheen ik bij de ingang van de Boetirskaja-gevangenis, met mijn verslaggeversnotitieboekje in mijn achterzak. De ingang zat tussen een kapsalon en een winkel in geperst; ik dacht dat ik hier verkeerd was. Maar via een viezige gang tussen de vale Sovjetgebouwen die langs de straat stonden kwam ik uit in een vreemde, afgesloten wereld. Boetirskaja was een enorm fort – letterlijk een fort, met torens, kantelen en een menigte kraaien die rond de dakranden scheerden, door Catharina de Grote gebouwd voor de vele misdadigers van het land dat ze tot het hare had gemaakt, onder wie de boerenrebel Jemeljan Poegatsjov.

Buiten op de straat begon de stoffige hitte van een Moskouse zomer al toe te nemen. Maar terwijl wij door een kleine toegangspoort werden geleid, verzuurde de junihitte onmiddellijk tot een klamme sluier die zich aan mijn huid en kleren hechtte als zweet van iemand anders. Zelfs in de administratieve vleugel was de metalige geur van zure kool, goedkoop wasmiddel en vochtige kleren alomtegenwoordig.

De cel die ik bezocht was ongeveer achttien bij vierenhalve meter. Een golf van mannelijke stank, ranzig zweet vermengd met urine, walmde naar buiten toen de bewaker de deur opende. Eerst dacht ik dat de gevangenen naar de deur opdrongen om te zien wie er gekomen was. Maar toen ik in de ruimte tuurde, zag ik dat ze zo dicht opeengepakt waren, van de deur tot aan het zware, met luiken afgesloten raam dat aan de verre kant juist zichtbaar was. De cel had iets van een stampvolle metrowagon. Langs beide muren liepen twee rijen houten planken, bedekt met beddengoed en lichamen. Uit beide lagen staken rijen knobbelige voeten. In de ruimte die in het midden overbleef, stond een menigte mannen, naakt op hun ondergoed na, tegen de kooien geleund of op het uiteinde van de bedden gezeten. Sommigen waren aan het kaarten, de meeste liggende mannen sliepen, en de rest stond er alleen maar, niet in staat zich te bewegen. Nat wasgoed hing aan geïmproviseerde waslijnen die langs het plafond gespannen waren. Een piepkleine, overlopende toiletpot stond in de hoek en daar zat één waterkraan. De hitte en de vochtigheid waren zo intens dat het moeilijk was in te ademen, en de overweldigende geur van opeengepakte menselijke wezens deed me kokhalzen.

Ik drong me door de cel heen, terwijl de bewaker vanuit de deur toekeek. Het was een ongeschreven regel, zei hij later, dat bewakers nooit de cellen in gingen, tenzij iemand een aanval van razernij kreeg, of als er een steekpartij was.

Er zaten 142 mannen in de cel. Ze hadden lege, ingevallen ogen. Hun benen en lichamen waren bedekt met vlooienbeten en zweren. Ongeveer de helft kuchte of hoestte door tuberculose, en spuwde vrijelijk op de vettige vloer. Er was geen daglicht, het raam was met luiken afgesloten, en er waren slechts twee kleine delen opengelaten om frisse lucht binnen te laten. Het geheel werd verlicht door vier flauwe gloeilampen die zestien uur per dag aan bleven.

Ik probeerde met een paar van hen te praten, heel even, maar het was zo ongemakkelijk om van zo dichtbij, borst tegen borst, met een vreemde te praten, dat ik merkte dat ik niets wist te zeggen. Noch toen, noch later lukte het me de gevangenen als mensen te zien, of met hen om te gaan als mensen. Ze waren overgegaan in een andere werkelijkheid; ze waren getransformeerd in iets minder dan menselijks, iets wat eerder een kudde dieren leek. Zelfs wanneer ze eruit kwamen, dacht ik zo, zou dit voorgoed een deel van hen zijn. Terwijl ik, zelfs op het moment dat ik me tussen hen door drong, aan de buitenkant bleef, en naar binnen keek. Ik kon me niet meer met hen identificeren dan ik me kon identificeren met de sjofele dieren in Moskous treurige oude dierentuin. Nooit heb ik, voordien of nadien als verslaggever in Rusland, sterker het gevoel gehad dat ik alleen maar op bezoek was.

Hun gezichten waren de gezichten van mannen wier hele leven geïmplodeerd was in de ruimte van nog geen vierkante meter van het stinkende hol waarin ze woonden. Terwijl ik me langs hen drong, staarden ze naar me, van een afstand van vijftien centimeter, maar wanneer ik in hun ogen keek, wist ik dat ze naar me keken van een afstand die ik nooit, nooit kon overbruggen.

Er is een foto van Ljoedmila en Lenina, ergens begin 1938 genomen. Lenina draagt een hoofddoek om haar kaalgeschoren hoofd te bedekken, Ljoedmila houdt een lappenpop vast met vlechtjes, een witte katoenen jurk en hoed. Lenina is een mooi meisje, met grote ogen, een breed voorhoofd, een gevoelige mond. Ljoedmila, ook kaalgeschoren en gekleed in een gebreid vestje en een witte kraagloze blouse, ziet eruit als een jongetje met een rond gezicht, terwijl ze met haar hoofd tegen de borst van haar zus leunt. Lenina's halve glimlach is weemoedig, en ontstellend volwassen. Beide zusjes zien er gekweld en ernstig uit. Hun ogen zijn geen kinderogen. De foto staat op mijn bureau. Hoewel hij me vertrouwd is, kan ik er niet naar kijken zonder een steek van emotie.

Bij het ochtendgloren op hun eerste dag in de gevangenis vroegen de celgenotes van Lenina en Ljoedmila aan Lenina waarom ze in de gevangenis zaten. Het waren allemaal jonge meiden, grotendeels dievegges en hoertjes. Toen ze hoorden dat de nieuwkomers geen misdaad hadden begaan, alleen 'politiekers' waren, zoals de kinderen van vijanden van het volk werden genoemd, knepen ze Lenina keihard en lachten haar uit toen ze begon te snikken. Twee bewakers, van wie de ene een blaffende Duitse herder vasthield, openden de celdeur en zeiden dat ze stil moesten zijn. De meisjes werden naar een eetzaal geleid, waar ze bij een klein loketraam in de rij gingen staan voor een kom soep. Een van de oudere meisjes gaf een mep tegen de onderkant van Lenina's kom toen ze van het loketraam wegliep, zodat haar soep over de vloer klotste, een inwijdingsritueel voor nieuwe meiden. Lenina ging hongerig terug naar de cel. Een paar uur later kwam er een gevangenisarts langs; hij stelde vast dat Ljoedmila de mazelen had en stuurde haar onmiddellijk naar het gevangenishospitaal, zodat Lenina alleen achterbleef met haar kwelgeesten.

Na een paar dagen werd het Lenina toegestaan haar zusje te bezoeken tijdens het dagelijkse uur lichaamsbeweging. Ze spaarde de brokjes vlees of suikerklontjes op die ze nog had nadat de oudere meisjes haar eten hadden doorzocht, verstopte die in haar onderbroek en gaf ze aan Ljoedmila zodat ze zo sterk mogelijk zou blijven. Soms kwam hun tante Feodosia langs met kleine pakketjes eten, die Lenina aan een touw omhooghees door het betraliede ziekenhuisraam dat uitkeek op de straat. Mila herinnert zich het touw en de kleine pakketjes met eten. Ze herinnert zich ook dat ze op haar kop kreeg omdat ze 's nachts in bed plaste, en dat haar zus Lenina altijd huilde.

Eind december, drie weken nadat ze in de gevangenis waren gekomen, werd Lenina midden in de nacht wakker en merkte dat de cel vol rook stond. De celdeur ging open, en een paniekerige bewaker stuurde de kinderen naar buiten op de binnenplaats. Er was door een paar oudere kinderen brand gesticht in het gebouw om een ontsnappingspoging te maskeren. De bewakers hadden de honden losgelaten en die hapten naar de kinderen terwijl ze naar het binnenterrein werden geleid. Sinds die nacht is Lenina altijd doodsbang gebleven voor honden. De kinderen stonden te rillen in de kou terwijl de brandweerauto's kwamen. Ljoedmila was ook naar buiten gebracht, liggend op een brancard, tegelijk met andere kinderen die uit het gevangenishospitaal waren geëvacueerd.

De gevangenis bleef de hele nacht branden. Tegen de ochtend

was hij totaal uitgebrand en onbruikbaar, en de kinderen waren half doodgevroren op de binnenplaats, nog altijd onder bewaking. Er kwam een konvooi van open vrachtwagens om hen in groepen van twintig weg te halen. Lenina en Ljoedmila kwamen in een van de laatste wagens terecht, met als bestemming een van de verder weg gelegen weeshuizen in de streek. Hun vrachtwagen reed hen, hongerig en ijskoud, naar het noorden gedurende een groot deel van de dag, door natte sneeuwbuien. Uiteindelijk werden ze uitgeladen bij een 'allocatiecentrum' voor ouderloze kinderen in Dnepropetrovsk. Lenina en Ljoedmila zagen blauw van de kou en bibberden zo heftig dat Lenina zich herinnert dat ze niet kon praten. Ze werden in een grote hal gedreven, die al gevuld was met de kinderen van Spaanse republikeinen, die naar de Sovjet-Unie geëvacueerd waren om hen te redden van de Burgeroorlog. De Spaanse kinderen, ver van huis, waren angstig aan het schreeuwen terwijl ze wachtten tot ze aan plaatselijke weeshuizen werden toegewezen.

Een geïrriteerde balieambtenaar nam de lijst met namen en leeftijden over van de begeleiders van de nieuwkomers. Hij zei tegen Ljoedmila dat ze met de andere kleine kinderen mee moest gaan, en tegen Lenina dat ze aan de zijkant moest gaan staan om op haar beurt te wachten. Lenina viel op haar knieën en smeekte de mannen haar zusje niet mee te nemen, met haar armen om de varkensleren laarzen van de bewakers geslagen. Terwijl ze zo smeekte, stond een man in burgerkleding te luisteren, tegen de deurpost geleund; toen ze het verhaal vijfenzestig jaar later vertelde in de keuken van haar flat in Moskou hees Lenina zich overeind en leunde tegen de keukendeur, met haar armen over elkaar, om het te demonstreren. De man kwam naar voren, legde zijn hand vriendelijk op de schouder van de bewaker, zei: 'Ik neem haar wel', bukte zich en hielp Lenina opstaan van de vloer.

Die man was Jakov Abramovitsj Mitsjnik, de directeur van een reusachtig, pas gebouwd kindertehuis in Verchne-Dneprovsk, gecreëerd om 1600 straatkinderen, boefjes en wezen te rehabiliteren en er nieuwe Sovjetmannen en -vrouwen van te maken. Die avond werden Ljoedmila en de jongste kinderen, plus de twaalfjarige

Lenina, in een bus naar zijn weeshuis gereden. Na hun aankomst werden de kinderen gedoucht en ontluisd, en hun hoofden werden kaalgeschoren. Ze kregen naar leeftijd een slaapzaal toegewezen. Lenina kreeg een veldbed naast het bed van haar zusje in de ziekenhuisslaapzaal, aan het eind van een gang. De verpleegsters en chefs namen de schoenen en poppen van de Spaanse kinderen in beslag en namen die mee voor hun eigen kinderen. Lenina droomt nog altijd over hoe de Spaanse kinderen huilden zonder hun geliefde speeltjes, hun laatste fysieke herinnering aan thuis. De hele nacht lagen ze te roepen: '*Mamá.*'

Toen de schok van hun arrestatie en opsluiting vervaagde, bleek Verchne-Dneprovsk een betrekkelijk prettig oord te zijn. Ze kregen te eten, en het onderwijzend personeel was vriendelijk. Tijdens haar eerste dagen in het weeshuis probeerde Ljoedmila haar brandende koorts te verkoelen door haar benen te begraven in vochtig zand in een zandbak. Binnen enkele weken waren de mazelen over, maar toen werd ontdekt dat ze bottuberculose had gekregen, die zich snel uitbreidde ten gevolge van haar verzwakte immuunsysteem.

Lenina ging haar kleine zusje elke dag na schooltijd opzoeken op de afdeling Infectieziekten van het plaatselijke ziekenhuis. Dan ging Ljoedmila op een stoel staan, boog zich uit het raam en zwaaide en praatte. Toen Lenina op een dag op bezoek kwam, merkte ze dat Ljoedmila rode ogen had en niets zei. Haar kleine Spaanse vriendje Juan, 'Juantsjik', die in het bed naast haar sliep, was die nacht weggehaald, en niemand wilde haar zeggen waar hij gebleven was. De verpleegster vertelde Lenina dat Juan gestorven was aan tuberculose. Een voor een gingen alle achttien kinderen die op de afdeling hadden gelegen toen Ljoedmila werd opgenomen dood. Mijn moeder was het enige kind dat in leven bleef.

Lenina kon niet naar haar familieleden in Moskou schrijven omdat ze zich hun adres niet kon herinneren; maar zelfs als ze het nog had geweten, was er weinig kans dat ze het zouden riskeren de kinderen van een vijand van het volk te redden. Ze schreef wel naar hun tante Feodosia in Simferopol, maar die kwam niet naar hen toe. Wel stuurde Feodosia nieuws over haar zus Martha. Die was naar een oord gestuurd dat Kazachstan heette, legde Feodosia haar jonge nicht uit, naar een gevangeniskamp dat Karlager heette. Haar adres was een postbusnummer. Lenina liep elke dag bijna vijf kilometer van het weeshuis naar de plaatselijke school, en boende in haar vrije tijd vloeren voor haar onderwijzers in ruil voor uien, stukjes gerookt spek, suiker en appels. Ze bracht de suiker en de appels elke keer naar Ljoedmila in het ziekenhuis, maar ze hield de uien. Toen Lenina tien uien bij elkaar had, maakte ze daar een pakje van. Ze adresseerde het bruin papieren pak zorgvuldig aan de genummerde postbus in Kazachstan, deed nog wat klusjes om de postzegels te kunnen kopen, en postte het pak vanuit het weeshuis. Maanden later kreeg ze een brief terug van Martha. Ze bedankte haar dochter voor het pakket, maar schreef dat ze een 'idioot' was omdat ze de uien niet elk afzonderlijk in papier had gewikkeld. Nu waren ze bij aankomst bevroren en bedorven, klaagde Martha. Niettemin vroeg ze naar Ljoedmila en wenste haar dochters het beste. Ze beloofde gauw terug te komen om hen op te halen. Dat was het laatste dat Lenina van haar moeder zou horen tot na de oorlog.

Mijn moeder herinnert zich niet dat ze als kind wat voor speelgoed dan ook had, behalve een teddybeer die ze uit Tsjernigov had meegebracht, en die ze kwijtraakte in de kindergevangenis. De pop op de foto die in Verchne-Dneprovsk genomen is, was een rekwisiet van de fotograaf. Lenina herinnert zich dat Ljoedmila huilde toen ze te horen kreeg dat ze hem niet mocht houden nadat de foto genomen was.

Ljoedmila hield erg van tekenen, maar had nooit, zoals ze zelf zegt, 'enig talent'. Ondanks haar ziekte leerde ze heel vroeg lezen en ze bracht algauw de lange, eenzame dagen in het ziekenhuis door met het lezen van boeken uit de bibliotheek van het weeshuis. Boeken, en de heerlijke werelden die in de woorden besloten lagen, namen de plaats in van vriendjes en vriendinnetjes. Het was gedurende de vele maanden van gedwongen nietsdoen in het ziekenhuis die haar kindertijd telkens onderbraken dat ze leerde een fantasieleven te leiden, dat opgebouwd werd in haar eigen levendige geest. De mysterieuze, duistere wouden van Poesjkins verhalen, de ritten op het betoverde tapijt boven de slapende huizen van Bagdad in *Duizend-en-één-nacht*, de mythische monsters die Sinbad de zeeman tegenkwam, en de elegant stappende ruiters en heksen van het oude Rusland zoals getekend door Ivan Bilibin – dat waren de oorden waarheen ze ontsnapte in haar kinderfantasie. De strenge, antiseptische, liefdeloze wereld om haar heen werd beter te verdragen in de wetenschap dat er ergens, ver weg, een beter oord was waarheen ze ooit op reis zou gaan. Zelfs toen ze opgroeide tot een vrouw en haar aangetaste benen eindelijk genezen waren, zou dit krachtige visioen van een ander, magisch leven – en het gevoel dat dat leven veroverd kon worden door uithoudingsvermogen en pure wilskracht – haar nooit verlaten.

In het weeshuis had Lenina een droom. Ze had haar witte blouse aan met de rode stropdas van een Jonge Pionier. Een paar kinderen riepen haar toe: 'Je vader! Ze brengen je vader naar buiten!' Ze rende naar buiten en zag haar vader op de rug, onder geleide van drie mannen met geweren. Ze namen hem mee naar de steile oever van de grote rivier de Dnjepr, aan de rand van het terrein van het weeshuis. Hij stond lange tijd op de rand, terwijl Lenina toekeek, verstard in de verlamming van de droom. Toen vuurden de drie mannen hun geweren af op haar vader, zonder geluid. Hij viel buitelend langs de oever naar beneden. Dit was de enige keer dat Lenina ooit over haar vader droomde.

Tegen het eind van 1938 was Ljoedmila voldoende hersteld om naar de kleuterschool te gaan, maar ze moest telkens weer naar het ziekenhuis voor een reeks grove operaties om steeds meer weefsel weg te snijden. De beenderen van haar rechterbeen waren aangetast door de tuberculose en ze liep erg mank. Niettemin was ze een opgewekt en intelligent kind, dat haar zus adoreerde. Het weeshuis was de enige wereld die ze zich kon herinneren, en ze was daar best gelukkig.

Het was moeilijker voor Lenina, want haar vroegere leven begon haar te kwellen. Ze had van haar onderwijzers gehoord dat haar ouders 'vijanden van het volk' waren en dat ze gestraft werden. Zij moest maar proberen hen te vergeten. Oom Stalin, wiens portret in het klaslokaal hing, zorgde nu voor hen. Lenina zong, samen met de andere kinderen: 'Bedankt, Kameraad Stalin, voor een gelukkige jeugd.' Toch twijfelde ze er nog altijd niet aan dat ze haar geliefde vader zou terugzien. Wanneer de onderwijzers het over de 'stralende toekomst' hadden, stelde Lenina zich voor dat ze herenigd was met haar vader.

De steppen van de oostelijke Oekraïne waren vlak en eentonig, een land van reusachtige luchten, zo groot als de hele wereld. In de zomer ging Lenina vaak met de andere kinderen naar beneden naar de Dnjepr om te baden in de brede, traag stromende rivier; ze gleden van de modderige oevers af terwijl ze in het water scharrelden. De strenge regelmaat van het weeshuisleven liet Lenina weinig ruimte voor nadenken. En te midden van honderden ouderloze kinderen net als zij hadden de zusjes Bibikov het beter getroffen dan de meesten. Zij hadden tenminste elkaar nog.

Maar ook het vredige bestaan dat de zusjes in Verchne-Dneprovsk vonden werd algauw verstoord.

In de zomer van 1941 was Lenina zestien en Ljoedmila zeven. Ljoedmila zou aan haar eerste schooljaar beginnen en Lenina was een seniorlid van de Jonge Pioniers, en droeg met trots het keurige, gesteven uniform. Op de meeste ochtenden was er een parade, waarbij de verschillende schoolklassen in nette rijen werden gecommandeerd, waarbij twee oudere kinderen als erewacht optraden terwijl de Sovjetvlag in de vlaggenmast werd gehesen bij een krasserige plaat van het Sovjetvolkslied. Lenina en de oudere kinderen zaten soms eerbiedig voor een grote bakelieten radio om te luisteren naar stichtende toespraken en zedepreken in het kinderprogramma van de Sovjet Staatsradio. Later, in hun eigen vertrekken, luisterden de volwassenen naar het avondnieuws over de oorlog die Duitsland tegen Frankrijk en Engeland had ontketend. Maar dat conflict leek ver weg, de doodsstuipen van de decadente kapitalistische wereld die zich tegen zichzelf keerde. De Sovjet-Unie en Duitsland hadden twee jaar eerder een niet-aanvalsverdrag gesloten. De oorlog ging over andere mensen, ver van de vlakten rond de Dnjepr.

Het was een snoeihete zomer. De steppenwind blies wolken stof aan van de dorre velden, zodat de gebouwen van het weeshuis en de bomen op de speelplaats bedekt werden met een bruine sluier. Voor de kinderen ging het leven door zoals gewoonlijk in die hete dagen, terwijl het Duitse leger zich verzamelde aan de Pools-Russische grens.

Toen, op 22 juni 1941, begon Hitler de blitzkriegaanval onder de codenaam Operatie Barbarossa, die het verzet van de Sovjets snel brak. Zonder dat de zusjes het wisten, werd hun oom Isaac, de ingenieur die nu piloot was geworden, boven Wit-Rusland neergeschoten en gedood in de eerste dagen van de oorlog terwijl hij zijn Polikarpov-gevechtstoestel bestuurde; hij had geen verweer tegen de zwermen Messerschmidt-jagers die de luchten zuiverden voor de naderende Wehrmacht. Zijn familieleden zijn er nooit achter gekomen waar hij begraven werd, als hij al begraven werd.

Lenina en Ljoedmila hoorden het nieuws van de aanval pas dagen later van hun ernstige onderwijzers, die het zelf op de radio hadden gehoord, die berichtte dat het Rode Leger de indringers heldhaftig terugdrong. Dat was niet waar. Binnen tien dagen was Minsk gevallen. Op 27 juni waren twee Duitse legers meer dan driehonderd kilometer doorgedrongen op Sovjetgebied, een derde van de afstand naar Moskou. Op 21 augustus had de Wehrmacht de spoorlijn Moskou-Leningrad doorbroken en maakten Duitse Panzerdivisies snelle vorderingen door de graanvelden van de Oekraïne, op weg naar Stalingrad en de olievelden in de Kaukasus.

Kiev viel op 26 september. Dagen later was het geluid van verre kanonnen te horen in Verchne-Dneprovsk, naar het oosten gedragen door de wind. Lenina zat op school toen de vrachtwagens kwamen om de oudere kinderen in het weeshuis te mobiliseren voor het graven van loopgraven. Ze moesten hun boeken laten liggen en zo snel mogelijk instappen. Lenina dacht dat ze gauw weer terug zouden zijn, zelfs nog op tijd voor het avondeten. Haar zusje, op school met de jongere klas, zag haar niet weggaan.

Lenina kwam nooit terug in Verchne-Dneprovsk. Haar detachement kinderloopgraafgravers werd naar de buitenrand van de stad gereden, waar ze dagen bezig waren zwarte aarde te scheppen op de bladen met vier handvatten die Russen gebruiken in plaats van kruiwagens. Enkele dagen later begonnen ze naar het oosten terug te trekken terwijl de Duitsers naderden. Ze sliepen wanneer ze konden, op zakken op de vloeren van haastig ontruimde fabrieken, of op de zachte, pas uitgegraven aarde. Ze groeven overdag en liepen 's nachts, om zich van dag tot dag terug te trekken voor het Duitse offensief. Er was geen manier om terug te gaan naar het weeshuis, of om te weten te komen hoe het ging met Ljoedmila of de andere kinderen die ze hadden achtergelaten.

Ljoedmila zelf herinnert zich heel weinig van wat hierna gebeurde. Haar herinnering aan die tijd lijkt even mistig als die van Lenina helder is. Lenina hoorde het verhaal pas na de oorlog van een van haar klasgenoten die op de dag dat de oudere kinderen werden meegenomen om te graven, was achtergebleven om huishoudelijke klusjes te doen, en nog eens van Jakov Mitsjnik, de directeur van het kindertehuis, die een vriend en weldoener zou worden.

Toen de frontlinie in de eerste dagen van oktober Verchne-Dneprovsk naderde, konden de kinderen die in het weeshuis en in het ziekenhuis waren achtergebleven nergens meer naartoe. Alle beschikbare transportmiddelen waren gemobiliseerd, en naarmate de bombardementen dichterbij kwamen, besloten de laatste nog overgebleven leden van de leiding de kinderen te evacueren via de enige weg die nog voor hen openstond – de grote stepperivier die langs de rand van het weeshuisterrein stroomde. De directeur van het weeshuis vorderde twee grote riviervlotten, die gemaakt waren om door paarden stroomopwaarts te worden getrokken, van een plaatselijk collectief landbouwbedrijf. Hij bracht de veertig overgebleven kinderen aan boord. Toen, terwijl het begon te schemeren en er een spervuur van artillerie aan de hemel flitste, duwden de zes overgebleven stafleden de vlotten vol kinderen de rivier op, en duwden de vlotten met palen verder tot de stroom er vat op kreeg en hen wegvoerde het donker in.

6 Oorlog

Sterf, maar trek u niet terug.
Josef Stalin

De vlotten dreven de hele nacht op de trage stroom van de Dnjepr. Tegen zonsopgang liepen ze vast bij een dorp aan de oostoever van de rivier. De plaatselijke boeren hadden nog paarden en wagens, en de directeur van het weeshuis regelde het zo dat de kinderen in wagens werden geladen en vervoerd naar het dichtstbij gelegen eindpunt van een spoorlijn in Zaporozjije. Daar droeg Mitsjnik, te midden van het tumult van een stad die zich erop voorbereidde door de Duitsers te worden ingenomen, zijn kinderen over aan de zorg van de plaatselijke autoriteiten. Hij kreeg hen niet meer te zien – behalve enkelen die de oorlog overleefden en hem, zoals Lenina, als volwassenen kwamen opzoeken, nieuwsgierig en dankbaar. In Zaporozjije werden de kinderen deel van een reusachtige, chaotische stroom van menselijk wrakhout op de vlucht voor de Duitsers in aantocht.

Ljoedmila's eigen herinnering aan haar evacuatie te midden van de chaos van de terugtocht van het Rode Leger in de herfst en winter van 1941 is een onsamenhangende reeks beelden. Ze herinnert zich dat ze voor een hoog raam stond, uitkijkend over een vlak landschap, dat ze in de verte bommen zag vallen met grote witte flitsen, dat ze het schokken voelde door de plankenvloer. Ze herinnert zich dat ze op een regenachtige herfstdag met de andere weeshuiskinderen in een rij stond langs een modderige weg, waar ze bekers water ophielden voor een eindeloze stroom soldaten die voorbijsjokten op weg naar het front. Ze herinnert zich dat ze nachten in het bos doorbracht, rillend onder dunne dekens en luisterend naar de griezelige stilte van het bos.

Ze waren voortdurend onderweg. In sommige nachten waren er zoeklichten en explosies. Op een dag, herinnert Ljoedmila zich, reden zij en andere kinderen in een zware boerenkar, terwijl elk kind een tak vasthield om hen te camoufleren voor de vliegtuigen die over hen heen bromden. Het paard was een enorm sjokkend beest, en het tuig was ook bedekt met takken. Dit is het beeld dat zich om de een of andere reden het levendigst in mijn geestesoog heeft gehecht – mijn moeder, tussen andere kinderen in de wagenbak gezeten, met in haar handen hoopvol een tak als een talisman tegen de Duitse vliegtuigen, een klein, invalide kind, alleen en bang, oostwaarts rollend naar de leegte van de Wolgasteppen.

De kinderen werden in etappes geëvacueerd, steeds verder in het achterland van Rusland; ze bleven ergens dagen of weken wanneer er geen transport meer was, wachtend op iemand die zich over hen zou ontfermen, hen in veiligheid zou brengen. Ergens ten westen van Stalingrad konden ze niet verder, tegengehouden door de stroom mannen en machines die de steppen vulde. Ljoedmila bracht de strengste wintermaanden door, ingekwartierd in een ondergesneeuwd dorp, kauwend op uit de schuren gejatte droge tarwearen en om eten vechtend met de kinderen van het dorp. Begin voorjaar 1942 herinnerde iemand zich het zwaarbeproefde kleine gezelschap en verplaatste hen naar een collectief landbouwbedrijf dat dichter bij de Wolga lag. Mila herinnert zich dat ze naar bessen zocht in de stille, koude bossen en dat ze boerenvrouwen hielp vloeren te schrobben in ruil voor korsten brood.

Op de een of andere manier wist iemand, als een klein oorlogswonder, juist toen het Duitse Zesde Leger begon op te trekken naar Stalingrad, voor de kinderen plaatsen te vinden in een grote Amerikaanse Studebaker-truck, het toppunt van luxe. Die bracht hen naar de stad en bereikte de Wolga nog net een paar dagen voor de Duitsers. Het moet kort na 23 augustus 1942 zijn geweest, de dag dat geniesoldaten van het Rode Leger de bruggen opbliezen, want Ljoedmila herinnert zich dat ze de Wolga samen met de andere kinderen overstak op een stalen sloep, tjokvol met vluchtelingen. Ze zag dat de steunbalken van de opgeblazen bruggen onder een rare hoek in de rivier hingen. Voor de ramen van alle scholen en openbare gebouwen in de stad waren gewonde, in verband gewikkelde soldaten te zien. Dat beeld werd een van de levendigste herinneringen die Ljoedmila aan die tijd bewaart – 'Ze stonden daar, allemaal in verband, heel veel mannen, achter elk raam.'

Aan de overkant van de rivier bleken Ljoedmila en de andere kinderen weer vast te zitten. In de worsteling om de stad voor de komst van de Duitsers te versterken, en tijdens de eerste, chaotische weken van de strijd, was elke beschikbare vorm van transport nodig om mannen en voorraden naar de getroffen stad te vervoeren, en om gesneuvelden terug te brengen.

De wezen werden ondergebracht in dorpen bij de rivier. Ljoedmila herinnert zich hoe hordes vluchtelingen te voet door haar dorp trokken; ze sliepen in de velden wanneer ze geen kracht meer hadden, en verdrongen zich in schuren en boerenhutten met zovelen dat ze de deur niet dicht konden krijgen. Hun gesnurk maakte een griezelig brommend geluid in het donker, alsof de aarde zelf beefde. 's Nachts waren er luchtaanvallen, en Mila herinnert zich dat ze zich in veiligheid bracht in het hoge gras van de steppe terwijl de zwarte bommen langzaam uit de lucht duikelden.

Dag en nacht rolden er door paarden getrokken karren door het dorp, vol met afschuwelijk verwonde soldaten, die onder het bloed zaten en van wie sommigen ledematen misten. 's Nachts gloeide de rivier rood door de brandende stad, en wanneer de wind naar het oosten waaide, bracht hij de hitte en rook van de grote strijd mee. Ze zag lichamen en delen van lichamen langsdrijven in het water.

Eten was het enige waar Mila aan dacht. De kinderen liepen los rond, probeerden voor zichzelf te zorgen, door om restjes te bedelen bij de stromen vluchtelingen, en in groepen op jacht te gaan naar tarwe- en gerststengels. Mila en de andere kinderen raapten dorre bladeren op en verkruimelden die samen met de tabak uit sigarettenpeuken die ze langs de weg vonden. Dat mengsel verkochten ze als *machorka*, grove soldatentabak, aan de rijen troepen die elke dag langstrokken, door het te ruilen voor suikerklontjes of stukjes brood. Velen van de soldaten hadden vlakke, Mongoolse gezichten. Ze waren helemaal uit Siberië gekomen, hadden dagenlang gemarcheerd vanaf de dichtstbij gelegen spoorlijn en sliepen langs de kant van de weg voor ze als meedogenloze menselijke golven de stad in kwamen.

Een halve eeuw later was ik zelf getuige van het Russische leger in actie. Ik stond aan de Russische frontlinie in de noordelijke buitenwijk van Grozny, Tsjetsjenië, toen een machtige vuurstorm van artillerie over ons hoofd heen brulde en de opstandige stad om ons heen brandde. Het stadscentrum werd verduisterd door een zwevend lijkkleed van bitter smakende kanonsrook. Overal om ons heen stonden de rafelige restanten van gebouwen, aangeknaagd door kanonvuur en daarna telkens weer beschoten. Elke minuut kwamen er Soechoi-gevechtsbommenwerpers snel en laag aankrijsen om bommen van een halve ton af te leveren, die gruwelijk gracieus naar hun doel vielen voordat ze explodeerden met een dreun die krachtig genoeg leek om de hele stad neer te halen. Het bombardement was zo overweldigend dat het aanvoelde als een fysieke aanwezigheid; het donderde onder mijn voeten alsof er diep in de aarde reusachtige deuren dichtsloegen.

Ik bracht samen met Russische soldaten dagen door in loopgraven die in de zandige grond waren uitgegraven, en sliep naast snurkende dienstplichtigen in bivakken die ze hadden gemaakt in de vernielde huizen. Hun gezichten waren smerig van rook en vuil, en ze vloekten en spuwden en lachten luid om elke grap, hoe onbeduidend ook. Toen we op een avond blikjesvlees zaten te eten, gooide een jonge sergeant van de andere kant van de kamer een granaat naar me toe bij het licht van een sissende petroleumlamp. De pin was eruit en de veiligheidsgreep was weg – en even staarde ik niet-

De Partij-man. Officiële foto van de Partij-kaart van Boris Bibikov, genomen in 1936. Hij was kort hiervoor aangesteld als hoofd van het Regionale Comité van de Partij in Tsjernigov; hij was drieëndertig jaar oud.

'Geen mannen, maar reuzen.' Bibikov (*voorste rij, tweede van rechts*) met jonge collega's van de Charkov Tractorfabriek, rond 1932.

НКВД УССР

[УП]РАВЛЕНИЕ ГОСУДАРСТВЕННОЙ БЕЗОПАСНОСТИ

IV ОТДЕЛ

СОВ. СЕКРЕТНО

УЧТЕНО в 19[illegible]2 году

СЛЕДСТВЕННОЕ ДЕЛО № 123

[а]нтисоветской право-троцкистской организации на Украине

по обвинению: Бибиков Борис Львович

ВОЕННАЯ КОЛЛЕГИЯ ВЕРХСУДА СССР

вт [illegible] ВС СССР

№ 4н 0663

Докладчик

Прокурор

.9-[illegible] 195[illegible] г.

[Дел]о № 1

[Н]ачато 22 [illegible] 193

[Ок]ончено 29/IX 193

[Кол]ичество томов один

[illegible]2875

Центральный архив [illegible]

№ П-4-11565

КИЕВ—1937 г.

'Het dossier, het zo belangrijke dossier.' De omslag van het dossier van de NKVD over Zaak Nummer 123, over een 'Anti-Sovjet Rechts-Trotskyistische Organisatie in de Oekraïne'. De naam van Boris Bibikov is aangebracht in een merkwaardig keurig uitgevoerd lopend schrift.

Н/к форма № 28

СВИДЕТЕЛЬСТВО О СМЕРТИ

П-А № 873187

Гражданин Бибиков Борис Львович

умер (ла) 25.XI.39г. двадцать пятого ноября тысяча девятьсот тридцать девятого года возраст 36л

Причина смерти

о чем в книге записей актов гражданского состояния о смерти 1955 года ноября месяца 25 числа произведена соответствующая запись за № 1817

Место смерти: город, селение

[р]айон ... область, край

республика

Место регистрации Советскоер/б ЗАГС г.Москвы

Дата выдачи «29» ноября 1955 г.

Заведующий бюро записей актов гражданского состояния (подпись)

Гербовая печать Бюро ЗАГС Советского р-на г.Москвы

Het eerste overlijdenscertificaat van Boris Bibikov. De oorzaak en plaats van het overlijden zijn opengelaten. De autoriteiten erkenden de waarheid uiteindelijk pas in 1988 – dat Boris Bibikov op 14 oktober 1937 ergens bij Kiev was doodgeschoten en in een gemeenschappelijk graf begraven.

Ljoedmila en Lenina Bibikov, vier en twaalf jaar oud, in het kindertehuis in Verchne-Dneprovsk, begin 1938. Hun hoofden waren kaalgeschoren als voorzorgsmaatregel tegen luizen; de pop was een rekwisiet van de fotograaf.

'Herinner je de goede mensen.' De directeur van het weeshuis in Verchne-Dneprovsk, Jakov Abramovitsj Mitsjnik, met Lenina's oudste dochter Nadia in 1950. Mitsjnik verhinderde dat Lenina en Ljoedmila gescheiden werden toen ze in november 1937 in Dnepropetrovsk aankwamen; in 1941, toen de Duitsers naderden, redde hij de overgebleven weeshuiskinderen, onder wie Ljoedmila, door hen op een vlot te zetten en hen over de Dnjepr te laten wegdrijven.

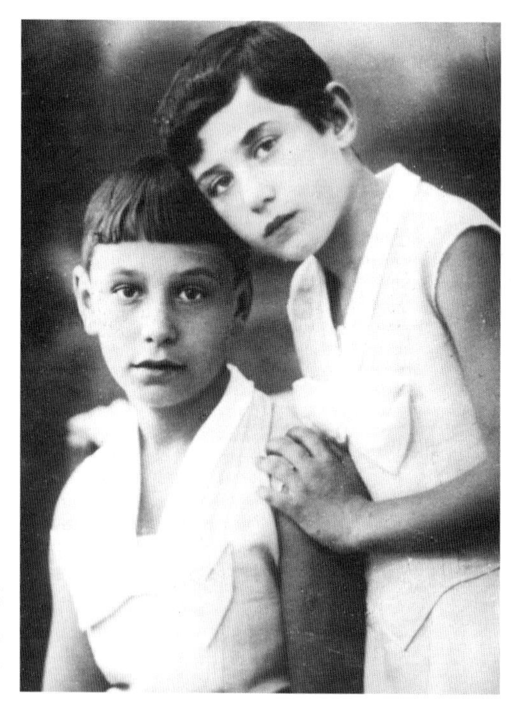

'Bedankt, Kameraad Stalin, voor onze Gelukkige Jeugd.' Lenina (*rechts*) en een vriendin in Verchne-Dneprovsk in 1938.

Boris' broer Jakov Bibikov in zijn uniform van luitenant-generaal van de Luchtmacht, in de jaren zeventig.

Kapitein Alexander Vasin, 1942. Kort nadat hij Lenina ten huwelijk had gevraagd reed zijn auto bij Smolensk op een mijn; zijn been moest met een houtzaag worden geamputeerd.

Lenina (*links*) en een vriendin, Moskou, eind jaren veertig.

Een zeldzame foto van Ljoedmila bij het weeshuis van Saltikovka, bij Moskou, in 1949, tussen verscheidene operaties in het Botkin Ziekenhuis in Moskou om haar misvormde been te herstellen.

'Ik kreeg vleugels.' Ljoedmila (*uiterst rechts*) met haar toneelminnende vriendinnen, op de Vnoekovo-luchthaven van Moskou wachtend tot de Franse acteur Gérard Philippe uit Peking zou aankomen, herfst 1957. Hij zette een inscriptie in Ljoedmila's exemplaar van *Le Rouge et le Noir*: 'En souvenir du soleil de Moscou.'

Ljoedmila met vakantie in het noorden van Rusland, 1965.

Charles Languet, de achterkleinzoon van Karl Marx, brengt een bezoek aan het Instituut van Marxisme en Leninisme; Ljoedmila (*in het midden*) treedt als tolk op.

Ljoedmila (*rechts*) met haar vriendin Galina Golovitser in Ljoedmila's kamer aan Starokonoesjenni Pereoelok, 1962. De foto werd genomen door de Oostduitse echtgenoot van een bevriende balletdanseres.

Het personeel van de Britse ambassade, herfst 1958. Mervyn Matthews staat in de achterste rij *(in het midden)* met een grijze muts van astrakanbont. Let op de zwarte labrador van ambassadeur Sir Patrick Reilly, trots op zijn plek.

'Avonturen kunnen prachtig zijn.' Mervyn in het diplomatieke appartement dat hij met Martin Dewhirst deelde aan de Sadovaja-Samotetsjnaja-straat in Moskou, 1958.

begrijpend naar het kleine stalen ei voordat de hele kamer in lachen uitbarstte. Het was een exercitiepatroon.

Het waren nog maar kinderen, uitzinnig door het gevaar en de oorlog. Maar wanneer we op patrouille gingen en van huis tot huis knerpten door glassplinters en hopen baksteen, werden ze stil en gespannen, net als alle infanteristen in een gevechtssituatie. Hun techniek bestond erin voorwaarts te gaan tot ze onder vuur kwamen, vervolgens de schutter te localiseren en de artillerie op te roepen alvorens zo snel als ze konden terug te gaan naar hun uitvalsbasis, biddend dat de Russische schutters niet dronken waren of hun ronde bekortten. In deze tactiek was niet veel veranderd sinds de straatgevechten in Stalingrad. Wanneer we ons binnen klaarmaakten voor de nacht, schopten de jonge soldaten hun hoge varkensleren laarzen uit en wikkelden de lappen van hun voeten die Russische soldaten dragen in plaats van sokken. Daarna schudden ze hun bontmuts op tot een soort hoofdkussen. Buiten werd dan een andere eenheid onder vuur genomen, en we konden het brullende *rip-rip-rip* door de vloer horen resoneren van tal van raketlanceertoestellen. Deze scène, tot en met de stompjes kaars en de houten lucifersdoosjes die de jongelui in hun borstzak droegen en gebruikten om hun *papiros*-sigaretten met kartonnen filter aan te steken, had evengoed in de oorlog van hun grootvaders kunnen spelen.

Tegenwoordig is het steppegebied rond Stalingrad leeg en stil. De velden van de collectieve landbouwbedrijven strekken zich uit zover het oog reikt, doorploegd met gebogen voren met hier en daar een half vervallen blokhut of een lange betonnen schuur. De verre oever van de reusachtige rivier is onzichtbaar in de mist, en het trage grijze water stijgt en daalt terwijl het langs de oevers likt. Het lijkt alsof de reusachtige velden en wuivende bomen peinzen over de vreemde uitbarsting die, een halve eeuw geleden, zoveel menselijke wezens hierheen bracht om hun bloed te vergieten op de zandige grond.

Ik bracht in de winter van 1999 een bezoek aan Volgograd, zoals

Stalingrad nu heet. Een zware, de ziel uitputtende saaiheid lag over de stad als een vuil soort sneeuw, drukkend als de winterhemel die laag over het landschap hing. Het leek bedroevend veel op andere provinciale gaten, een oord waar het bittere concentraat van werkelijkheid de geest deed verschrompelen als een augurk in een pot met pekel.

Op Mamajev Koergan, een lage, gedeeltelijk door mensenhand gemaakte heuvel in westelijk Stalingrad, het toneel van sommige van de zwaarste gevechten, staat een monument voor Moeder Rusland. Het is een vijfentachtig meter hoog beeld dat een vrouw voorstelt die een reusachtig zwaard in de hoogte houdt, om op te roepen tot wraak, of tot overwinning. Het is een jonge vrouw met sterke armen en dijen, en ze draait zich half om zodat ze over haar schouder haar kinderen kan roepen haar te volgen. Ze is Rusland als een wraakzuchtige godin, Rusland als een verwoestende natuurkracht, die onmogelijke offers van haar kinderen eist als haar recht.

Toen de winter van 1942 inviel en de vaart van de Duitse intocht geblokkeerd werd in de ruïnes van Stalingrad, begonnen de autoriteiten de loslopende kinderen te verzamelen en hen in vrachtwagens te stoppen die naar het noorden reden, naar Koejbisjev, nu Samara, aan de bovenloop van de Wolga. Mila werd opgepakt, net als de rest. Ze herinnert zich een koude en volle trein, die nog verder naar het noorden reed, en die haar en een paar duizend andere verweesde kinderen afleverde bij een reusachtig kamp voor wezen in Solikamsk, in de buurt van Perm, in de heuvels bij de Oeral.

Solikamsk was een wereld van menselijke wezens die door de oorlog op drift waren geraakt. Het leek wel of de hele stad overstroomd was met weeskinderen ten gevolge van een bureaucratische pennenstreek. Hier heersten wat Ljoedmila noemde 'wolvenwetten'; de kinderen vochten met elkaar om te overleven. De oudere kinderen probeerden de jongere ertoe te brengen blokjes vlees van tien gram uit de soep die ze tussen de middag kregen in hun broek te verstoppen en die af te geven wanneer ze de keukens uit kwamen. Als de jongere kinderen dat weigerden, 'stopten ze je in het donker' – ze gooiden een deken over je heen en sloegen op je in. Er waren drie groepen voor de lunch; de jongste kinderen gingen eerst, terwijl onderwijzers erbij stonden om ervoor te zorgen dat de kinderen hun vlees opaten en het niet verstopten voor de oudere kinderen. Ljoedmila en de andere kinderen verzamelden gras van de steppe, mengden het met zout en aten dat op. Het hielp tegen de smachtende behoefte aan vitamines van hun lichamen, en hield rachitis tegen. Mila's buik werd bol van de honger, haar benen werden zo dun als stokjes.

Er waren ogenblikken van vriendelijkheid. In de dorpsschool vroeg de onderwijzer de dorpskinderen hun kleine stuk brood van vijftig gram voor de lunch niet op te eten maar het in plaats daarvan achter te laten voor de weeskinderen – al waren de dorpelingen zelf ook de hongerdood nabij, en leefden ze van bittere zwarte radijs en kleine aardappeltjes, de enige oogst die de dorpelingen konden telen in het korte groeiseizoen van de Oeral.

Toen de zomer van 1943 aanbrak, werden de kinderen van Solikamsk met honderden tegelijk de wilde taiga in gestuurd, de moerassen en bossen rond de stad, om bessen te zoeken voor gewonde soldaten. Hun opdracht was om elk een half emmertje vol te verzamelen. Mila was doodsbang om in de diepe, moerassige watergaten te vallen die schuilgingen onder het dikke mos van de taiga. Tijdens een van die expedities moesten de kinderen bijna twintig kilometer het bos in lopen om een plek met bessen te vinden die niet al leeggeplukt was door de dorpelingen. Op de terugweg voerde Mila, al was ze nog maar negen, de enorme menigte kinderen aan, en strompelde voorop ondanks haar manke been, terwijl ze liederen van de Jonge Pioniers zong. Toen ze met hun vracht bessen terugkwamen bij het weeshuis waren Mila's ogen helemaal rood en bloeddoorlopen ten gevolge van haar lichamelijke inspanning. De wolvenwetten van Solikamsk hadden haar één ding geleerd – dat de enige manier om te overleven voor iemand die fysiek zwak is, was een manier te vinden om de rest te leiden door pure karaktersterkte.

Dnepropetrovsk was na een week strijd gevallen. Lenina en de oudere weeshuiskinderen gingen, net als haar zusje en miljoenen andere vluchtelingen, te voet, in karren en in vrachtwagens op weg naar het oosten. Overal waar haar werkdetachement stilhield, groeven ze nieuwe loopgraven en tankvallen.

Begin september 1942 bevond Lenina zich in de streek bij Stavropol, net buiten de verste linie van de Duitse intocht. Hitler had bevolen dat de opmars in de richting van de Kaukasus en de olievelden van Bakoe opgeschort moest worden terwijl alle beschikbare manschappen gemobiliseerd werden naar de slag om Stalingrad, vijfhonderd kilometer naar het noorden. Lenina werd met een tiental andere oudere kinderen achtergelaten in een dorp en de naburige collectieve boerderij.

Lenina kon weinig doen op de boerderij omdat haar handen vol zaten met zweren; ze waren ontveld door het graven en nu pijnlijk en ontstoken. Een van de arbeiders op de boerderij liet haar zien hoe ze met een paard-en-wagen vol producten van de velden naar de schuren moest rijden, en dat werd haar taak tijdens het oogstseizoen. Een vrouw uit het dorp, een Armeense, bood Lenina extra eten aan als ze de houten vloeren van haar huisje wilde schoonschrobben met een stuk carbolzeep en een mes, en andere huishoudelijke klusjes wilde doen. Terwijl Lenina dit verhaal vertelde, gaf ze met haar vingers op de keukentafel verkrampt de lengte van het korte, botte mes aan dat de vrouw haar had gegeven om de vloer af te schrapen, en maakte een gebaar alsof ze haar verbonden handen afspoelde in het hete sop.

Terwijl Lenina schrobde en de vrouw het eten kookte voor haar gezin, raakten ze in gesprek. De vrouw vertelde Lenina dat ze uit Moskou geëvacueerd was. Lenina vertelde de vrouw op haar beurt haar verhaal, en dat ook zij familie had in Moskou. De huisvrouw deed Lenina een aanbod. Als Lenina met haar jongste dochter mee wilde gaan naar Moskou met gedroogde vruchten voor de markt, zou zij de treinkaartjes kopen, die vanwege de oorlog alleen verkocht werden aan mensen met een Moskous registratiestempel in hun paspoort. Lenina, die wanhopig graag haar familie wilde vinden nu ze van Ljoedmila gescheiden was, stemde toe. Een week later vonden zij en de dochter van de vrouw, beladen met acht uitpuilende koffers die met repen stof in paren waren samengebonden, en barstensvol waren gestopt met gedroogde abrikozen, plaats op een trein naar Moskou en gingen op weg naar de hoofdstad, waarbij ze een verre omweg maakten ten oosten van de Wolga om de gevechten te vermijden.

Op het Koerski Station kwamen de Armeense neven van het meisje haar ophalen en namen de koffers van Lenina over. Ze wuifden haar gedag en verdwenen in de metro. Lenina liep de tien kilometer naar de Kranaja Presnja-straat en vond afgaande op haar geheugen de oude woning van haar grootmoeder. Die was leeg. Maar een paar buren, die zich Lenina herinnerden van haar laatste reis vier jaar eerder, vertelden haar dat haar grootmoeder en nichten geëvacueerd waren. Ze wisten het telefoonnummer te vinden van het huis waar Lenina's oom Jakov woonde en gingen naar de telefooncel op straat om hem te bellen. Een uur later arriveerde hij in zijn dienstauto van de luchtmacht en nam Lenina mee naar zijn flat bij het Taganskaja-plein.

Jakov was Boris' oudste broer. Hij had dezelfde intense blik als Boris, evenals zijn charisma en zijn plezier in het versieren van vrouwen. Op oudere leeftijd werd hij gezet en had hij wallen in zijn gezicht, maar de officiële foto die genomen werd toen Jakov met pensioen ging, in 1969, laat een trotse man zien, met een rij medailles op de voorkant van zijn uniform van luitenant-generaal. Hij ziet eruit als een trotse dienaar van het Moederland.

Net als Boris had Jakov uitgeblonken op school, had hij zich geïnspireerd gevoeld door de Revolutie en alles waar die voor stond, en was hij een overtuigd bolsjewiek geworden. Terwijl zijn broer carrière maakte in de Partij, ging Jakov in de net opgerichte Sovjet Luchtmacht. Tegen de tijd dat Boris in 1937 werd gearresteerd, was Jakov een generaal-majoor, en deed hij dienst in de staf van maarschalk Vasili Blucher, een oude held uit de Burgeroorlog, commandant van Ruslands militaire district in het Verre Oosten dat zijn hoofdkwartier had in Chabarovsk, niet ver van de Russische kust van de Stille Oceaan. Tegen oktober 1938 begon de Zuivering zich uit te strekken naar het leger. Blucher, een vroegere wapenbroeder van Trotsky, voelde haarfijn aan uit welke hoek de politieke wind waaide. Hij riep zijn drie waarnemers op in zijn kantoor en beval hun onmiddellijk naar Moskou te gaan, zonder uitleg te geven. Jakov ging meteen naar huis en zette, zonder de tijd te nemen om in te pakken, zijn hoogzwangere vrouw Varvara op de eerste de beste trein naar het westen.

Blucher werd een paar dagen later gearresteerd, en stierf tijdens de verhoren door de NKVD in de Loebjanka. Varvara beviel in de trein, maar door naar Moskou te vertrekken slaagde het gezin erin zich zoek te maken in de ingewikkelde bureaucratie van de Zuivering. Het was aan Stalins vreemde logica te danken dat miljoenen onschuldige familieleden van vijanden van het volk gearresteerd werden, terwijl sommige topkaderleden van de Partij de gevangennemning van hun naaste verwanten overleefden. De echtgenote van Stalins minister van Buitenlandse Zaken, Vjatsjlav Molotov, werd naar de kampen gestuurd, en de vrouw van de persoonlijk secretaris van de dictator, Aleksandr Poskrbysjev, werd doodgeschoten. 'We vinden wel een nieuwe vrouw voor je,' zei Stalin achteloos tegen zijn secretaris.

Jakov bleef dus in leven, en was in 1942 bevorderd tot luitenant-generaal. Hij woonde in een groot appartement in een fraai gebouw voor hogere militaire officieren. Varvara en haar jonge kind stonden vijandig tegenover de nieuwe huisgenote. Hun reactie was misschien wel redelijk. De dochter van een geëxecuteerd en in ongenade gevallen Partijlid in huis nemen bracht hen in groot gevaar. Niettemin stond Jakov erop dat zijn nicht bij hen bleef, en Varvara was knarsetandend dankbaar voor de extra hulp in het huishouden. Lenina werd een soort onbetaalde bediende, maar ze had het in elk geval goed en was bij haar familie. Jakov vertelde Lenina over de dood van haar oom Isaac. Hij vertelde haar ook dat hij geen nieuws had over Boris of Martha, en waarschuwde haar streng met niemand te praten over wat er met hen gebeurd was. Als broer van een verrader had alleen puur geluk, en de oorlog, Jakov zelf gered van een soortgelijk lot.

Lenina vertelde de familie hoe zij in de chaos van de uittocht haar zusje Ljoedmila uit het oog had verloren. Varvara zei, heel gemeen, tegen Lenina dat ze geen valse hoop hoefde te koesteren dat ze haar zusje ooit terug zou vinden.

Jakov zorgde dat Lenina een baan kreeg als radiobediende op het vliegveld Chodinskoje in de voorsteden van noordelijk Moskou, waar testpiloten met de nieuwe Jak-gevechtstoestellen vlogen die van de productielijnen van de Dynamo-fabriek rolden, waar Jakov ooit gewerkt had, en ook van het Lavotsjkin Constructiebureau, waar Jakov de bevoegdheid had over de militaire aankopen te beslissen. Ze was goed in het werk, en de piloten mochten haar graag. Tijdens hun testvluchten zongen ze via de radiogolven duetten met haar. Ze herinnert zich tot op de dag van vandaag haar zendercode – 223305 – en wordt woest als iemand veronderstelt dat ze die wel vergeten zal zijn. 'Ik vergeet nog eerder mijn eigen naam dan mijn zendercode,' grapt ze. 's Avonds schreef Lenina met de hulp van haar oom verzoeken om informatie over Ljoedmila en bezorgde die persoonlijk bij het ministerie van Volksvoorlichting, dat verantwoordelijk was voor de weeshuizen van de Sovjet-Unie. Maar er was geen nieuws.

Lenina bracht de volgende twee jaren bij het gezin van Jakov door. Net als de jaren in Verchne-Dneprovsk was het een soort vredestijd. Het tij van de oorlog was gekeerd nadat Hitlers Zesde Leger bij Stalingrad omsingeld en vernietigd was, en het Rode Leger naar het westen begon te trekken.

In de zomer van 1944, toen de gevechtshandelingen naar Polen verhuisden en de geallieerden in Normandië landden, vertelde Jakov Lenina dat hij een baantje voor haar had. Een collega van Jakov, ook een generaal, had gehoord dat zijn zoon, met wie hij het contact had verloren toen het kind tegelijk met duizenden anderen uit het belegerde Leningrad was geëvacueerd, in het Oeralgebergte in een kamp voor ontheemde kinderen zat. Lenina moest met de benodigde papieren naar dat kamp vliegen en de jongen mee terug nemen naar Moskou.

Een week later zat Lenina op een militaire vlucht naar Molotov, nu Perm, met de Russische bemanning van een door Amerikaanse steun beschikbaar gesteld Douglas-transportvliegtuig. Ze droeg haar luchtmachtuniform, en had de *pilotka*-pet met voor- en achterklep zwierig achter op haar hoofd gezet. Het was de eerste keer dat ze ooit had gevlogen.

In Perm had de directeur van de plaatselijke vliegtuigfabriek, een persoonlijke vriend van Jakov, geregeld dat ze met een oud tweezits Polikarpov-jachtvliegtuig naar het kamp voor ontheemde kinderen zou worden gebracht om de zoon van de generaal op te halen. De naam van het kamp was Solikamsk.

De gebutste kleine Polikarpov kwam hobbelend tot stilstand op een geïmproviseerd vliegveld in een buitenwijk van het stadje, en Lenina en de jonge piloot liepen samen door de modderige straten naar het voornaamste weeshuis, een barok prerevolutionair gebouw van rode baksteen, met een lage muur eromheen. Op de speelplaats renden honderden haveloze kinderen rond. Toen Lenina door de poort kwam en naar de voordeur van het gebouw liep, zag ze een mank kind dat scheef hinkend naar haar toe kwam rennen.

'*Tak tse moja sestra Lina!*' riep het kind, in het Oekraïens. 'Dat is mijn zus Lina!'

Ljoedmila had geen tanden in haar mond en haar buik was bol door de honger. Terwijl Lenina op haar knieën viel om haar zusje te omhelzen, begon Ljoedmila te huilen en om eten te vragen.

'*Jisti chotsje! Jisti chotsje!*' – 'Ik wil eten!'

Lenina kon geen woord uitbrengen. De piloot keek vol verbazing toe; hij begreep niet wat er gebeurd was. Niet in staat de twee snikkende zusjes uit elkaar te halen, duwde hij hen samen naar binnen en de kamer van de directeur in.

De directeur, een vrouw, barstte in tranen uit toen Lenina haar zei dat ze haar zusje had gevonden. De vierjarige jongen voor wie Lenina was gekomen mocht meteen weg, maar ze moesten kwellende uren wachten terwijl de piloot zijn baas in Perm belde om hem te vragen Moskou telefonisch om toestemming te vragen om

Ljoedmila mee terug te nemen naar Moskou. Iemand bereikte Jakov per telefoon – geen geringe prestatie in Rusland in oorlogstijd – en die oefende zijn invloed uit. Er werd toestemming gegeven. Lenina vloog terug naar Perm met twee brakende kinderen op haar schoot gepropt op de stoel van de boordschutter in het vliegtuig.

Ze brachten de nacht door bij een collega van de directeur van de vliegtuigfabriek, die in één kamer van een gemeenschapswoning woonde. Lenina merkte dat de kinderen in de nacht telkens opstonden om naar de wc te gaan. De volgende morgen werd ze gewekt door verontwaardigde kreten uit de gemeenschappelijke keuken. De kinderen hadden alles uit de kasten met etenswaren van de buren opgegeten, tot en met een enorme schaal vol kip en rijst. Al toen ze naar het vliegveld vertrokken om een transportvliegtuig terug naar Moskou te halen, begonnen Ljoedmila en de jongen last te krijgen van heftige diarree. Hun ondervoede lichamen konden zoveel voedzaam eten niet aan.

Terug in Moskou was er in Jakovs woning geen plaats voor het zieke kind, maar hij zorgde ervoor dat Ljoedmila naar een centrum voor ontheemde kinderen van Partijleden werd gestuurd in het Danilovski-klooster. Al het eten werd door Amerika geleverd als steun ingevolge de leen- en pachtwet, en het was een onvoorstelbare luxe. Er was Campbell-tomatensoep in blik, cornedbeef, tonijn en gecondenseerde melk. Het meest indrukwekkend waren reusachtige blikken met Hershey's-chocoladepoeder, die Mila zo mooi vond dat ze nog altijd weet hoe ze waren. Binnen het deksel van het blik zat een verzegeling van goudkleurig folie, dat ze de ziekenhuiskoks eerbiedig zag opensnijden. Genesteld in de donkerbruine chocolade lag een bakelieten lepel om de porties af te meten. Ljoedmila voelde groot ontzag bij het zien van een zo volmaakt ontworpen verpakking – en het idee van een wegwerplepel was domweg onbegrijpelijk. Het leek haar dat zo'n blik chocolade alleen uit de magische andere wereld van haar dromen kon komen.

7 Mila

Wij zijn geboren om een sprookje waar te maken,
Om ruimte en tijd te overwinnen,
Stalin gaf ons stalen vleugels in plaats van armen
En in plaats van ons hart een vurige motor.
Kinderlied uit de jaren dertig

Mila nam snel toe in gewicht, al was haar lichaam nog misvormd door tuberculose. Ze bleef zes maanden in het Danilovski-klooster en las gretig in grote, kleurige Amerikaanse stripboeken. Ze was tien jaar oud. Ze had het overleefd.

In het voorjaar van 1945 werd ze overgebracht naar een speciaal tehuis voor zieke kinderen in Malachovka, niet ver rijden met de *elektritsjka* ondergrondse trein vanuit Moskou, en daar begon ze in ernst aan haar herstel. Haar buik was nog steeds bol door uithongering – 'Hij stak verder naar voren dan haar neus,' herinnert Lenina zich – en haar linkerbeen was verschrompeld. Maar ze was altijd even opgewekt, zong liedjes op de speelplaats en hinkelde met de andere kinderen. Mila meldde zich als vrijwilliger voor het rooster van voedselcontrole, waarvoor kinderen in de keukens stonden en toekeken terwijl de koks de grote blikken Amerikaanse cornedbeef openden, om er zeker van te zijn dat het vlees tot de laatste gram in hun soep terechtkwam. Ondanks het heerlijke Amerikaanse voedsel zou ze de psychologische littekens van de uithongering nooit kwijtraken. 'De honger die je als kind hebt gehad, blijft je hele leven bij je,' zei ze tegen mij. 'Je kunt je nooit meer helemaal verzadigd voelen.'

Al met al konden Lenina en Ljoedmila, in een generatie die de hongersnoden had overleefd, zich tot de gelukkigen rekenen. Ze hadden het leven nog, en ze hadden elkaar. Overal om hen heen waren kinderen die veel meer hadden verloren. Misschien is dat de reden waarom de zusjes niet volkomen van de kaart waren door ervaringen, zo traumatisch dat het voor ons bijna onvoorstelbaar lijkt dat ze ze overleefd hadden. Mila was in leven gebleven toen de Spaanse kinderen om haar heen gestorven waren; Lenina vond haar zusje door puur toeval terug terwijl duizenden kinderen nooit iemand terugvonden. Dat was al meer dan genoeg om dankbaar voor te zijn.

Het overleven van Lenina en Ljoedmila had ongetwijfeld ook iets te maken met de natuurlijke veerkracht van kinderen, hun vermogen om in het nu te leven. Blind voor de grotere wereld leefden ze hun leven in termen van het hier en nu, en dat is misschien het krachtigste wapen dat er is tegen wanhoop. En voor Mila was daar bovendien nog de grote, beschermende onwetendheid over het verleden dat ze was kwijtgeraakt, dat begraven lag in de schimmige sporen van herinnering aan haar kindertijd – die de werkelijkheid van gevangenis en weeshuis tot een vaststaand gegeven maakte, tot iets wat verdragen moest worden maar in elk geval niet betreurd, of begrepen. Ze had littekens opgelopen, lichamelijk en geestelijk, maar was niet gebroken. De Hershey's-chocolade en de cornedbeef heelden haar lichaam, en haar geest was intact en klaar om de wereld tegemoet te treden.

Kort na Ljoedmila's terugkeer van Solikamsk bracht een jonge tankkapitein, Alexander Vasin geheten, een bezoek aan de woning van de Bibikovs aan het Taganskaja-plein. Jakovs vrouw Varvara was zijn tante. Lenina was daar en begroette haar verre neef verlegen. Alexander – Sasja – was gezond en knap, met een innemende glimlach en een luide lach. Hij zag er schitterend uit in zijn olijfgroene uniform, met een kniebroek en zachte officierslaarzen, epauletten en kortgeknipt blond haar.

Lenina en Sasja hadden elkaar in 1937 al eens ontmoet tijdens

Lenina's eerste bezoek aan Moskou, vlak na de arrestatie van haar vader. Sasja zei voor de grap hoe knap zijn jonge nichtje was geworden. Sasja bood aan haar naar de Metro te brengen toen ze naar haar werk ging. Half voor de grap flirtte hij met haar en maakte haar op de roltrap van de Metro aan het lachen door te zeggen dat hij best met haar zou willen trouwen. Ze zagen elkaar een paar dagen later weer, op hun eerste afspraakje in het Krasnopresnenski Park, bij de dierentuin. Hij nam haar mee naar een café in het park, de eerste keer in haar leven dat Lenina ooit in zoiets als een restaurant was geweest. Zesendertig jaren later, nadat Sasja overleden was aan een hartaanval, organiseerden zijn collega's zijn dodenwake toevallig in datzelfde restaurant.

Na twee weken verkering moest Sasja terug naar zijn eenheid. Voordat hij vertrok, vroeg hij Lenina ten huwelijk, en zij stemde toe.

Drie dagen nadat hij uit Moskou was weggegaan, kwam Sasja's auto in de buurt van de frontlinie ten westen van Smolensk in aanraking met een antitankmijn. Zijn been lag aan flarden en moest bij de knie worden geamputeerd met een houtzaag. Hij werd overgevlogen naar een van de reusachtige militaire ziekenhuizen in Ivanovo om te herstellen. Van daaruit schreef Sasja een vreemde brief aan Lenina. Hij deelde zijn verloofde mee dat hij in een brand was geweest, dat hij verbrand en mismaakt was en dat ze iemand anders moest zoeken om mee te trouwen. Toen ze die brief kreeg, haastte Lenina zich naar haar oom. Jakov regelde het een en ander zodat Lenina een plaats kreeg in een Amerikaans Douglas-transportvliegtuig naar Ivanovo, en droeg de bemanning op ervoor te zorgen dat een gewonde man mee terug kon worden genomen naar Moskou. Lenina vond het ziekenhuis en toen ze de traptreden op rende, zag ze Sasja in zijn ondergoed op krukken staan op de binnenplaats van het ziekenhuis, niet verbrand maar met een been eraf. Lenina nam hem mee terug naar Moskou en ze trouwden drie maanden later. Zij was negentien, hij zesentwintig. Vreemd: na een huwelijk dat bijna veertig jaar heeft geduurd, kan Lenina zich nu niet meer herinneren welk been hij verloren had.

Ik herinner me Sasja als een overweldigend mannelijk persoon, met krachtige kaken en zelfverzekerd, met een explosieve lach en een optreden dat geen flauwekul gedoogde. Hij was in veel opzichten een volmaakte Sovjetman, bruusk en opgewekt, iemand die altijd het goede zag, zelfs wanneer hij werd geconfronteerd met incompetentie en lelijkheid, wat elke Sovjetburger voortdurend overkwam.

In vele opzichten was hij, denk ik, het tegenovergestelde van zijn jonge schoonzuster Ljoedmila. Zij was ambitieus en standvastig, en streefde er altijd naar de wereld om haar heen vorm te geven. Hij was tevreden met eenvoudige genoegens: het respect van zijn vrienden en collega's, zijn kleine woning, de datsja die hij eigenhandig bouwde van gevonden planken en bakstenen. Hij wist ook wat zijn knappe uiterlijk vermocht. Het was alsof Sasja voelde dat zijn mannelijkheid een geschenk was dat hij verplicht was te delen met een generatie van vrouwen die te maken had met een tekort aan mannen. Maar hij gaf Lenina, die vreselijk jaloers was aangelegd, nooit enige reden om hem van ontrouw te verdenken. 'Misschien was hij me wel ontrouw,' zegt ze goedkeurend over hem. 'Maar hij zorgde ervoor dat ik nooit, echt nooit iets wist.'

In de laatste maanden van de 'Grote Patriottische Oorlog' was Moskou als stad de uitputting nabij. Ver naar het westen vocht het Rode Leger zich door oostelijk Pruisen om eerder in Berlijn te zijn dan de westerse geallieerden. Maar thuis voerden de vrouwen en kinderen een meer banale oorlog tegen honger en kou te midden van de ruïnes van een door de strijd verwoest land. Zij maakten zich zorgen over hun mannen aan het front, waarbij hun angst voor vreselijk nieuws nog schrijnender werd gemaakt door de zekerheid dat de overwinning ophanden was.

De straten waren vol mannen in uniform, de avonden waren donker omdat de straatverlichting net als alle andere dingen gerantsoeneerd was. Het leven was opgeschort in afwachting van het einde van de oorlog; iedereen was bezig met overleven, zonder aan de toekomst te durven denken. Het dagelijks leven draaide om kleine kartonnen rantsoenkaarten en geruchten. Varvara en haar dochters stonden uren op straathoeken in de rij wanneer er voedsel beloofde te worden uitgereikt; Lenina nam stiekem melk mee uit geboorteklinieken voor haar altijd hongerige zusje Ljoedmila. 's Avonds zaten Lenina en Sasja bij hun grote radio te luisteren naar de omroeper die reeksen Sovjetoverwinningen opdreunde in plaatsen met Duits klinkende namen, en voelden zich rechtschapen en tevreden.

Lenina was egoïstisch blij dat haar Sasja leefde, in tegenstelling tot de liefjes van zoveel van haar vriendinnen op het vliegveld Chodinskoje. Het jonge stel kreeg een klein appartement in het souterrain van een prerevolutionair herenhuis aan de Herzenstraat. Het was krap en de kleine ramen zaten hoog in de muur, maar het was Lenina's eerste huis sinds haar jeugd, en ze was vastbesloten om er een comfortabele woning van te maken voor haar nieuwe gezinnetje.

De keuken werd haar koninkrijk, en eten was de valuta van haar liefde. Een heel leven nadat zij voor zichzelf begon te koken op het kleine fornuis in de Herzen-straat zat ik in de keuken van mijn tante aan de Froenzenskaja-kade, en daar gaf ze me dezelfde gerechten te eten die ze toen had leren koken voor Sasja – zure koolsoep, erwtensoep, kalfskoteletten en gebakken aardappels. Terwijl ik at, hield ze me nauwlettend in het oog om te zien of ik het lekker leek te vinden. Zowel voor Lenina als voor mijn moeder zouden eten en geluk nauw met elkaar verweven blijven.

In januari 1945, kort voor haar elfde verjaardag, vond men dat Ljoedmila voldoende hersteld was om uit het kindertehuis in Malachovka ontslagen te worden. Maar er was geen plaats voor haar in het eenkamerappartement van Lenina aan de Herzen-straat. Lenina was al in verwachting van haar eerste kind, en Sasja's zus Tamara sliep op een vouwbed in de keuken. Lenina belde haar tante Varvara, maar die weigerde ook Ljoedmila in huis te nemen – 'Weer zo'n bietser aan de telefoon,' zei ze tegen haar echtgenoot toen hij vroeg wie er belde. Daarom hielp Sasja Ljoedmila een plaats te vinden in een weeshuis in Saltikovka, veertig kilometer buiten Moskou.

Ljoedmila nam één kartonnen koffer mee, gevuld met kleren van het Amerikaanse Rode Kruis, wat kinderboeken en een pop.

Saltikovka is een lief, slaperig plaatsje. Mijn moeder en ik brachten er op een stoffige zomermiddag in 1988 een bezoek. We namen de elektritsjka, zoals mijn moeder als kind vaak had gedaan, vanaf het Koerski Station. Het perron in Saltikovka was één enkele strook beton, en nadat de trein was weggerateld door zijn smalle, in het berkenbos uitgehakte kloof, waren de enige geluiden die van vogels en het verre brommen van een motor.

'Het is helemaal niets veranderd,' kondigde mijn moeder aan toen we gearmd over de enige, onverharde straat liepen die door het dorp ging. De houten huizen waren vervallen, groen of dofgeel geschilderd, en aan het eind van de straat stond de grote poort van het weeshuis. Hekken van houten palen, die schots en scheef stonden, omrandden kleine tuintjes en de huizen gingen half schuil onder enorme zonnebloemen en wild uitgegroeide jasmijnstruiken.

De oude gebouwen van het weeshuis waar mijn moeder het grootste deel van haar jeugd had doorgebracht stonden aan de rand van het bos. De huidige generatie weeskinderen was weg naar het zomerkamp; er was niemand aanwezig. Je kreeg het melancholieke gevoel van een instelling voor kinderen wanneer de kinderen weg zijn, een gevoel van gereglementeerde gezelligheid, en het schrijnende van kindereenzaamheid.

Toch was Mila gelukkig in Saltikovka, net zo gelukkig als waar ook voor zover ze zich kon herinneren. Ze ging voor het eerst naar een normale school, en vond het heerlijk. Haar jaren van gedwongen nietsdoen in ziekenhuisbedden hadden haar geleerd van boeken te houden, en Lenina bracht geregeld romans voor haar mee uit Jakovs bibliotheek, die ze gretig las. De schooljuffrouwen waren streng en toegewijd, pedagogen van de oude school, die hun leerlingen de correcte Russische grammatica instampten en de werken van Poesjkin. Op zondagen kwamen er soldaten die de kinderen in grote legertrucks meenamen naar een bioscoop in de buurt.

Mila herinnert zich dat ze urenlang op schoot zat bij een bejaarde boerenvrouw die de kachel van het badhuis stookte terwijl ze de luizen uit het haar van de kinderen kamde. Een van de onderwijzeressen, Maria Nikolajevna Charlamova, besteedde uren van haar eigen tijd aan het onderrichten van mijn moeder in Russische literatuur en geschiedenis.

Toen mijn moeder en ik bij Maria Nikolajevna op de deur klopten, herkende ze mijn moeder meteen en barstte in tranen uit.

'Milotsjka! Is het mogelijk dat jij het bent?' herhaalde ze telkens terwijl ze elkaar omhelsden.

Maria Nikolajevna zorgde voor thee en zelfgemaakte jam voor ons beiden, en toen we daarna aan haar keukentafel zaten, rommelde ze door stapels oude papieren en haalde er een kleine envelop tussenuit met krantenknipsels over Ljoedmila die ze had bewaard – bericht over haar toelating tot de Universiteit van Moskou, bericht over de Gouden Medaille voor geschiedenis die ze bij haar afstuderen had gekregen.

'Ik was zo trots op je!' fluisterde Maria Nikolajevna, terwijl ze haar sterleerlinge over de gammele tafel aanstaarde met alle voldoening van een bejaarde moeder. 'Ik was trots op alles wat je deed.'

Mila moest ook nog telkens een paar maanden weg uit Saltikovka om pijnlijke operaties aan haar been en heup te ondergaan in het Botkin Ziekenhuis in centraal Moskou. Ten gevolge van de door de tuberculose in haar kindertijd aangerichte misvormingen was haar ene been zestien centimeter korter dan het andere, en toen ze vijftien was, moesten de chirurgen van het Botkin het bot breken en gewichten aan Ljoedmila's been bevestigen om het langer te maken.

Wanneer ze uit de drukkende stilte van de ziekenhuiszalen terug mocht naar het rumoer van Saltikovka, stortte Mila zich in spelletjes en groepsactiviteiten. Ze was altijd een leidster, een 'Activist' van de Jonge Pioniers, leidster van de communistische versie van de padvindsters, met een speciaal insigne op haar witte blouse om haar status aan te geven. 'In plaats van wapens hebben wij stalen vleugels; in plaats van een hart, een vurige motor', zo luidde een inspirerend lied in die tijd, en Mila deed ondanks haar gebreken haar uiterste best om naar dat ideaal te leven.

Mila was ook openhartig, en nadenkend. Dat waren allebei riskante eigenschappen, zelfs op school. Op een dag kort na de oorlog, toen er met de hele klas verplicht gelezen werd in de redactionele pagina van de *Pionerskaja Pravda* (de kinderversie van de grote Partijkrant), haalde de onderwijzeres de nieuwe anti-Amerikaanse leuzen aan. Mila stak haar hand op zoals een Pionier dat hoorde te doen – met de vingers recht naar het plafond wijzend, en de elleboog op de lessenaar – om een vraag te stellen.

'Maar de Amerikanen hebben ons in de oorlog toch veel geholpen?' vroeg ze.

De onderwijzeres was ontsteld en stuurde Mila meteen naar het schoolhoofd, die haastig een zitting bijeenriep van de *droezina*, een zogenaamd informele kinderrechtbank die het jeugdige equivalent vormde van een Partijvergadering. Braaf bij elkaar gezeten deden Mila's klasgenootjes de uitspraak dat zij meer aandacht moest besteden aan haar politieke vorming, en gaven haar formeel een berisping. Het was niet de enige keer dat ze voor zo'n hypocrietenrechtbank zou komen te staan.

Er huisde een brandende wil in dat mismaakte lichaampje, ook toen al. Later schreef ze aan haar toekomstige echtgenoot, mijn vader, over haar weigering een compromis aan te gaan, de realiteiten van het Sovjetleven te accepteren. 'Ik wil dat het leven me in de praktijk de sterkte van mijn principes laat zien,' schreef ze. 'Ik wil het, ik wil het, ik wil het.' In een wereld waar haar tijdgenoten zich er voornamelijk op concentreerden het vol te houden, het zo goed mogelijk te redden met wat ze hadden, geloofde Mila dat haar wilskracht de wereld kon veroveren. De dichter Jevgeni Jevtoesjenko noemde de antiheld van zijn en Mila's generatie 'Kameraad Kompromis Kompromisovitsj' als sardonisch eerbetoon aan de mannen en vrouwen die zich door de hypocrisie en de teleurstellingen van het Sovjetleven heen sloegen door middel van een miljoen kleine compromissen. Mila was niet een van hen.

Ondanks haar manke been werd Mila kampioen touwtjespringen van haar klas. In Saltikovka organiseerde ze klassikale luizencontroles en wandeltochten, zangmiddagen en hinkelspelletjes.

Wanneer ze bij haar zus in de Herzen-straat op bezoek was, stortte ze zich in de hinkelkampioenschappen van de straat, en tekende samen met de buurkinderen met krijt de vakken op het asfalt. Ljoedmila kwam er bijna altijd als winnares uit tevoorschijn, zelfs die ene keer toen ze mee moest doen met een gebroken arm in het gips.

Het nieuws van de overwinning was luid te horen via de radio op 9 mei 1945. Lenina hoorde het radiobericht in de Dynamo-fabriek. Ze herinnert zich dat ze een onmetelijke opluchting voelde, en een overweldigende vermoeidheid. Een paar dagen later trok er een stoet van Duitse gevangenen over de Tuinringweg, en Lenina ging naar de hoge kant van de Herzen-straat om de vijand met eigen ogen te zien. De menigte keek zwijgend toe, en ze merkte de sterke geur op van de laarzen en singels van de Duitse gevangenen. Ze liepen netjes in de rij, uitdrukkingsloos. De gevangenen werden demonstratief gevolgd door trucks die de straat bespoten om de besmetting van de fascistische aanwezigheid weg te wassen. Minder dan één op de tien gevangenen zou ooit terugkeren naar zijn vaderland.

Jakov verhuisde zijn gezin naar een grotere, chiquere woning. Hij had een Mercedes als trofee meegebracht uit Duitsland, buitgemaakt tijdens een reis die overigens eraan gewijd was Duitse laboratoria voor raketbouw te ontmantelen en die in hun geheel terug te vervoeren naar het Lavotsjkin Constructiebureau in Moskou. De Mercedes was een gigantisch zwart glanzend beest, het merkteken van een duizelingwekkend hoge rang. Jakov reed graag door Moskou rond om meisjes een lift te geven in zijn auto, een tijdverdrijf dat Varvara op den duur ontdekte en dat haar tot heftige uitbarstingen van jaloezie bracht. Jakovs nieuwe baan als hoofd van het pas begonnen raketprogramma van de Sovjet-Unie, waar gevangengenomen Duitse wetenschappers aan werkten, opende een wereld van privileges voor zijn gezinsleden, die ze niet onmiddellijk wilden delen met hun arme familieleden. Voor Lenina en Ljoedmila ging het saaie leventje van schaarste in oorlogstijd na het einde van de oorlog nog jaren door. Maar er waren tal van bonte parades vol met opzichtige borden met leuzen en banieren, en er heerste een gevoel van trots en succes. Steeds wanneer Lenina en Sasja, met een rij medailles op zijn borst gespeld, met hun nieuwe baby Nadja gingen wandelen, leek het haar dat ze eindelijk ontkomen was aan de ravage van haar jeugd.

Volgens zijn officiële vonnis van 'tien jaar zonder recht op correspondentie' zou Boris Bibikov in juni 1947 uit de gevangenis ontslagen moeten worden. Ondanks de kleine kans dat hij de kampen en de oorlog kon hebben overleefd, bleef Lenina hopen dat hij terug zou komen.

Zelfs na wat ze hadden doorgemaakt, behield de familie Bibikov een naïef vertrouwen in de wezenlijke rechtschapenheid en juistheid van het Sovjetsysteem. Net als tientallen miljoenen andere familieleden van de slachtoffers van de Zuiveringen geloofden zij dat hun geliefde Boris te lijden had gehad onder een onrechtvaardigheid die een uitzondering was. Zijn moeder Sofia schreef brieven aan het ministerie van Binnenlandse Zaken waarin ze om nieuws over haar zoon vroeg in het onwankelbare geloof dat het recht uiteindelijk zou zegevieren. Jarenlang kreeg ze geen antwoord, en toch bleef dat geloof bestaan. Maar de datum van Boris' ontslag uit gevangenschap kwam en ging, zonder dat er nieuws kwam.

In de winter van 1948 ging Lenina, in verwachting van haar tweede kind, een paar maanden logeren bij Sasja's moeder Praskovia in een dorp, vijfendertig kilometer van Kaloega, waar meer dan genoeg verse melk was en waar de vrouwen van het dorp voor de jonge Nadja konden zorgen terwijl Lenina op de komst van het nieuwe kind wachtte. Sasja studeerde rechten in Moskou; elke zaterdagavond nam hij de trein naar Kaloega met een wrakke fiets die hij zelf had gerepareerd en fietste (met één been) naar het dorp. De zondag bracht hij door bij zijn gezin, en 's avonds fietste hij terug om de trein naar Moskou te halen.

Op een dag had Sasja een brief bij zich met het poststempel

Karlager. Er zat geen envelop omheen; in plaats daarvan was de brief tot een driehoek gevouwen en in zichzelf gestoken, zoals in die tijd gebruikelijk was. Hij was afkomstig van Martha. Ze schreef dat ze het vorige voorjaar uit de gevangenis ontslagen was en dat ze nu in de buurt van het kamp woonde onder 'administratieve detentie'. Ze had een pasgeboren zoontje dat Viktor heette. De vader van het kind was een priester, zei ze, wiens leven ze had gered in het kamp. Maar hij was vrijgelaten en teruggegaan naar zijn eigen familie in de Siberische streek Altaj.

Nu, schreef Martha, verwachtte ze spoedig toestemming te krijgen om uit Kazachstan te vertrekken, maar ze vroeg zich af waar ze heen kon gaan, aangezien ze geen paspoort had. Hoewel ze het niet met zoveel woorden zei, wist Lenina wat haar moeder bedoelde – haar reisdocumenten kenmerkten haar als een politiek gevangene, en het was haar niet toegestaan binnen 101 kilometer afstand van een grote stad te wonen. Er was erg weinig ruimte voor haar in Lenina's kleine woninkje in Moskou, maar Sasja's moeder Praskovia stond erop dat Lenina alles deed wat ze kon om Martha naar Moskou te krijgen. Lenina schreef een brief waarin ze haar moeder zei die 101 kilometer te vergeten en zo gauw ze kon bij hen in de hoofdstad te komen wonen. Sasja postte de brief de volgende dag vanuit Moskou.

De locomotief reed langzaam het Koerski Station binnen, wolken roet en rook uitstotend. Vanwege een tekort aan rijdend materieel bestond de trein uit veewagons in plaats van gewone wagons. Omdat haar de juiste papieren ontbraken, had Martha geen kaartje mogen kopen voor de normale trein vanuit Semipalatinsk, en daarom kwam ze met een buiten de dienstregeling rijdende trein vol paspoortloos menselijk wrakhout net als zijzelf. Voor ze instapte, stuurde ze haar dochter een kort telegram om haar komst aan te kondigen. De trein braakte stromen sjofele reizigers uit, grotendeels ex-gevangenen, uitgeput en stinkend na hun reis van vijf dagen.

Lenina herinnerde zich haar moeder vooral als een modieuze

Partijhuisvrouw. Nu zag Martha, toen ze over het perron kwam aanwankelen, eruit als een bedelares. Ze was vuil, had luizen en droeg het zwarte, doorgestikte jasje van een veroordeelde. Ze had geen bagage bij zich, behalve een bundel vuile kleren. Ze was alleen.

Martha glimlachte nauwelijks toen ze haar dochter, hoogzwanger van haar tweede kind, op zich toe zag komen waggelen. Ze omhelsden elkaar, en huilden. Lenina vroeg wat er met de nieuwe baby van haar moeder was gebeurd. 'Eh, die is doodgegaan,' zei Martha, ontwijkend, en ze drong zich in de menigte die op weg was naar de uitgang. Ze reden zwijgend met de metro naar de Barrikadnaja-straat, waar Lenina haar moeder meteen meenam naar een openbaar badhuis bij de dierentuin om te zorgen dat ze gewassen en ontluisd werd.

Die avond, thuis in het souterrainappartement aan de Herzenstraat met Lenina, Sasja en hun dochter Nadja, leek Martha terug te vallen in een soort verbijsterde shocktoestand. Ze klaagde dat het bed dat ze voor haar hadden gemaakt te zacht was en dat haar kleindochter te hard huilde. Tegen het eind van de avond was Lenina in tranen en werd door Sasja getroost terwijl zijn schoonmoeder, slapeloos, door de keuken ijsbeerde.

De volgende dag nam Lenina de elektritsjka naar Saltikovka om Ljoedmila te halen. Toen de twee meisjes in de Herzen-straat aankwamen, stond Martha hen ongeduldig op te wachten bij de deur van het appartement. Het appartement lag aan het eind van een lange gang, en het eerste wat Martha van haar jongste dochter zag, was een mank lopend silhouet aan het eind van de gang. Martha riep Ljoedmila's naam, en begon te brullen toen het meisje scheef naar haar toe kwam rennen. Ljoedmila bleef zich dat afschuwelijke gejammer haar hele leven herinneren – het jammeren van een vrouw die haar dochter voor het laatst gezien had als een mollige, blije kleuter, haar vervolgens elf jaar kwijt was geweest, om haar nu terug te vinden als een manke, broodmagere veertienjarige.

Martha bleef haar lange tijd vasthouden, en huilde maar door. Nu schudt Mila, wanneer ze aan de ontmoeting terugdenkt, haar hoofd terwijl ze zoekt naar een spoor van de emoties die ze toen voelde.

Maar ze voelde niets. 'Ik heb haar waarschijnlijk omhelsd. Ik heb waarschijnlijk "moeder" tegen haar gezegd. Maar ik kan het me niet herinneren.'

Voor Mila was het woord 'moeder' weinig meer dan een abstractie geworden. Het had geen plaats in de wereld van wezen waarin ze haar kindertijd had doorgebracht. Ze had helemaal geen herinnering aan haar ouders, afgezien van dat ene beeld van de avond dat haar moeder gearresteerd werd. Ze had een plichtsgetrouwe brief aan haar moeder in Karlager geschreven zodra Lenina haar had gezegd dat hun moeder nog leefde en gezond was. Maar de uitingen van liefde en toewijding in de brief waren in feite verzinsels. Mila had in werkelijkheid geen idee, behalve uit boeken, hoe een echte moeder was, of wat je voor haar hoorde te voelen.

Toen ze in de namiddag vertrok om terug te gaan naar Saltikovka was Ljoedmila's overheersende emotie dankbaarheid voor de uitgebreide maaltijd die Martha voor hen had gekookt. Jaren later schreef ze aan haar verloofde dat ze wel had gehuild toen ze voor het eerst hoorde dat haar moeder nog leefde, maar haar tranen meedogenloos had onderdrukt als teken van zwakheid.

Martha werd nooit een echte moeder voor Ljoedmila. De band die in december 1937 verbroken was, liet zich niet opnieuw vormen. Mila kwam vaak bij Lenina thuis, maar ontdekte algauw dat ze Martha's tobberige houding en uitbarstingen van boosheid niet kon verdragen. Binnen enkele maanden na Martha's terugkeer naar Moskou ontwikkelden ze een brave routine. In de meeste weekends kamen Martha en Lenina naar Saltikovka toe. Daar haalde Lenina haar zusje op uit het weeshuis voor een wandeling; Martha, officieel nog steeds een niet-bestaand persoon, wachtte bij de dorpsvijver op haar dochters. Dan wandelden en praatten ze, en Martha gaf de snoepjes en koekjes die ze gekocht of gemaakt had aan Mila, die ze later mocht delen met de andere kinderen.

Ljoedmila hield van haar moeder 'zoals een hond houdt van de mens die hem eten geeft', vertelde ze me op een warme zomeravond in mijn woning in Istanbul. 'Ik begreep de Partij, Stalin, het

Volk. Maar ik wist nooit wat het woord "moeder" betekende.'

Hoewel haar moeder leefde, bleef Mila in haar hart een weeskind. Maar lang voordat Ljoedmila zelf een moeder werd, werd ze geobsedeerd door de idee van moederschap, en de vraag wat voor soort moeder zij zelf zou zijn. Ze zou vaak aan mijn toekomstige vader schrijven over hun ongeboren kinderen, en over de afschuwelijke angst die ze had dat ze haar kinderen zou verliezen zoals Martha de hare verloren had.

'Ik heb de hele nacht gedroomd dat ik een klein jongetje in mijn armen droeg, onze zoon,' schreef Mila in 1964 aan mijn vader. 'Hij was heel zacht en lief. Maar de weg was erg zwaar en lang, hij ging omhoog en omlaag en door ondergrondse doolhoven. Het was heel moeilijk om ons kind te dragen maar ik kon zo'n heerlijk wezen niet achterlaten, een wezen waarin alles van jou was, zelfs zijn stem, neus, haar, vingers. Om de een of andere reden kwamen we bij het oude gebouw van de Moskouse Staatsuniversiteit aan de Mochovaja-straat en een oude man koos de beste kinderen uit een menigte en mijn jongen was daar een van. Iedereen was blij als hun kind gekozen werd, maar ik huilde bittere tranen omdat ik niet geloofde dat ze hem aan me zouden teruggeven.'

Mila was vol van de behoefte haar eigen kinderen te beschermen, nog voordat we geboren waren. Maar haar moeder Martha leek van tijd tot tijd vervuld van een irrationele haat jegens de hare. Het kwam voor dat Martha, uit ergernis over iets wat Mila had gedaan of gezegd, haar toesnauwde dat ze een 'invalide wees' was. In aanvallen van hysterie maakte ze haar oudste dochter uit voor 'Jodenjong' en vloekte ze in de smerigste gevangenistaal die ze kon bedenken. Andere keren verviel ze in hysterische uitingen van zelfmedelijden en genegenheid, en klampte ze zich in tranen aan haar kinderen vast.

Martha was krankzinnig geworden in de kampen. Zoveel lijkt wel duidelijk op grond van haar gedrag na haar terugkeer uit Kazachstan. Maar de toen heersende angst voor en onwetendheid over psychiatrie was zo groot dat niemand vond dat ze behandeling nodig had, en het gezin leed in stilte onder haar zelfhatende krankzinnigheid. 'Psychiaters waren voor ons nog erger dan de NKVD,' zegt Lenina. Martha had altijd al een vals trekje gehad. Het leven in de kampen had haar woede op de wereld tot een onbeheersbare kracht doen uitgroeien.

Martha, die door haar vader was afgewezen en die haar zus in de steek had gelaten, wees op haar beurt haar eigen dochters af. Het was alsof ze zich, door haat uit te delen en liefde en hoop in degenen om haar heen uit te doven, op de een of andere manier kon wreken op de wereld die haar zo wreed had behandeld. Ze leek door een soort innerlijke perversie gedreven te worden om een wereld van wrok om zich heen te creëren.

Toch was ze tegelijkertijd in staat tot daden van grote edelmoedigheid; dan vocht haar oude, betere ik zich door al die verbittering heen. Toen ik geboren was, in 1971, schreef Martha een brief om Mila te feliciteren, en deelde haar mee dat ze een bankrekening voor mij had geopend, en geld verdiende door lunches te bereiden voor de priester van haar plaatselijke parochie, dat ze trouw op die rekening stortte. Toen ze ons in 1976 kwam opzoeken, bracht ze het spaarbankboekje mee om aan Ljoedmila te laten zien. Het was een soort vredesoffer, een manier om boete te doen voor de liefdeloze jeugd van haar dochter. Toen Martha overleden was, kon Lenina het spaarbankboekje niet vinden. Ze verdacht Martha's Oekraïense verwanten ervan dat ze het gestolen hadden. Maar ik denk aan Martha die dag in dag uit bij een fornuis stond om koteletten en soep te bereiden, terwijl ze dacht aan het kind in Londen dat ze maar een paar weken had gezien, en dan naar het postkantoor sjokte om haar kopeken te storten voor haar kleinzoon.

Ljoedmila had niet het meeste te verduren van de demonen van haar moeder, omdat ze haar alleen in de weekends zag. Lenina had het minder getroffen. Ze verdiende een paar extra roebels door haar overvloedige moedermelk te doneren aan een ziekenhuis voor verlaten baby's aan de overkant van de Herzen-straat, en wist voor Martha een baantje te vinden als kokkin in dat ziekenhuis, waardoor die het grootste deel van de dag uit huis was. Maar 's avonds zat ze in de keuken kwaadaardig te mompelen tegen haar dochter. Martha vroeg bijvoorbeeld sarcastisch aan Lenina waarom ze met 'een invalide in plaats van met een generaal' was getrouwd, en probeerde Sasja en Lenina zover te krijgen dat ze uit elkaar gingen. Ze flirtte openlijk met Sasja, wat felle ruzies met haar dochter uitlokte. Verscheidene keren viel Martha Lenina aan met een mes; één keer brak Lenina een vinger van haar moeder toen ze probeerde haar in bedwang te houden na een hysterisch gevecht waarbij de helft van Lenina's geliefde serviesgoed aan scherven ging. 's Nachts lag Martha te huilen en Boris te vervloeken als een 'verraderlijke idioot' omdat hij zoveel ellende over haar had gebracht; dan zei ze dat ze hem nooit meer wilde zien en hoopte dat hij dood was.

'We verdroegen het allemaal,' herinnert Lenina zich. 'Maar wat dronk ze een hoop bloed! Ze leefde van ons lijden.'

Het duurde maanden voordat het verhaal van hoe Martha de afgelopen tien jaren had doorgebracht eruit kwam, en zelfs toen werden de verhalen uitgespuugd, begeleid door cynisch commentaar. Martha was binnen enkele weken na haar arrestatie veroordeeld. Ze schijnt tijdens de verhoren een soort zenuwinzinking te hebben gehad, en bekende alles wat haar werd voorgelegd, tot en met de schuld van haar echtgenoot. Ze kreeg tien jaar dwangarbeid opgelegd wegens 'medewerking aan anti-Sovjetactiviteiten'. Martha en een paar honderd andere vrouwelijke gevangenen werden in veewagens geladen en naar een afgelegen eindstation in Kazachstan vervoerd. Daar werden ze lopend door de steppen naar Semipalatinsk gebracht, een primitief tentenkamp, en aan het werk gezet: ze moesten hun eigen gevangenis bouwen van ruw hout en prikkeldraad.

Een vriend van de familie van mijn vrouw, de zoon van een goelaggevangene, vertelde me een keer hoe zijn vader erin was geslaagd te overleven in de kampen. 'Vergeet je vroegere leven alsof het een droom was,' had de oude man gezegd, 'geef de hoop op terug te komen, ban boosheid en spijt uit je geest en ga op in het nu, waardeer de vreugden van het kampleven, een warme kachel, zeep in de *banja*, de waterige Siberische dageraad in de winters en de stilte van het bos, de vondst van een handvol veenbessen in de taiga, een vriendelijke daad van je celgenoot.' Maar er was een sterke persoonlijkheid, misschien zelfs bovenmenselijke kracht, voor nodig om echt zo te leven, en de meeste mannen en vrouwen die de proef moesten doorstaan, werden erdoor vernietigd.

Martha sprak bijna nooit over haar leven in het kamp. Ze vertelde Lenina maar één verhaal, een verhaal zo wreed en grotesk dat die er weinig behoefte aan had meer te horen. In een herfst, voor de oorlog, waren de koeien van het kamp aan het kalven. Nadat een kalf was geboren moest Martha de dampende placenta en vliezen in een emmer verzamelen en die buiten in een vat gooien, en daar carbolzuur overheen gieten om te voorkomen dat de ratten ervan aten. Martha ging naar binnen om bij de geboorte van een volgend kalf te zijn, en toen ze weer buiten kwam, vond ze twee mannen, nauwelijks meer dan geraamtes, die lagen te kronkelen van pijn bij het vat met afval. Het waren pas aangekomen veroordeelden uit een ander kamp, allen voormalige priesters, nu meer dood dan levend. Ze waren naar de koeienstal gekropen om van de rauwe placenta's te eten. Martha trok een van de mannen de stal in en gaf hem verse melk te drinken om de werking van het carbolzuur tegen te gaan. Hij bleef in leven. De andere stierf op de plaats waar hij lag. Later, nadat ze allebei waren vrijgelaten, leefde Martha samen met de man die ze had gered; hij was de vader van het kind dat gestorven was voordat Martha naar Moskou terugkeerde.

Nadat de laatste koe die nacht gekalfd had, moest Martha helpen de lichamen te verzamelen van de veroordeelden die bij aankomst waren overleden. Samen met een andere vrouw laadde ze de lijken op een kar, die Martha vervolgens in haar eentje de steppe op reed naar de verre begraafplaats van het kamp. Martha vertelde Lenina dat jakhalzen op de steppe lucht kregen van het dode vlees in de kar en haar achtervolgden. Om zichzelf te redden, vertelde Martha aan haar dochter, had ze de wilde honden een van de lichamen toegegooid.

Martha had haar straf in 1948 uitgezeten, maar mocht niet terug naar huis. Eerst werd ze in 'administratieve detentie' gehouden, hetgeen betekende dat ze gedwongen werd in een dorp van ex-veroordeelden te wonen, niet ver van het kamp. Zij en de priester, wiens naam ze Lenina nooit heeft verteld, creëerden een nieuw leven voor zichzelf in een blokhut aan de buitenrand van Karlager, waar ze een kleine moestuin verzorgden en af en toe een klusje deden voor het personeel van het kamp.

Ze sprak bijna nooit over haar 'echtgenoot' uit het kamp of over hun kind Viktor, dat volgens Martha vlak voor haar terugkeer naar Moskou was gestorven. Maar Lenina vermoedde altijd dat Martha het kind had weggegeven nadat de priester haar had verlaten om terug te gaan naar zijn eigen familie, dat ze het kind had overgedragen aan de plaatselijke artsen of aan een weeshuis. Lenina kon nooit enig bewijs noemen voor deze theorie; ze vermoedt alleen dat het zo is, met als enige reden dat 'ik het zie met mijn hart'. In 2007 ontmoette ze in Moskou een plaatselijke openbaar aanklager die Viktor Sjtsjerbakov heette; maar na gedegen onderzoek door mijn tante bleek de man niet haar sinds lang verloren halfbroer te zijn, maar een vreemde die dezelfde achternaam had als haar moeder. Na er een paar dagen over te hebben nagedacht, besloot Lenina, tweeëntachtig jaar oud, niet meer achter Viktor aan te gaan, het jongetje dat in 1948 verwenen was. 'Stel je voor dat ik hem vind en dat hij gewoon een klootzak is?' vroeg ze. 'Hij heeft niet Boris' bloed, dat ons allemaal groot heeft gemaakt. Hij heeft Martha's bloed, en daarvan hebben we geen druppel meer nodig.'

In plaats van een normaal paspoort kreeg Martha een papier dat haar vrijlating bevestigde en een speciaal paspoort dat haar levenslang verbood in of dicht bij een grote stad te wonen. In de Sovjet-Unie van de jaren veertig wemelde het van zulke mensen, wier vrijheid van vestiging beperkt was – later zouden ze *limitsjiki* genoemd worden, en ze waren veroordeeld tot een leven als non-persoon door dat fatale stempel in hun paspoort.

Gelukkig voor Martha werkte haar schoonzoon Sasja toen al als juridisch medewerker bij het ministerie van Justitie. Hij redde haar door een maas in het papierwerk. Martha's familienaam stond in de gevangenispapieren als 'Sjtsjerbakova', de gerussificeerde, vrouwelijke versie van haar achternaam. Maar op haar geboorteakte heette ze 'Sjtsjerbak', in de neutrale Oekraïense spelling. Sasja haalde zijn plaatselijke politiebureau over een paspoort te verstrekken aan Martha Sjtsjerbak, een onschuldig persoon zonder politiedossier en zonder officiële 'beperking' aan haar bestaan. Op papier was ze zodoende een goede Sovjetburgeres. Vanbinnen, zo leek het de mensen in haar omgeving toe, was haar ziel aan flarden.

De meeste kinderen van Ljoedmila's weeshuis beëindigden hun schoolopleiding op hun veertiende jaar en werden na een jaar technische training in de naaikamer en de werkplaats in Saltikovka naar de reusachtige textielfabrieken van Ivanovo, tweehonderd kilometer ten noorden van Moskou, gestuurd om als naaisters te werken. Ljoedmila's onderwijzeressen richtten een petitie aan de plaatselijke autoriteiten om haar naar een andere plaatselijke school te sturen, waar ze nog drie jaar kon studeren en een kans zou hebben om zich aan te melden voor een universitaire opleiding. De toestemming werd gegeven, al moest Ljoedmila haar onderhoud bij het weeshuis verdienen door les te geven aan een paar jongere klassen en amateurtoneel te organiseren. Hier bracht ze voor het eerst de nadrukkelijke manier van lesgeven in praktijk die ze ook nu nog heeft, wanneer ze lettergreep voor lettergreep instructies zingt om klassen lichtelijk verschrikte Engelse studenten het mysterie van het Russische werkwoord in te stampen; tijdens de les duldt ze geen flauwekul of fouten, maar daarna druipt ze, nog jaren later, van onverwachte emotie over de successen van haar leerlingen.

Als Stalin niet op 5 maart 1953 aan een hersenbloeding overleden was, zou het leven van mijn moeder heel anders zijn geweest. Het nieuws van de dood van de dictator werd aan de kinderen in Saltikovka meegedeeld door het schoolhoofd, bijna hysterisch van verdriet, en alle kinderen barstten in tranen uit bij dit nieuws. Voor veel van de weeskinderen had de oomachtige, besnorde grote leider nog het meeste weg van een echte vader. In Moskou stond Lenina in de menigte van twee miljoen mensen bij Stalins begrafenis. Ook zij huilde echte tranen om het heengaan van Stalin, zonder er ooit aan te denken dat deze vriendelijke, glimlachende man verantwoordelijk was voor het feit dat haar ouders haar waren afgenomen.

Nu Stalin weg was, kantelde Ljoedmila's wereld om zijn as. Ze deed als beste van haar klas eindexamen op de school in Saltikovka, met een bijna volmaakte score (ze herinnert zich nog altijd de fout die haar een volmaakte score kostte: ten onrechte een komma plaatsen in de zin 'nijlpaarden, en olifanten'). Onder Stalin zou een plaats op een gerenommeerde universiteit voor een kind van een vijand van het volk ondenkbaar zijn. Mila zou waarschijnlijk naar een provinciale lerarenopleiding zijn gegaan, en haar leven hebben doorgebracht als schooljuffrouw.

Maar nu durfde Lenina te hopen dat men de vlek op het verleden van haar zus over het hoofd zou zien. Zij werkte als persklaarmaker van doctoraalscripties bij het Instituut van Jurisprudentie, een baan die Sasja voor haar had weten te regelen. Lenina vond een kennis die de rector kende van de faculteit Geschiedenis aan de Moskouse Staatsuniversiteit, en regelde een bijeenkomst om voor de toelating van Ljoedmila te pleiten. Ze trof het. Of de man was gewoon goedhartig, of hij droeg zelf onzichtbare littekens van het leven onder Stalin. Toen Lenina uitlegde wat er sinds de arrestatie van hun ouders met haar en haar zus was gebeurd, barstte de man in tranen uit. In september 1953 werd Ljoedmila toegelaten als student geschiedenis aan de meest prestigieuze universiteit van de Sovjet-Unie, die gehuisvest was in een enorme, recent gebouwde stalinistische wolkenkrabber op de Lenin-heuvels – een paleis van socialistische geleerdheid met heel Moskou uitgespreid aan zijn voeten. Toen ze het nieuws hoorde, zegt ze, 'kreeg ik vleugels'.

Stalins dood bracht ook de hoop mee dat hun vader wellicht ontslagen zou worden uit de goelag. In 1954 verbrak de MVD, de jongste incarnatie van de NKVD, na zeventien jaar het stilzwijgen over het lot van Boris Bibikov. In antwoord op nog maar weer een brief van zijn moeder antwoordden ze, in bondige, officiële taal, dat Bibikov, B.L., in 1944 aan kanker was overleden in een gevangenkamp. Het jaar daarop schreef Sophia een persoonlijke smeekbede aan Stalins opvolger, de nieuwe Algemeen Partijsecretaris Nikita Chroesjtsjov, of tenminste zijn naam kon worden gezuiverd. Deze brief werd netjes opgenomen in het dossier van wijlen haar zoon.

'Geachte Nikita Sergejevitsj,' schreef ze. 'Ik wend me tot u als een oude vrouw, een moeder die drie zonen heeft gehad, drie communisten. Van hen is er nog maar één over [Jakov], die dienstdoet in ons glorieuze Sovjetleger. Eén [Isaac] is aan het front gestorven in de Grote Patriottische Oorlog, toen hij ons Moederland verdedigde. De ander, Bibikov, Boris Lvovitsj, werd in 1937 gearresteerd als vijand van het volk en werd veroordeeld tot tien jaar. Zijn straftijd eindigde in 1947.

Nikita Sergejevitsj, mijn zoon... Ik denk, ik weet zeker dat Boris onschuldig was, dat er een vergissing is begaan. Is het na achttien jaar niet mogelijk de zaak uit te zoeken, en hem te rehabiliteren? Ik kan nog steeds de waarheid niet vinden, om uiteindelijk te weten wat er gebeurd is. Ik ben geen Partijlid, ik ben tachtig jaar oud, maar ik heb mijn kinderen oprecht opgevoed om hun Moederland lief te hebben en het trouw te dienen. Zij hebben het hun kennis, hun gezondheid, hun leven gegeven, voor de vreugde van het Communisme, voor vrede op aarde, zodat hun grootse Moederland welvarend zou zijn... Lieve Nikita Sergejevitsj, ik vraag u om deze zaak als communist na te gaan, en als mijn zoon onschuldig is, hem te rehabiliteren. Eerbiedig de uwe, Bibikova.'

De zaak van Boris Bibikov werd in 1955 heropend, als een van de allereerste in de golf van zogeheten rehabilitatieonderzoeken, de gerechtelijke herziening van de vonnissen van de slachtoffers van de Zuiveringen, waartoe Chroesjtsjov opdracht had gegeven als nasleep van zijn 'Geheime Toespraak' voor het Twintigste Partijcongres voor de Gehele Unie, waarin hij Stalin had beschuldigd. De taak het geval van Bibikov, en duizenden soortgelijke zaken, te herzien was een kolossale bureaucratische onderneming. Gedetailleerde verklaringen onder ede werden afgenomen van tientallen getuigen die Boris Bibikov kenden, en de dossiers van iedereen die bij zijn zaak betrokken was, werden nauwgezet bestudeerd. De ironie wil dat het gedeelte van het dossier dat het rehabilitatieonderzoek betreft bijna drie keer zo lang was als de miezerige negenenzeventig documenten die ervoor nodig waren om hem te arresteren, te veroordelen en te doden.

Al degenen die ondervraagd werden over Boris' veronderstelde contrarevolutionaire activiteiten noemden hem een oprechte en toegewijde communist.

'Ik kan hem alleen positief beschrijven; hij gaf zich geheel aan de Partij en aan het leven van de fabriek, en hij had een geweldig gezag bij de arbeiders,' zei Ivan Kavitsky, Boris' plaatsvervanger bij de CHTZ, tegen de onderzoekers. 'Ik weet niets van zijn anti-Sovjetactiviteiten – integendeel, hij was een toegewijd communist.'

'Ik heb nooit gehoord van wat voor politieke dissidentie dan ook bij [Bibikov]. Men zei dat hij gearresteerd was als vijand van het volk, maar niemand wist waarom,' zei Lev Veselov, een accountant van de fabriek.

'Ik herinner me dat mijn kameraden in de leiding van de fabriek hun verbazing uitspraken toen hij gearresteerd was,' zei de typiste Olga Irzjavskaja.

Op 22 februari 1956 leverde een besloten zitting van het hooggerechtshof van de USSR een lang verslag op, met de aanduiding 'Geheim', waarin formeel de beslissing van het Militair College op 13 oktober 1937 ongeldig werd verklaard. Er werd een kort briefje naar Boris' familie gestuurd om zijn rehabilitatie te melden, tegelijk met een overlijdenscertificaat dat eindelijk de werkelijke datum van zijn executie bevestigde, op de dag nadat zijn vonnis was uitgesproken. De regel met 'doodsoorzaak' was opengelaten.

De universiteit was de hemel voor Ljoedmila. Ze trok in een studentenhuis aan de Stromynka-straat in Sokolniki, een noordelijke voorstad van Moskou, waar ze een slaapzaal deelde met vijftien andere meisjes. Niet lang daarna verhuisde ze naar het hoofdgebouw van de universiteit zelf, op het zich gestaag uitbreidende terrein in de Lenin-heuvels. Haar hele jeugd had ze doorgebracht in Sovjetinstellingen, en het drukke sociale leven van de universiteit was een acceptabel substituut voor een familie. Ze maakte onmiddellijk vrienden voor het leven onder de meest intelligente generatiegenoten. Een van hen was Joeri Afanasijev, een stevige, openhartige medestudent geschiedenis die later een van de intellectuele leidende figuren van de Perestrojka zou worden. Een andere tijdgenoot was een voormalige boerenjongen uit Stavropol met een sterk landelijk accent wie het volledig ontbrak aan de kosmopolitische ironie over het Sovjetleven die Mila en haar vrienden algauw ontwikkelden. Hij deed koppige pogingen Ljoedmila's vriendin, Nadja Michailova, het hof te maken, maar zij vond hem ondraaglijk provinciaal en wees hem herhaaldelijk af. Zijn naam was Michail Sergejevitsj Gorbatsjov.

Ljoedmila leerde goed Frans en wat elementair Latijn en Duits, en maakte zich de kunst eigen zich naar buiten toe inschikkelijk te tonen, en hard te werken. Haar scripties, geschreven in een volmaakt lopend schrift, zijn toonbeelden van grondigheid en vlijt. Ze was een schepsel van het Sovjetsysteem dat haar had grootgebracht, met zijn nadruk op oprechte gemeenschapsactiviteit en zijn volledig gebrek aan fysieke of mentale privacy. Het studentenleven van de jaren vijftig werd gevuld met half vrijwillig gezamenlijk lezen van Molière na de colleges, natuurwandelingen en amateurtoneel. Maar ondanks de verplichtingen van ideologie en gemeenschapsleven voelde Mila zich, eindelijk, heerlijk vrij om de buitenlandse, grenzeloze wereld van de literatuur te verkennen. Ze las Dumas en Hugo, Zola en Dostojevski, de sentimentele ontboezemingen van Alexander Grin en de pastorales van Ivan Boenin. Daar, in boeken, muziek en theater, vond ze eindelijk haar eigen privéraam naar een wereld die groot genoeg was voor haar geweldige energieën.

Ljoedmila was populair. Haar passie – althans een van haar vele passies – was ballet. Lenina had haar meegenomen naar het Bolsjoitheater nadat Sasja erop had gestaan dat zijn jonge schoonzuster een 'ingang tot het leven' moest krijgen, en ze gingen zo vaak ze konden.

Ljoedmila's liefdesrelatie met het grote negentiende-eeuwse

theater aan Ochotni Rjad bloeide op tijdens haar studententijd. Haar vrienden en zij gingen een paar keer per week naar het Bolsjoi; na elk bedrijf applaudisseerden ze als gekken vanaf hun goedkope plaatsen en daarna hielden ze in de kou de wacht bij Deur 17 om de dansers te begroeten wanneer die met enorme bossen bloemen naar buiten kwamen. Valery Golovitser, een magere en gevoelige jongeman, de broer van Ljoedmila's beste vriendin Galia, was haar beste mannelijke vriend. Ze waren allebei vurige balletgekken. Hij scheen geen belangstelling te hebben voor meisjes, ook al zag hij er goed uit, maar het was een onschuldige tijd en niemand kwam op het idee hem te verdenken van de homoseksualiteit die hij zorgvuldig verborgen hield; in elk geval Ljoedmila en haar weinig wereldwijze vriendinnen niet.

Voor Ljoedmila en haar vriendinnen was kijken alleen niet genoeg – zij moesten zich in de voorstelling storten, de acteurs aanbidden en om het libretto huilen. Ze stonden om de beurt in de rij voor kaartjes voor de Comédie Française op tournee, het eerste buitenlandse gezelschap dat in Moskou optrad sinds voor de oorlog, en gingen naar bijna elk van de veertig voorstellingen van het repertoire, dat uiteenliep van Molières *Tartuffe* tot Corneilles *Le Cid*. Ze joelden '*Vive la France!*' vanaf de galerij, en gooiden elke avond bloemen naar het toneel. Buiten het theater liepen ze de laatste avond van het seizoen mee in de juichende menigte die de acteurs volgde van het Theaterplein naar het Nationale Hotel. KGB-agenten in de menigte schopten Ljoedmila hard van achteren met hun zware laarzen, in een poging de ongepaste bewieroking van de buitenlanders door de meisjes te temperen.

Toen Gérard Philippe, de grootste Franse acteur van zijn generatie, het jaar daarop naar Moskou kwam voor een filmfestival, werd hij omzwermd door Ljoedmila's bende. Hij babbelde beleefd met zijn Russische fans en beloofde terug te komen. Nadat Philippe was teruggegaan naar Frankrijk, gingen Mila en haar vriendinnen met de pet rond om geld in te zamelen voor een cadeau voor hun held. Een van de meisjes nam de trein naar Palech, een dorp dat befaamd was om zijn miniaturen op gelakte kistjes, en bestelde een portret van Philippe als Julien Sorel in de film *Le Rouge et le Noir*. Toen een paar maanden later de Franse communisten Elsa Triolet en Louis Aragon op bezoek waren in Moskou, stapten Ljoedmila en vier van haar vriendinnen het Hotel Moskva binnen – een stoutmoedig gebaar, want in het hotel logeerden buitenlanders en het wemelde er van de KGB-agenten – en belden Triolet vanuit de hal, met de mededeling dat ze een geschenk hadden voor Gérard Philippe en de vraag of zij het in Parijs aan hem wilde brengen. Bevreemd maar onder de indruk kwam Triolet naar beneden om het te halen en ze leverde het geschenk keurig bij Philippe af toen ze terug was. Vijf jaar eerder was het krankzinnig, ondenkbaar krankzinnig geweest om zoiets te doen. Maar de dooi onder Chroesjtsjov had de regels veranderd, en Ljoedmila en haar vriendinnen beproefden de grenzen van de nieuwe wereld zo ver als ze maar durfden.

In *L'Humanité*, het Franstalige communistische dagblad dat de enige Franse krant was die het Sovjetpubliek kon krijgen, las een vriendin van Ljoedmila dat Gérard Philippe in Peking was op een culturele reis. Voor de gein – gevaarlijke gein – gingen de meisjes naar het Centrale Telegraafkantoor aan de Gorky-straat en bestelden een internationaal telefoongesprek naar China. Ze hadden geen idee in welk hotel hij logeerde, dus de telefoniste, een jonge vrouw die de vermetelheid van het geval wel waardeerde, vroeg haar Chinese collega hen te verbinden met het grootste hotel van de stad. Een halfuur later had Ljoedmila's vriendin Olga Gérard Philippe aan de lijn, en hij vertelde haar dat hij op de terugweg naar Parijs een tussenstop zou maken in Moskou.

Op de luchthaven Vnoekovo probeerde de politie hen tegen te houden, maar de twintig meisjes renden erlangs het tarmac op en verdrongen zich rond de trap. Philippe was toen al terminaal ziek; hij leed aan hepatitis, die hij in Zuid-Amerika had opgelopen. Hij zag asgrauw en oogde veel ouder dan zijn leeftijd van zevenendertig jaar. Hij herkende Ljoedmila en begroette haar hartelijk. Ze vroeg hem haar exemplaar van Stendhals *Le Rouge et le Noir* te tekenen.

'Pour Lyudmila, en souvenir du soleil de Moscou,' schreef Philippe. Het boek staat nog steeds op een plank in de slaapkamer van mijn moeder.

Mila studeerde af aan de Staatsuniversiteit Moskou met een Gouden Medaille, als een van de beste studenten van haar jaar. Na haar vertrek maakte Ljoedmila de gewaagde keus een door de universiteit geregelde positie af te wijzen en in plaats daarvan zelf een baan te zoeken. Ze huurde een kamer bij een echtpaar van middelbare leeftijd in de buurt van Lermontovskaja Metro, waar ze op een kampeerbed sliep. Haar hospes was een vliegtuigbouwkundig technicus, en in ruil voor kost en inwoning gaf Ljoedmila hun zoon les. De technicus had geen officieel werk, alleen af en toe een klus bij de buren, en Ljoedmila vermoedde dat hij op de een of andere manier uit de gratie was en zich schuilhield. Het gezin scharrelde zijn kostje bijeen in de kieren van het Sovjetsysteem, waar een man zonder baan een non-persoon was; hij had geen geld, zijn kinderen werden niet toegelaten op een school, hij kreeg geen rantsoenkaarten, geen vakantie. Het gezin leefde van wortel- en bonensoep; Ljoedmila bracht worstjes voor hen mee wanneer ze die ergens zag en tijd had om in de rij te staan.

Jekaterina Ivanovna Markitan, de echtgenote van een oude Partijcollega van Boris Bibikov uit de tijd van de Charkov Tractorfabriek, kwam uit Zuid-Rusland naar Moskou om te winkelen en logeerde bij Lenina. Zij vertelde Ljoedmila dat een oude vriendin nu directeur was van het Instituut van Marxisme en Leninisme, dat gewijd was aan de studie en het behoud van het erfgoed van de stichters van het communisme. Haar naam was Jevgenija Stepanova, en toen Mila contact met haar opnam, bood ze Mila onmiddellijk een baan aan als jonge onderzoeker. Ljoedmila voelde persoonlijk geen groot enthousiasme voor marxisme of leninisme, maar de baan was in Moskou, en het was intellectueel werk, dus ze greep de kans met beide handen aan. Haar werk was te helpen bij de gigantische taak de verzamelde werken van Karl Marx en zijn vriend en helper, Friedrich Engels, bijeen te brengen en persklaar te maken. Ze vond de uitgebreide ontboezemingen van de twee mannen hoogdravend en onverdraaglijk saai. Maar de baan gaf haar ruim de gelegenheid haar Frans in praktijk te brengen, en ze vond haar collega's intelligent en levendig. Er kwamen vaak buitenlandse communisten en academische beoefenaars van de bijna theologische wetenschap van de communistische leer op bezoek, waarbij een beroep werd gedaan op Ljoedmila om als tolk op te treden en hen te begeleiden. Verder was daar de uitstekend voorziene kantine voor het personeel, op de benedenverdieping van het kleine neoklassieke paleis waarin het Instituut gevestigd was, dat vroeger had toebehoord aan prinses Dolgoroeki en als hoofdkwartier van de Assemblee der Edelen had gediend voordat het voor een meer egalitair doel in gebruik werd genomen.

In 1995 kwam ik toevallig in het oude Instituut van Marxisme en Leninisme terecht. Na het ter ziele gaan van het Instituut en eigenlijk van het marxisme en het leninisme in het algemeen had het oude paleis een neergang doorgemaakt. Een groep afstammelingen van de Russische adel was erin geslaagd het gebouw weer op te eisen, maar beschikte niet over de middelen om het te restaureren. Dus stond het te vermolmen in zijn verwilderde tuin, eenzaam en onbelangrijk.

De zojuist opnieuw gevormde Assemblee der Edelen organiseerde een bal om geld in te zamelen in een ongebruikte gymzaal die één vleugel van het gebouw in beslag nam. Ik ging erheen in het oude nette pak van mijn vader, dat hij had gedragen toen hij in 1959 kennismaakte met Nikita Chroesjtsjov als jong diplomaat. De overblijfselen van de adellijke families van Rusland, zij die niet waren geëmigreerd en er toch in waren geslaagd te ontkomen aan de Revolutie, de Burgeroorlog en de Zuiveringen, waren massaal aanwezig en dansten onhandig terwijl een Russisch legerorkestje mazurka's en Weense walsen speelde. Maar de organisatoren waren op zoek naar een verleden dat niemand zich herinnerde, en hoopten tradities te doen herleven die alleen nog in hun verbeelding bestonden. Prins Golitsyn, op grijze plastic schoenen, babbelde met graaf Lopoechin, in een sleets polyester pak, terwijl hun zwaar opgemaakte echtgenotes wapperden met plastic waaiers, souvenirs uit Venetië.

Het paleis was ooit schitterend geweest, maar tientallen jaren van agressief Sovjetfilistijnendom hadden het teruggebracht tot een zielloze wirwar van goedkope spaanplaat wanden en met opkrullend linoleum bedekte gangen. De hoge, zware ramen die uitzicht boden op de binnenplaats waren lang geleden dichtgeschilderd. Alles wat gestolen kon worden, was gestolen, tot en met de deurknoppen en lichtschakelaars.

Ik probeerde me voor te stellen hoe mijn moeder, jong en vol enthousiasme, door deze gangen hinkte voor haar eerste sollicitatiegesprek met de directeur van het Instituut. Of hoe mijn moeder, uitdagend en rad van tong, zich weerde tegen de aanvallen van haar collega's bij de Partijvergadering die bijeengeroepen was om haar de les te lezen over haar romance met een buitenlander. Maar ze was er niet; ik kon geen geesten voelen in de zaal terwijl die dreunde op de hoempamuziek van het dansorkest.

Tegen de lente van 1960 was Ljoedmila benoemd tot een volledig staflid van het Instituut van Marxisme en Leninisme, maar de krakende wielen van de huisvestingsbureaucratie draaiden langzaam. Ze kwam in aanmerking voor een eigen woning, of, als ongehuwde vrouw, eerder voor een kamer in een gemeenschappelijk appartement. In maart kreeg haar collega Klava Konnova met haar twee kinderen en haar bejaarde vader eindelijk een eigen woning toegewezen, en zij verhuisden uit een kleine kamer van zeven vierkante meter naar een *kommoenalka* aan Starokoesjenni Pereoelok, niet ver van de Oude Arbat. Ljoedmila gaf zich ervoor op, en trok erin. Het was heel klein, maar het was een woning. Ze was zesentwintig jaar oud, en voor het eerst in haar leven had ze een ruimte die ze helemaal de hare kon noemen.

8 Mervyn

In de ogen: droom...
En de hele rest zo gehuld in zichzelf
En uitgewist, alsof we het niet konden begrijpen
En diep beneveld vanuit zijn eigen diepten.
Jij snel verblekend daguerreotype,
In mijn trager verblekende handen.
Rainer Maria Rilke

Ik vond de werkkamer van mijn vader, op de benedenverdieping van het smalle victoriaanse huis in Pimlico waar ik ben opgegroeid, altijd fascinerend. De kamer rook naar Franse sigaretten en Darjeeling thee, en was gevuld met het geluid van Bach-cantates en Händel-opera's. Nu lijkt het een kleine kamer, maar voor mijn geestesoog is hij altijd enorm, gezien vanaf de hoogte van een zevenjarige die tegen de eerbiedwaardige fauteuil van mijn vader geleund opkijkt naar de torenhoge wanden met boeken. Het cavaleriezwaard dat boven de schoorsteenmantel hangt en de verzameling schaalmodellen van stoommachines spraken van een onkenbare maar oppermachtige mannelijkheid, terwijl de laden vol met telescopen, kompassen, familiefoto's en snuisterijen een verboden bron van schatten vormden. Zelfs in mijn tienerjaren, toen mijn vader en ik uit elkaar groeiden, bleef ik gefascineerd door zijn verleden, waarover hij weigerde te praten, en waartoe de sleutel onverbrekelijk verbonden leek met het mysterie dat zijn werkkamer was.

Een keer, toen ik een jaar of zestien was, vond ik een stapeltje foto's van mijn vader terwijl ik illegaal door zijn bureauladen snuffelde. Daarop was niet de vader te zien die ik kende, maar een verrassend cool ogende jongeman in een snel jarenzestigpak en met een zonnebril in Malcolm X-stijl. Op één foto wandelde hij over een zonnige boulevard langs het strand. Op andere foto's was hij te zien in een warme winterjas, staande op het ijs van een reusachtig meer; snuffelend tussen kramen met watermeloenen op een pittoreske markt in Centraal-Azië; ontspannen en vrijmoedig in een restaurant aan zee, omringd door mooie meisjes. Achter op alle foto's was keurig met potlood in zijn zorgvuldige handschrift genoteerd wanneer en waar ze genomen waren.

Later die dag vroeg ik aan mijn vader, misschien met het oogmerk hem te provoceren met een bekentenis van mijn brutale doordringen in zijn geheiligde bureau, wat hij in 1961 aan het doen was geweest in Boechara en bij het Baikalmeer. Hij keek een andere kant op, met een vage glimlach – dat deed hij altijd graag – en ging lekker zitten in zijn stoel.

'O,' zei hij achteloos, terwijl hij thee voor zichzelf inschonk door een theezeefje. 'Baikal? Daar ben ik door de KGB heen gebracht.'

Mijn vader is in juli 1932 geboren in een klein rijtjeshuis aan Lamb Street in Swansea. Hij groeide op in een wereld van kolenhaarden en kleine, onverwarmde slaapkamers, ongebruikte voorkamers vol zware meubelen, flink doorstappende vrouwen met strakke gezichten en stevig drinkende mannen. Ik ben als kind een paar keer op bezoek geweest in de straat waar hij opgroeide, altijd op winderige dagen terwijl een grijze hemel motregen uitspuugde en de straten leeg waren. Swansea is in mijn geestesoog altijd overgoten met een vuilgeel licht, dat op de een of andere manier giftig is en loodzwaar. De zeewind vanaf de grote bocht van Swansea Bay voerde de lucht van zout en olie aan. De straten waren monochroom, net als het menselijke vlees: zware, uitgezakte gezichten met de kleur van niervet.

South Wales lijkt nu een geruïneerd oord, lelijk en onzeker van zichzelf, smerig en benauwd na vele mensenlevens van geploeter en rook. Maar in de kindertijd van mijn vader was het heel anders. Swansea was een van de drukste steenkoolhavens van Engeland, en de reusachtige schepen die daar voor anker gingen, waren de slagaders van een rijk dat toen nog het grootste van de wereld was. Mijn vader groeide op in de nadagen van een grote victoriaanse havenstad. Dampende stoommachines sleepten de kooien nog op en neer in de kolenmijnen, en er meerden nog een paar mooie schoeners aan tussen de grote lijnschepen en vrachtschepen in de havens.

Ik verbeeld me dat ik, op verschillende momenten in mijn leven, een paar echo's van die verdwenen wereld van mijn vader heb ervaren. Toen ik in 1993 op een mistige avond door een miserabel mijnstadje in Slovakije reed, toen ik vochtige nachtlucht inademde, doordrenkt van de geur van steenkoolrook en gebakken uien. Toen ik in de haven van Leningrad tussen de eindeloze rij verroeste kranen en vrachtschepen stond, geleund tegen een felle zeewind die van de Finse Golf kwam aanwaaien en de bijtende geur van roestig staal en de klank van metaal op metaal meebracht. En er was een week in Tsjeljabinsk, een industriestad in de zuidelijke Oeral, in het gezelschap van mijnwerkers, gespierde mannen met snorren en grauwe gezichten die dronken met grimmige beslistheid en weinig zeiden. Hun vrouwen zagen er uitgeput uit, en deden hun best de schijn op te houden met een veegje lippenstift en een uitzakkend permanentje. Dit zijn de beelden die mijn idee van South Wales tijdens de grote depressie bevolken. Een oord, stel ik me voor, waar ieders aandeel in het geluk klein en kostbaar was, en betaald moest worden met een heel leven van eentonig werk.

Mervyns naaste familieleden waren arm maar respectabel; ze klampten zich wanhopig vast aan de onderste traptrede van het kleinburgerlijke leven, en hielden de uiterlijke schijn op. Ergens rond 1904 nam mijn overgrootvader Alfred zijn gezin mee naar de fotograaf voor een formeel portret dat de moeizame omstandigheden van het gezin precies in beeld bracht. Op de daguerreotype is Alfred van top tot teen de edwardiaanse pater familias, in zijn strenge, zwarte pak met gouden horlogeketting; zijn zoon William en dochter Ethel zien er keurig uit, hij met een hoge boord en zij in een hooggesloten zwarte jurk en zwarte kousen. Maar zijn vrouw, Lillian, oogt bleek en ongezond, en de zware stoelen en de pot met aspidistra die het stijve groepje omlijsten zijn rekwisieten van de fotograaf, chiquer dan wat ze thuis hadden. De reusachtige foto, met de hand ingekleurd en ingelijst, domineerde Mervyns bescheiden jonge leven in het kleine huis waarin hij met zijn moeder en grootmoeder woonde in de wijk Hafod in Swansea, als een herinnering aan de onafwendbare neergang die de familie had doorgemaakt.

De vader van mijn vader, William Alfred Matthews, regelde het laden van steenkool in de ruimen van schepen zodat de kool niet ging schuiven wanneer het schip slingerde. Dit heette het zeilklaar maken van de schepen, en was op een bescheiden manier geschoold werk. Het was vuil werk, maar het stond tenminste niet helemaal onder aan de maatschappelijke ladder van de arbeidende klasse. Die plaats was voorbehouden aan de werkers die de kolen in feite opschepten, en die met ontbloot bovenlijf tot aan hun knieën in het kolengruis stonden.

William Matthews schijnt een man te zijn geweest zonder wat voor ambitie dan ook. Zijn meest geliefde bezigheid in het leven was zijn loon weg te drinken in de Working Men's Club met zijn oude kameraden uit de loopgraven. Hij was vijf keer gewond geraakt in de Grote Oorlog. Maar net als bij velen van zijn generatie was dat alleen te zien aan een grote tolerantie voor drank, een verzameling medailles en het respect van zijn kameraden in de Comrades' Sick Club, een soort coöperatief ziektekostenverzekeringsclubje, waarvan hij een goedkope pendule kreeg die nog steeds tikt in de werkkamer van mijn vader, als erkenning van zijn diensten als secretaris. Het Duitse mosterdgas aan de Somme had bovendien zijn longen ernstig aangetast, wat hij nog verergerde door het kettingroken van Player's Navy Cut.

Mijn grootvader was een knappe man. Hij droeg altijd keurige driedelige kostuums met de zware gouden horlogeketting van zijn vader, met daaraan een sovereign in een opzichtige gouden houder. Toen hij in 1964 overleed, behoorden tot de weinige dingen die hij aan zijn zoon naliet zijn zakagenda's, waarin hij de dagen had aangegeven waarop hij zijn liefjes had getroffen in de parken van Swansea.

Hij verwaarloosde zijn zoon Mervyn en hield het niet uit in huis bij zijn vrouw Lillian. Hij toonde weinig belangstelling voor de schoolopleiding van zijn zoon en las in zijn hele leven niet één boek. Mervyn had altijd een diepe verachting voor de platburgerlijkheid van zijn vader; misschien is dat een van de redenen waarom hij zelf zo'n studieuze boekenwurm werd. Van tijd tot tijd vond William het nodig zijn vaderlijk gezag willekeurig uit te oefenen over een zoon van wie hij zeker aanvoelde dat hij slimmer was dan hijzelf: dan weigerde hij Mervyn zijn kostbare gereedschap uit te lenen of dreef de spot met zijn gebrek aan lichamelijke hardheid.

De vernederingen die hem door zijn vader waren aangedaan bleven Mervyn zijn hele leven achtervolgen. In de brieven die hij zou schrijven aan zijn Russische verloofde komt Mervyn telkens weer terug op de wreedheid en het egoïsme van zijn vader. Hun gedeelde ervaring van verwaarlozing in hun jeugd vormde een krachtige band tussen Mervyn en Mila.

'Je vreugdeloze, nare, vernederde kindertijd, het voortdurende gebrek aan warmte en genegenheid, vriendelijkheid, respect, al je vernederingen, ziekten, tranen, ik begrijp ze allemaal, zo goed dat het pijn doet,' schreef Mila in 1965 aan Mervyn. 'Wat haatte ik je vader omdat hij weigerde je zijn schaaf te lenen toen je iets van hout wilde maken voor jezelf. Wat een gruwelijke wreedheid, wat een gebrek aan respect voor een persoon – ik heb datzelfde wel duizend keer doorgemaakt! Wat had ik je die voor eeuwig verloren minuten graag terug willen geven en een hele werkplaats voor je willen kopen, je alles willen geven wat je wilde, om je leven rijk en gelukkig te maken.'

Mervyn groeide op als een tamelijk eenzaam jongetje, denk ik. Hij zwierf graag uren in zijn eentje rond over de rangeerterreinen van de haven en in de machinehallen van de kolenmijnen rondom de groezelige stad, waar hij de stoommachines bewonderde. Op zondag liep hij vaak naar de top van de enorme slakkenhopen van de machinehallen om neer te kijken op de schepen in het kanaal, en de Ierse Zee daarachter, en dan droomde hij, op de manier die wordt toegeschreven aan jonge jongens die later een ongewone bestemming kiezen, van reizen naar verre landen.

Hij bracht een groot deel van zijn jeugd door bij zijn moeder Lillian en zijn invalide grootmoeder. Het gezinsleven werd geregeld onderbroken door krijsende ruzies tussen zijn ouders, wat eindigde hetzij doordat zijn vader de deur uit liep, hetzij doordat zijn moeder de kleine Mervyn meenam en wegliep om bij haar moeder te gaan overnachten. Mervyns moeder was een emotionele vrouw, geneigd tot hysterische uitbarstingen. Al haar hoop was gericht op haar zoon, en ze leefde uitsluitend voor hem – en Mervyn zou er veel energie aan besteden zo ver mogelijk weg te komen van de intense, dwingende liefde van zijn moeder. In latere jaren beklaagde Mervyn zich vaak bij Mila over het feit dat zijn moeder, verslaafd aan overdrijving, hem ervan beschuldigde 'je oude moeder te doden met je onnadenkendheid'.

Lillians emotionele wispelturigheid is nauwelijks verbazingwekkend. Haar leven had een blijvend litteken opgelopen toen ze als negentienjarige zwanger werd van een getrouwde man, een plaatselijke advocaat die weigerde het kind te erkennen. In de strenge, methodistische wereld van South Wales was een buiten het huwelijk geboren kind een smet voor het leven. Toen William Matthews met haar trouwde, was ze een gevallen vrouw, een feit dat hun relatie voorgoed kleurde. Mijn vader is grootgebracht in de overtuiging dat zijn halfbroer Jack zijn oom was, en kwam pas tegen zijn twintigste achter de waarheid.

De komst van de Tweede Wereldoorlog bracht een uitermate spannend intermezzo in Mervyns jongensjaren. Zijn verhalen over de oorlog vulden mijn eigen jeugd – het gebrom van bommenwerpers in maanloze nachten, de aanblik van de gebombardeerde havens en spoorwegen. Bij het uitbreken van de oorlog werd Mervyn samen met zijn schoolkameraadjes haastig geëvacueerd naar de bloeiende weiden van Gwendraeth op het Gower Schiereiland, met een kartonnen koffertje in zijn handen waarop met potlood zorgvuldig zijn naam en adres waren geschreven. Maar de meeste kinderen kwamen algauw terug van de evacuatie nadat hun moeders hadden besloten dat men de gevaren overdreven had.

Ze vergisten zich. Mervyn was in Swansea tijdens de zwaarste bombardementen van 1941. Hij herinnert zich het enorme donderen van de bommen die in de stad neersloegen, en de opwinding van het rennen naar de schuilkelder tegen luchtaanvallen achter in de tuin, met kaarsen en een oude kopermijnwerkerslamp.

Vlak voor een van de ergste luchtaanvallen nam Mervyns moeder de jongen mee om de nacht door te brengen in het huis van zijn grootouders. Er was geen speciale reden voor haar besluit; ze was domweg gegrepen door een sterk verlangen om uit haar huis weg te komen. Toen Mervyn en zijn moeder de volgende morgen, hand in hand, de top bereikten van de heuvel naar Lamb Street, ontdekten ze dat hun huis totaal verwoest was door een voltreffer van een Duitse bom. De halve straat was veranderd in een hoop rokende bakstenen, en velen van hun buren waren levend begraven in hun Anderson-schuilkelders. Mervyn was ontzet en, zoals elke kleine jongen zou zijn, diep onder de indruk.

Elke vader keert denk ik terug naar zijn eigen jongensjaren wanneer hij met zijn zoon speelt. En evenzo deelt elke kleine jongen de hartstochten van zijn vader, tot de puberteit het verlangen brengt om zich los te maken. Het landschap van mijn eigen kindertijd in Londen werd bevolkt door aandenkens aan de jeugd van mijn vader. Ik had, denk ik, meer dan mijn schoolkameraden een erge jarendertigjeugd. Een van de eerste boeken die ik me herinner gelezen te hebben was het exemplaar van *Sneeuwwitje en de Zeven Dwergen* van mijn vader, dat geproduceerd was voor de Disney-film van 1937, en geïllustreerd met driedimensionale plaatjes die je moest bekijken door een kartonnen bril met één rood en één groen celluloid glas. Later was ik dol op zijn oude jaarboeken van het tijdschrift *Boys' Own* en dikke avonturenboeken vol tweedekkers en dreigende kroeskoppen. In de ochtend van mijn achtste Kerstmis ontdekte ik een grote met jute beklede koffer die in mijn kamer stond. Hij bevatte een prachtige elektrische Hornby-miniatuurtrein, met een schitterende groene locomotief die *Caerphilly Castle* heette. Dit was een van de weinige cadeaus geweest die mijn grootvader aan mijn vader had gegeven, voor de kerst van 1939. In een ander jaar gaf mijn vader me zijn meccanoverzameling uit zijn jongenstijd, in een speciale houten kist met laatjes en vakjes voor de boutjes en de steunbalken, met daarbij prachtig geïllustreerde boeken waarin jongens in korte broek en met lange sokken afgebeeld waren. Urenlang zat ik in mijn eentje op de vloer van mijn zolderkamer en construeerde ingewikkelde brugkranen, gepantserde treinen en ophaalbruggen waar de *Caerphilly Castle* overheen kon rijden.

Soms blies mijn vader zijn verzameling modelstoommachines sputterend leven in, met als energiebron een kleine boiler, aangestoken met een spirituslamp. Ik was dol op de lucht van hete motorolie en stoom. In weekeinden reden we geregeld naar East End om de Theems-aken te zien in de St Katharine's haven, of we gingen op zoek naar fragmenten van stenen pijpen en oude flessen op de modderige vlakten langs de Theems bij laag tij. Toen ik iets ouder werd, maakten we elke avond lange wandelingen door Pimlico. We keken niet naar de keurige witte Thomas Cubitt-gevels van de hoofdstraten, maar liepen in plaats daarvan Turpentine Lane in, een kortere weg die ons omlaagbracht naar de grote, trage Theems tegenover de krachtcentrale Battersea. Van alle straten die ik in Londen heb gezien lijkt Turpentine Lane, met zijn zwart berookte baksteenmuren en kleine achtertuintjes, nog het meest op een achterafstraatje in South Wales.

We maakten samen modelzeilboten, niet van bouwpakketten maar gesneden uit enorme blokken hout die we uit afvalbakken haalden. We maakten het rondhout, de zeilen en het takelwerk met een kleine bankschroef, een Stanley-mes en een oude tang. Met speciale trots gaf hij me een prachtige houtschaaf waarmee ik een grote, mooie Theems-aak vervaardigde.

Het keerpunt van mijn vaders jongensjaren kwam toen hij, vijftien jaar oud, van zijn fiets viel en zijn bekken brak. De breuk onthulde dat Mervyn leed aan een zeldzame ziekte waardoor het bot wegteerde. Om het bekken en zijn broze rechterheup te laten helen, schreven de artsen een periode van tractie voor. Mervyn werd in een speciaal bed vastgesnoerd en zijn benen werden in gips gehuld en met gewichten verzwaard. Uren achtereen kon hij niet bewegen, of iets anders zien dan het plafond van de ziekenzaal.

Alles bijeen lag Mervyn meer dan een jaar in het ziekenhuis, meestentijds in kwellende tractie. Net als zijn toekomstige echtgenote Ljoedmila, die precies in diezelfde tijd ook in het ziekenhuis lag met een verminkt rechterbeen, zat er voor Mervyn niets anders op dan boeken te verslinden, en te denken. Het lijkt erop dat de intense verveling van gedwongen bewegingloosheid op een vormende leeftijd in hen beiden een levenslange rusteloosheid heeft gezaaid. Hun lichamen konden niet bewegen, maar hun jonge geesten maakten verre reizen. De intense behoefte van mijn vader om te reizen, zijn hang naar wereldvreemde avonturen, zijn verachting voor het gezag en zijn neiging risico's te nemen, zijn volgens mij in deze tijd ontstaan – tegelijk met een zeker talent voor zelfmedelijden en bedroefdheid.

'Ik heb de indruk dat mijn jeugd het spiegelbeeld was van jouw jeugd, mijn universiteiten hetzelfde waren als jouw universiteiten, mijn gedachten, jouw gedachten, jouw twijfels en angsten kwamen overeen met mijn twijfels en angsten,' schreef Mila in 1964 aan hem. 'Een bepaald lichamelijk gebrek en een geestelijk overtreffen van je leeftijdgenoten (herinner je je hoe je wilde uitblinken in sport, maar in plaats daarvan de slimste van je klas was?) – alles leek op elkaar in onze levens, was identiek, zelfs onze ziekten.'

Het was kort na zijn tijd in het ziekenhuis dat Mervyn belangstelling kreeg voor Russisch. Voor een jongetje uit de Valleys dat nooit verder had gereisd dan Bristol was dit enthousiasme op zijn minst excentriek te noemen. Wanneer ik hem nu vraag iets te zeggen over het besluit dat zijn leven vorm zou geven, kan hij geen andere reden bedenken dan dat Russisch 'het meest exotische was wat ik maar kon bedenken'. Russisch was de taal van een universum dat volstrekt niets gemeen had met de werkelijkheid van zijn leven in de Hafod.

Het is, nu, moeilijk om de associaties met de Koude Oorlog weg te halen en je voor te stellen wat Rusland precies betekende voor een ontvankelijke schooljongen in 1948. In de Verenigde Staten was de Huiscommissie voor On-Amerikaanse Activiteiten juist begonnen met haar onderzoek naar communistische infiltratie in Hollywood, en op zoek naar overdrachtelijke Roden onder de bedden. Maar in Engeland was de houding meer tweeslachtig, vooral in een arbeidersstad zoals Swansea, waar de vakbondsbeweging hand in hand ging met het socialisme. Slechts luttele kilometers van Swansea, in de kolenmijnen van de Rhondda Valley, was het Harry Pollitt, secretaris-generaal van de Communistische Partij van Groot-Brittannië, kortgeleden niet gelukt verkozen te worden voor het parlement. Er zaten heel wat communisten in de Comrades' Sick Club van William Matthews, tot wie het bericht dat Oom Joe Stalin, nog maar kortgeleden een bondgenoot, nu aan de andere kant stond, nog moest doordringen.

Maar, zoals de afgezette Eerste Minister Winston Churchill kort daarvoor had opgemerkt tijdens een toespraak in Fulton, er was een 'ijzeren gordijn' neergedaald over Europa. In de ogen van haar voormalige bondgenoten was de Sovjet-Unie bezig snel te veranderen in een donker en dreigend oord. En toen de atoomgeleerde Igor Koertsjatov op 29 augustus 1949 de eerste Russische atoombom liet exploderen bij Semipalatinsk – in de godvergeten Kazakse steppe waar Martha in 1938 gevangen had gezeten – werd de Sovjet-Unie een zeer reële en directe vijand. De cultuur en het land die de jonge Mervyn zo begonnen te boeien, waren in elk opzicht vreemd.

In de tijd dat ik opgroeide, waren communisme en Rusland synoniem met dreiging. De enige stem die een andere mening was toegedaan was van een sjokkende oude buurvrouw die Vicky heette.

Zij was de eerste persoon buiten mijn familie die ik ooit iets goeds over Rusland had horen zeggen. Ze woonde om de hoek in een gemeenteflat, had een baard en waste zich niet al te vaak (al merkte ik wel dat haar bittere geur heel anders was dan de hormonale, naar eten riekende luchtjes van Russische oude dames). Vicky bracht me soms lopend naar school, en haalde me ook weer op, en onderweg vertelde ze me boeiende verhalen over 'melkflesbommen' – brandbommen die de vorm hadden van ouderwetse melkflessen met een brede hals – die in de oorlog op Londen vielen. Ze vertelde me ook over haar vader, die in een geallieerd konvooi had gezeten dat Amerikaanse voorraden naar Moermansk bracht, en dat getorpedeerd was door een U-boot. Hij was stoker geweest, en ik vond het fascinerend te horen dat hij eerst verbrand was door het kokende water uit de openbarstende stoomketels, en daarna bevroren terwijl hij in zee dreef. Ik was ervan overtuigd dat die twee dingen elkaar zouden opheffen, zodat er een soort warm badwater overbleef.

'Die Rooien,' zei Vicky met haar hoge Cockneystemgeluid, 'waren heel aardig voor mijn pappie. Ik wil niets lelijks over hen horen.'

Mijn eigen leeftijdgenoten op school dachten er anders over. Het besef dat Russen vijanden waren, Roden, communisten, drong tot sommigen van mijn schoolmakkers door, en verspreidde zich door middel van die vreemde psychische osmose waardoor kinderwreedheden zich vermenigvuldigen. Toen ik een jaar of zeven was, beschuldigde iemand op school mij ervan dat ik een 'Rode' was. Toen ik tegenwierp dat ik dat niet was, al wist ik eigenlijk niet wat een Rode was, werd ik uitgemaakt voor leugenaar, en erger nog, een achterbakse leugenaar vanwege de heftigheid van mijn ontkenningen. De menigte jongetjes, leep als een troep bloedhonden, kreeg lucht van mijn wanhoop en voelde dat er iets niet klopte – had ik echt iets te verbergen? Als ik zo van de kook was, moest ik wel een Rode zijn, en dat was beslist heel erg. Er volgde een gevecht, en ik holde naar huis met een enorm blauw oog. Tot bijna drie jaar hierna weigerde ik thuis Russisch te spreken.

In 1950, nadat hij zijn examen Russisch had gehaald, werd Mervyn aangenomen op de pas gestarte Russische faculteit van de universiteit van Manchester. Hij was dolblij eindelijk weg te komen van de Hafod, en van zijn moeder. Te midden van de dichte mist en de vlakke klinkers van Manchester wijdde hij zich aan de studie van het Russisch, waarin hij een indrukwekkend meesterschap verwierf. Tegen de tijd dat hij zijn laatste examen deed, had hij zich door alle 1200 bladzijden van *Oorlog en Vrede* in het origineel heen geworsteld, een spectaculair staaltje van masochisme waarop hij zich vaak beriep in verband met mijn eigen, meer haperende pogingen het geschreven Russisch onder de knie te krijgen.

Mijn vader studeerde in Manchester cum laude af en zijn leermeesters raadden hem aan naar Oxford te gaan voor een postdoctoraalstudie. St Catherine's, het nieuwste college van die universiteit, zou de geschikte plek zijn voor een slimme jonge vent uit South Wales die intellectueel uitblonk maar weinig sociaal vernis had, vonden ze, helemaal terecht. St Catherine's was een energiek instituut, al was het nog niet gevestigd in zijn huidige, modernistische universiteitsgebouw, dat Mervyn, even conservatief op het gebied van architectuur als op zoveel andere gebieden, sterk afkeurde. Toen hij op zijn eerste werkgroep van een privéleraar op New College verscheen, vroeg zijn nieuwe docent beleefd of het Engels de eerste taal van de jonge Welshman was.

Ondanks zulke haperingen deed Mervyn het heel goed; hij werkte hard en vermeed het bierdrinkende sociale leven van het college. Na twee jaar op Catz kreeg hij een betrekking als jong onderzoeker aangeboden op St Anthony's, een veel prestigieuzer college, dat de beste Britse kenners van de Sovjet-Unie in huis had. Dit was de cruciale eerste stap om een vaste aanstelling als don te krijgen. Naar het zich liet aanzien stond Mervyn, zuiver door middel van hard werken, op het punt een gevestigde naam te worden in het snel groeiende vak sovjetologie, een van de vele jonge mannen die zich toen bezighielden met de vreemde intriges van het Rode rijk dat in het oosten in opkomst was.

Maar het was niet genoeg om uit de verte naar een vreemd land te turen. In 1957 deed zich plotseling de gelegenheid voor om Rusland te bezoeken, iets wat de voorafgaande twintig jaar ondenkbaar was geweest voor iedereen behalve erkende diplomaten of af en toe een journalist. Chroesjtsjov had in Moskou opdracht gegeven voor een groot Festival van Studenten en Jongeren, met jeugdige gasten uit de hele, grote gemeenschap van socialistische landen (waar Cuba onder de heerschappij van Batista nog niet bij hoorde) en ook, verbazingwekkend genoeg, uit de gelederen van 'progressieve elementen' in gedegenereerde kapitalistische landen. Mervyn meldde zich aan. Zeer tot zijn verbazing werd hem die zeldzaamste van officiële gunsten verleend, namelijk een visum voor de Sovjet-Unie.

Het festival was een zorgvuldig georganiseerde en strak gecontroleerde aangelegenheid, maar voor Mervyn en de zeshonderd westerse studenten die het bijwoonden, was het een bedwelmende onderdompeling in de wereld die ze al zo lang hadden bestudeerd. Mervyn was zo opgewonden dat hij nauwelijks kon slapen, ook al merkte hij dat hij een instinctieve hekel had aan de samenzangbijeenkomsten en het met vlaggen paraderen door stadions vol juichende jonge communisten. De Moskovieten waren niet minder opgewonden. Jonge westerlingen waren even exotisch als mythische dieren, en dat des te meer omdat elk contact met buitenlanders in de afgelopen twintig jaar algauw aanleiding was geweest voor een tijd in de goelag. Een aantal van de aanwezige Afrikaanse kameraden maakte gretiger gebruik van de gelegenheden tot verbroedering dan de autoriteiten hadden voorzien, en verwekten een hele generatie halfbloedjes, die voorgoed bekend bleven als Kinderen van het Festival.

Mervyn maakte contact met een stel stoutmoedige geesten die van de sfeer van vrijheid die het festival had geschapen gebruikmaakten om met buitenlanders te praten. Een van hen was een duivels knappe jonge Joodse toneelstudent die Valery Sjein heette, en die zwierige petjes en gestreepte shirts droeg, en diens kalmere neef Valery Golovitser, een gedreven balletliefhebber die een paar jaar jonger was dan Sjein. De drie jongemannen wandelden over de Gogolevski-boulevard, diep in ernstig gesprek over het leven dat elk van hen leidde. Toen Mervyns al te korte week in Moskou eindigde, wisselden ze adressen uit. Het leek voor alle betrokkenen onwaarschijnlijk dat het wonder van het festival zich ooit zou herhalen, of dat Mervyn ooit zou mogen terugkomen. Het idee dat de beide Valery's ooit de gelegenheid zouden krijgen om Engeland te bezoeken was zo onvoorstelbaar dat het belachelijk was. In zekere zin hadden ze gelijk. Moskou stond pas opnieuw open voor een massale intocht van buitenlanders bij de Olympische Spelen van 1980.

Maar in het volgende jaar, 1958, hoorde Mervyn dat er een baan beschikbaar was in Moskou. Goed, het was bij de Britse ambassade, en hij zou het afgesloten leven van een diplomaat moeten leiden, zonder contact met het echte Russische leven waarvan hij tijdens het festival had geproefd. Maar de baan, een lage functie op de afdeling Onderzoek, zou hem in elk geval in Rusland brengen.

Er werd gesolliciteerd naar de betrekking, er werd een regeling getroffen voor een verlofjaar van St Anthony's, en na verloop van tijd verscheen er in Mervyns kamertje in het college een formele brief op briefpapier van het ministerie van Buitenlandse Zaken met de mededeling dat hij was aangenomen. Hij kocht in de Co-op in Oxford een buitengewoon dikke donkerblauwe jas in het vooruitzicht van de strenge Moskouse winters, een jas die ik nu nog draag. En op een gegeven moment tegen het eind van de zomer nam Mervyn een blik zwarte olieverf en ging ervoor zitten om zijn mooie nieuwe hutkoffer te beschilderen met de in keurige drukletters geschreven woorden 'W.H.M. MATTHEWS, ST ANTHONY'S COLLEGE, OXFORD, АНГЛИА', met het laatste woord in forse cyrillische letters, zodat er geen twijfel kon bestaan aan de bestemming van de hutkoffer.

Mensen die zijn losgeraakt van hun eigen huis en in hun eentje de wereld in zijn getrokken, zwalken rond tot ze de plekken vinden die hun passen. Tegen het eind van mijn eerste week in Moskou in april 1995 wist ik dat ik mijn plek had gevonden in de woeste, smerige rauwheid van die stad. Ik dacht: óf dit is de werkelijke wereld, óf er is geen werkelijke wereld.

Het Rusland dat ik kende was geïnfecteerd met het virus van de eeuw. De incubatietijd duurde lang, maar plotseling, bijna zonder waarschuwing, stortte het hele vermolmde gebouw in onder het gewicht van zijn eigen hypocrisie en disfunctie. Voor Russen was de schok van de implosie van het systeem dat al hun fysieke, spirituele en intellectuele behoeften had ondersteund veel diepgaander dan alles wat het Sovjetsysteem hun ooit had aangedaan – zelfs dan de Zuiveringen, dan de Tweede Wereldoorlog. Die twee gruwelen hadden tenminste een verhaal dat gemakkelijk te begrijpen was. Maar nu werden ze getroffen door iets wat volstrekt onverklaarbaar was – geen vijand, maar een vacuüm. Ze hadden niets dan hun Rus-zijn om op terug te vallen, de intense ervaring van Rus te zijn die hen bijeenhield als zwervende soldaten in een sneeuwstorm.

Mensen reageerden op verschillende manieren. Met de ogen knipperend als overlevenden van een aardbeving vonden sommigen hun nieuwe God in geld, seks, drugs, nationalistische fantasieën, mysticisme, charismatische religieuze sekten. Anderen herontdekten de strenge en oude orthodoxe God van heel Rusland. Sommigen, bezeten van een doelloze razernij, vonden welvaart door prulletjes en scherven uit de ruïnes te roven. Anderen, die spoedig de nieuwe meesters van het land zouden worden, keken niet om naar de prulletjes en zochten het in de schatten.

En toch leefden de meeste Russen, nu zoveel gevaren hen van binnenuit beslopen, naar buiten toe nog op de gok, op spiritueel krediet. In andere landen heeft een trauma van deze grootte de maatschappij uiteengescheurd en in tientallen jaren van zelfanalyse gestort. Maar in Rusland zorgden de twee krachten van fatalisme en apathie ervoor dat het land reageerde met weinig meer dan een collectief, berustend schouderophalen, en noest doorwerkte aan de pijnlijke taak in leven te blijven.

Ik kwam in wanhoop naar Moskou. Nadat ik aan Oxford was afgestudeerd, had ik twee jaren doorgebracht met ongelukkig zwerven te midden van de generatie van expats in de randgebieden van Praag en Boedapest, waar ik overdag sterke koffie dronk en 's avonds pilsjes bietste van Amerikaanse meisjes. Ik probeerde, niet zo heel ijverig, te schrijven, hetgeen me na verloop van tijd in het belegerde Sarajevo bracht als freelance verslaggever, met een geleend kogelvrij vest en een rugzak vol blanco notitieboekjes. Ik vond de spanning waarnaar ik op zoek was geweest door in gepantserde troepentransportwagens van de Verenigde Naties te rijden langs hopen verbrijzeld beton en het mooie, jongensachtige puin van mijn eerste oorlog. Ik liep door onverlichte straten vol mensen die in de zomeravond wandelden als de verdoemden op een gravure van Gustave Doré, en las *De gebroeders Karamazov* gedurende een bombardement, terwijl ik me verbeeldde verbonden te zijn met de meest duistere krachten van de wereld. Maar toen zag ik hoe een kind werd doodgeschoten door een sluipschutter terwijl het een weg over rende; door de inslag van de kogel werd het opgetild en levenloos neergesmeten als wasgoed dat uit een mand wordt gegooid, en ik voelde walging opkomen over mijn eigen voyeurisme. Na mijn terugkeer in Boedapest besloot ik dat ik de bohemien dwaasheid van het caféleven niet meer aankon, en ik begon op zoek te gaan naar iets somberders, iets harders.

Een paar maanden later stond ik op het beregende trottoir voor een McDonald's in Belgrado kleingeld uit te tellen voor een hamburger en patat. Ik was bezig, of liever ik probeerde een man te volgen die Željko Ražnatović heette, ook bekend als Arkan, een van de meest beruchte militaire leiders in de Bosnische oorlog, die zijn plundercarrière had afgesloten en nu het soort leven van een soapster leidde vol ongegeneerde kitsch, voetbalfanatisme en maffiageweld, hetgeen volgens mij een goed tijdschriftartikel zou opleveren. Ik volgde hem naar de voetbalwedstrijden van Rode Ster Belgrado, ik volgde hem naar zijn woning en zijn kantoor, ik bracht een bezoek aan zijn voormalige mascotte, een tijgerwelp die nu groot en chagrijnig in een kooi zat in de dierentuin van Belgrado. Het was mischien wel goed materiaal, maar ik zat inmiddels zonder geld, en het zag er niet naar uit dat Arkan bereid was om met me te praten.

Ik belde mijn moeder in Londen vanuit de persclub Belgrado (vanwaar je gratis internationale telefoongesprekken kon voeren, ontdekte ik). Zij vertelde me dat een Engelstalige krant in Moskou, waarbij ik op haar aanraden tijdens een van mijn periodes van werkloos lummelen in Londen had gesolliciteerd, me een baan had aangeboden als verslaggever. Het was tijd om een baan te krijgen. Tijd om naar Rusland te gaan.

Ik had al een paar keer eerder een bezoek gebracht aan Moskou: als klein kind met mijn moeder, en later als tiener met mijn vader toen hij halverwege de jaren tachtig terug mocht komen in de Sovjet-Unie. Ik had het er nooit erg leuk gevonden. Ik had altijd een hekel aan het gebrek aan privacy in Lenina's tweekamerflat en ik ergerde me voortdurend aan de stroom van zelfingenomen raadgevingen en correcties die Russische oude vrouwen menen aan jongelui te mogen uitdelen. Ik vond de gastvrijheid overweldigend, en de uitbundigheid van iedereen die ik tegenkwam gênant. Bejaarde vriendinnen van mijn tante werden gerekruteerd om met me naar musea en theaters te gaan, en hun tienerkinderen kregen de opdracht me mee te nemen naar vervallen Sovjetpretparken en te luisteren naar straatzangers op de Arbat. Ik was verlegen en nogal conservatief, en had moeite met de openlijke aanbidding door mijn jonge gezelschap van alles wat westers was – en dat des te meer omdat ik een hekel had aan popmuziek en disco's, zaken die voor hen een soort nirwana leken te vertegenwoordigen. Bovenal gaf de stad me een claustrofobisch gevoel, niet in het minst omdat ik in mijn westerse kleren overal waar ik kwam ongegeneerd werd aangestaard – dat gevoel had ik in elk geval, verlegen zestienjarige die ik was.

In de zomer van 1990, toen ik van school af was, mocht ik eindelijk alleen naar Moskou gaan. Ik vond een zomerbaantje als vertaler bij de Britse ambassade, dankzij voormalige leerlingen van mijn moeder die daar werkten. Net als mijn vader veertig jaar eerder werkte ik in een kantoor in de voormalige stallen achter het oude landhuis Charitonenko, waar ik sjouwde met stapels formulieren waarin een visum werd aangevraagd, en van tijd tot tijd moest opdraven om me voor te doen als de viceconsul, wanneer boze aanvragers van een visum eisten een echte, levende Engelsman te spreken te krijgen. Ik was achttien jaar oud. Ik leerde croqueten van de zonen van de chargé d'affaires op het onberispelijke gazon van hun woning vlak bij de oude Arbat, en huurde een officiële zwarte Volga-sedan om me 's morgens af te halen bij de woning van mijn tante en me naar mijn werk te brengen.

Moskou was bijna onherkenbaar veranderd sinds de laatste keer dat ik er was geweest; er hing een tastbaar gevoel dat de oude orde, die ooit zo blijvend had geleken, bezig was te desintegreren. De verkeerspolitie leek niet bij machte automobilisten te weerhouden op straat te keren waar dat verboden was; niemand hield zich aan het officiële verbod privéauto's als taxi's te gebruiken. De wisselkoers op de zwarte markt was tien keer zo hoog als de officiële koers, zodat ik opeens rijk was. Goed, er was niet veel te koop, maar ik ontdeed de Melodija-platenzaak aan de nieuwe Arbat van elke klassieke plaat die ze hadden voor in totaal twintig pond, en wankelde huiswaarts met stapels kunstboeken die ik voor een paar penny's had gekocht bij de winkel van de Tretjakov-galerie. De pas geopende McDonald's aan het Poesjkin-plein, de eerste in de Sovjet-Unie, had de ambassade een paar bonnen voor gratis Big Macs gestuurd, dus een keer tussen de middag namen een stel Britse collega's en ik de Rolls-Royce van de ambassadeur in beslag en reden erheen om wat te eten. De rij Russen die geduldig stonden te wachten op hun eerste hapje van het Westen slingerde zich door de straat. Wij stapten uit de Rolls en liepen meteen naar binnen, zwaaiend met onze bonnen en ons buitenlanderschap als duidelijke kentekenen van bevoorrechtheid. Ik ben er nu niet trots op, maar in Moskou voelde ik me voor het eerst in mijn leven stinkend rijk, cool en onnoemelijk superieur.

Alles aan Moskou leek nog steeds vervallen en hopeloos voddig: de kleren en schoenen van de mensen waren voddig, evenals de auto's en de elektrische spullen en de buskaartjes en de bussen.

Maar er was een nieuwe hoop, tastbaar aanwezig, in iedereen die jong en intelligent was. Een paar vrienden namen me mee naar een lezing over geschiedenis van Joeri Afanasijev, de vroegere klasgenoot van mijn moeder, die twee uur lang over het stalinisme sprak voor een grote zaal die stampvol zat. Het feit alleen al dat hij zo openlijk een onderwerp behandelde dat taboe was, leek benevelend. De toehoorders schreven vragen op strookjes papier en gaven die na de lezing aan de spreker door als een eindeloze stroom, zoals gepast was in Sovjetstijl, en de bijeenkomst eindigde pas toen iemand hen kwam waarschuwen dat het bijna tijd was voor de laatste bus. Er bestond bij deze mensen een honger naar de waarheid die diepe indruk op mij maakte – een honger ondersteund door een krachtig geloof dat de waarheid hen op de een of andere manier vrij zou maken. Ik vond mijn nieuwe Sovjetvrienden sentimenteel en naïef, maar het was duidelijk dat het hun ernst was, en dat ze ervan overtuigd waren dat ze, zoals Solzjenitsyn hen had aangespoord, niet langer door middel van leugens moesten leven.

Vijf jaar later stapte ik weer door de spiegel Rusland in via het eindeloos deprimerende halfduister van de luchthaven Sjeremetjevo – dit keer niet als bezoeker maar om een nieuw leven te beginnen. De oude lucht van Sovjetschoonmaakmiddel en muffe verwarming hing er nog steeds, zoals ik me herinnerde van mijn reizen als kind. Maar verder was er veel veranderd. In plaats van lege, holklinkende gangen en grenswachten met strenge gezichten bevond ik me midden in een menigte dringende taxichauffeurs. Opzichtige reclameborden adverteerden voor geïmporteerd bier en More-sigaretten. Vlezige vrouwelijke reizigers drongen zich langs me, slepend met zware tassen vol jassen en laarzen, gekocht tijdens speciale shoppingtochten naar Dubai en Istanbul. Ik werd uit het gedrang gehaald door Viktor, een chauffeur van de *Moscow Times*, die me in zijn bejaarde Lada duwde en die door het zigzaggende verkeer van de Leningradsky Prospekt stuurde.

De bewolkte hemel had de kleur van rook, en het waterige laatwinterse licht gaf de stad een lichtgrijze spoeling. Aan weerszijden van de weg marcheerden rijen flatgebouwen naar een horizon van wolkende schoorstenen en mist. Zwaargebouwde bussen rolden voort, met flapperende motorkappen, en stootten zwart uitlaatgas uit. Langs de randen van de weg stonden groepen voetgangers te wachten om de afschrikwekkende zestien rijstroken van de Prospekt over te steken. Zelfs toen we het centrum van de stad naderden, was er nog iets van de steppe te voelen in deze enorme winderige ruimtes.

Het moet wel heel anders zijn geweest toen mijn vader voor het eerst in Rusland aankwam. Toen was de ziel van de stad gezwollen van overwinning en trots, en niet slinkend van uitputting. Het Moskou dat hij kende was brandschoon, de zorgvuldig geplande hoofdstad van een uitdijend wereldrijk. Het was een beheerste, strenge plaats, niet de krioelende rotzooi waartoe het zou vervallen na de ineenstorting van de Sovjet-Unie. En emotioneel was het, voor mijn vader, verder weg. Voor een generatie die niet gewend was te reizen had Rusland evengoed op een andere planeet kunnen liggen. Maar Mervyn was zo gelukkig als hij maar kon zijn. Hij had zich eindelijk losgemaakt van zijn thuis en bewoog zich in de richting van een plaats die hem zou passen.

De tijd en de stad waren vol van valkuilen voor een jongeman die verliefd was op Rusland en gezegend, of belast, met een sterke eigenzinnigheid. De Koude Oorlog naderde zijn hoogtepunt. Kort tevoren hadden Sovjettanks de Hongaarse Opstand de kop ingedrukt en het leed geen twijfel in de geesten van velen in het Westen dat het socialisme de ambitie had de hele aarde te veroveren. Het was een tijd waarin de wereld duidelijk verdeeld was volgens morele onvoorwaardelijkheden, waarin de tegen elkaar strijdende ploegen verschillend gekleurde truien droegen en de nucleaire handicaps op het programma stonden.

Het is nu moeilijk om je voor te stellen hoe spannend en geheimzinnig het was in de gesloten hoofdstad van een parallelle, vijandige wereld te wonen. Het Moskou dat mijn vader kende, is van het Rusland waarin ik woonde gescheiden, niet alleen door de tijd van een half leven, maar door een seismische verschuiving van de geschiedenis. De generatie van mijn vader werd gekenmerkt door een bittere, ideologische scheidslijn die zich over de wereld spande, en hij deed, om redenen die ik pas begon te begrijpen toen ik dertig jaar later zelf in Rusland ging wonen, alles wat hij vermocht om aan de andere kant van die scheidslijn te leven. Voor de strijders in de Koude Oorlog aan de ambassade met wie hij werkte, was Moskou het hart van alle duisternis in de wereld, al gold dat niet voor Mervyn zelf.

Er is een foto van mijn vader die ik nooit gezien had tot hij me, zonder commentaar, eind 1999 op de trap van ons huis in Londen, een exemplaar van zijn memoires overhandigde, waarna hij zich met een verlegen glimlach afwendde en zich terugtrok in zijn werkkamer. Het is een foto van een verrassend knappe jongeman, wiens das en kraag ietwat scheef zitten, die dromerig en een tikje verlegen over de schouder van de fotograaf kijkt terwijl hij op het balkon staat van het flatgebouw van de diplomatieke dienst aan de Sadovaja-Samotetsjnaja-straat – die net als toen ook nu nog bij de bewoners bekendstaat als 'Sad-Sam' – ergens in de vroege herfst van 1958. Hij staart uit over de Tuinringweg – toen nog geen verstikkende verkeersader – en hij lijkt een ernstige jongen, die graag aardig gevonden wil worden, een beetje onzeker van zichzelf. De foto is genomen kort nadat hij in Moskou was aangekomen. Hij was zevenentwintig jaar oud, had een veelbelovende academische loopbaan in het vooruitzicht, en vond het fantastisch in de Sovjet-Unie te zijn. Het grote avontuur van zijn leven ging beginnen.

Mervyns leven was comfortabel – of, naar Sovjetmaatstaven, beslist luxueus. Hij deelde het driekamerappartement aan de Sad-Sam met een ander jong staflid van de ambassade, Martin Dewhirst. De elektrische stekkers en apparaten waren uit Engeland geïmporteerd, en de telefoon droeg het opschrift 'Spreken via deze lijn is NIET VEILIG'. Ze hadden een futloze werkster die Lena heette en een Siberische kat die Sjoera heette, en sloegen huiselijke genoegens zoals whisky en volkorenbiscuits in bij de kleine winkel van de ambassade. Het nette pak dat Mervyn had gekocht toen hij naar Oxford ging, werd voortdurend gebruikt voor diplomatieke cocktailparty's, die hij ondraaglijk vervelend vond.

Mijn vader was dan wel fysiek in Moskou, maar hij merkte algauw dat hij en zijn medebuitenlanders gedwongen waren gescheiden te leven van de Russen om hen heen. Zijn buitenlandse accent en kleren waren aanleiding tot schrik en verbazing bij caissières in winkels en passagiers in trams. Contact zoeken met zijn oude vrienden van het festival was onvoorstelbaar gevaarlijk, niet voor Mervyn maar voor hen. Elke beweging die hij maakte, werd gecontroleerd door groepen KGB-agenten in burger – die door de jonge diplomaten 'goons' werden genoemd, naar de boeven in Amerikaanse gangsterfilms van die tijd – die hem volgden op zijn nachtelijke wandelingen rond de ring van boulevards. Mervyn bedacht spelletjes om met zijn bewakers te spelen. Een van zijn favoriete grappen was het op een hollen te zetten in een drukke straat, en dan achterom te kijken om te zien wie ook begon te rennen. In de metro stapte Mervyn, oneerbiedig gestemd, een keer op een KGB-man die hij herkende af en zei: 'Hoeveel zomers, hoeveel winters?' – de standaardbegroeting voor mensen die je lange tijd niet gezien hebt. De man vertrok geen spier en zei niets. De KGB was, voor Mervyn, niet meer dan een licht dreigend rekwisiet in zijn jongemannenwereld van avontuur.

Gelukkig voor Mervyns geestelijke gezondheid verscheen er algauw een redder in de piepkleine vorm van Vadim Popov. Popov was een lage ambtenaar bij het ministerie van Onderwijs, en hij werd de eerste echte Russische vriend van mijn vader. Ze leerden elkaar kennen toen Mervyn het ministerie bezocht om aan zijn officiële taak te beginnen, die erin bestond een document samen te stellen over het universitaire systeem van de Sovjet-Unie. Vadim was iets ouder dan Mervyn, sterk en gedrongen, met een vierkant Slavisch gezicht. Hij was een drinker, en verbeeldde zich dat de vrouwtjes hem wel mochten; hij kon soms grof zijn en zelfs agressief. Maar Mervyn merkte dat hij snel iets begon te voelen voor de ruwe charme van zijn nieuwe kameraad.

Vadim benoemde zichzelf tot Mervyns gids voor wat mijn vader zich graag inbeeldde dat het 'echte' Rusland was – een Rusland van rokerige restaurants, levendige gesprekken en naar zweet riekende omhelzingen. In de loop van maanden, en geleidelijk aan, wist Vadim Mervyn uit zijn verlegenheid te trekken, en leidde hem binnen in een glamoureuze wereld van flirterige vrouwen en sentimentele, door wodka geïnspireerde bekentenissen.

Hoewel Mervyn verslag uitbracht over zijn eerste, officiële ontmoeting met Vadim om over het Sovjetbeleid voor hoger onderwijs te praten, bracht hij geen verslag uit over de vele dronkenmansetentjes die volgden, hoewel de regels van de ambassade dat wel voorschreven. Hij durfde het niet. Als de een of andere idioot in het hooggerechtshof erachter was gekomen, hadden ze Mervyn waarschijnlijk verboden om te gaan met zijn enige Russische maatje, zijn enige raam dat uitzicht bood op een Moskou dat zijn collega's van de ambassade nooit zagen.

Overdag werkte Mervyn ijverig onder de hoge plafonds van het bourgeois interieur van de ambassade, die gevestigd was in het voormalige herenhuis Charitonenko, een afgrijselijk miniatuurlandhuis dat recht tegenover het Kremlin aan de overkant van de Moskwa stond. 's Avonds zat hij urenlang te kletsen met zijn huisgenoot bij bekers Ovaltine, of hij gaf zijn KGB-goons flink wat nachtelijke lichaamsbeweging door heen en weer te lopen over Tsvetnoi-boulevard en Petrovka. Op de gezegende avonden dat Vadim hem mee uit vroeg, sloop hij uit Sad-Sam weg voor een verboden maar fascinerende nacht van slecht eten, vreselijke muziek en reële, levensechte Russen op rokerige, lawaaiige zigeunerrestaurantschepen op de Moskwa. Hij was zo gelukkig als hij maar kon zijn.

De winter in Moskou komt neer als een hamer; hij verplettert licht en kleur en slaat het leven uit de stad. Hij sluit zich boven je hoofd als een paar muffe vleugels, wikkelt Moskou in een cocon en sluit het af van de wereld. De stad begint eruit te zien als een droomlandschap in zwart-wit, desoriënterend en vaag verontrustend. In de straten haasten stromen dik ingepakte figuren zich door poelen van vuilgeel licht voordat ze verdwijnen in deuropeningen of de metro. Alles wordt monochroom, de mensen in zwart leer en zwart bont, de stad gehuld in zwarte schaduwen. In de tunnels of in winkels, de enige plekken waar je mensen in helder licht ziet, zijn de gezichten bleek en gespannen en is alles doordrongen van de nattehondengeur van vochtige wol. De luchten zijn vuilgrijs en hangen drukkend laag.

Elke winter die ik in Moskou doorbracht, had ik het gevoel dat de wereld zich in zichzelf terugtrok, ineenkromp tot een staat van beleg achter ramen met dubbel glas, zich schuilhield in de bedomptheid van de door de staat geleverde stoomverwarming, en dat wij machteloos waren tegenover deze overweldigende natuurkracht, breekbaar, niet in staat iets anders te doen dan ons lot te aanvaarden.

Toen de eerste bijtende vorstperiodes van december 1958 begonnen, ging Mervyn al vaker met Vadim uit eten. Voor ze elk huns weegs gingen, spraken ze de dag en de tijd af voor de volgende ontmoeting; ze vonden het allebei, om onuitgesproken maar duidelijke redenen, beter niet via de telefoon te communiceren.

Op een avond ging Mervyn per trolleybus op weg naar het Manezj-plein in de verwachting naar Aragvi, een van hun favoriete Georgische restaurants, te gaan, of misschien naar het Nationale Hotel. Maar tot zijn verrassing, en lichte schrik, zag hij Vadim bij de trolleybushalte staan naast een brommende officiële ZiL-limousine. Vadim begroette hem hartelijk en legde achteloos uit dat de auto van zijn oom was, die hem de wagen die avond had geleend om hen naar zijn datsja te brengen, waar het avondmaal wachtte. Vadim hield het portier uitnodigend open. Mervyn aarzelde, denkend aan de mogelijke gevolgen wanneer hij de door de Sovjetregering opgelegde regels overtrad die het buitenlanders verboden zonder toestemming buiten de stadsgrenzen te reizen. Toen klom hij toch maar in de ZiL en reed met Vadim naar de datsja, ver buiten de stadsrand en diep in het winterse landschap, en belandde in een nieuwe fase van zijn leven, vreemd en gevaarlijk.

Het diner was uitstekend. Mervyn en Vadim aten kaviaar, haring, wodka, gerookte steur en dampende gekookte aardappels, opgediend door een bejaarde kok. Ze zaten bij het haardvuur van de datsja over vrouwen te praten, en deden dronken pogingen te biljarten. Het bestek was van zwaar victoriaans zilver, de fauteuils bij de haard waren dik gevuld en dateerden uit prerevolutionaire tijden. Er was een vriend van Vadim aanwezig, een dikke, joviale gynaecoloog die grappen debiteerde over het onderzoek waar hij mee bezig was, en dat erin bestond de baarmoeders van vrouwtjeskonijnen op te blazen. Vadim mijmerde over zijn laatste veroveringen. Er werd niet over politiek gesproken. Mervyn ontspande zich, wazig van de wodka, waar hij nooit zo goed tegen kon. Toen hij het huis prees, met zijn donkere olieverfschilderijen en bochtige trappen, mompelde Vadim terloops dat zijn oom een echte *bolsjaja sjisjka* was, letterlijk een 'grote dennenappel', jargon voor een Partijbaas.

Om één uur in de morgen kwam de kok zeggen dat hun ZiL klaarstond. Ze reden zwijgend naar Moskou, verzadigd, dronken en gelukkig. Terug op bekend terrein toen de enorme auto de bocht rondde om bij het Majakovski-plein op de Tuinringweg te komen, drong er een rationele gedachte door de wodkanevel heen. Mervyn vroeg de chauffeur een paar honderd meter vóór Sad-Sam te stoppen. Hij stapte uit, bedankte uitvoerig en nam afscheid, en liep het verdere eind naar huis. Een jonge Britse diplomaat die in de kleine uurtjes van de ochtend in een officiële Sovjetlimousine aankwam bij een groep gebouwen voor buitenlanders, dat had verkeerd begrepen kunnen worden als iemand van zijn chocolademelk drinkende collega's het toevallig had gezien. Dit zou mijn vaders kleine geheim worden: een geheim leven met de Russische vrienden die hij had gevonden, dat niemand van de ambassade hem kon afnemen.

Mijn eerste appartement in Moskou was een armoedig woninkje vlak om de hoek van Sad-Sam; ik kon vanuit mijn ramen hetzelfde kruispunt zien, gehuld in een lijkkleed van grijze uitlaatgassen. 's Avonds liep ik vaak over de Tsvetnoi-boulevard, in mijn eentje. Er waren geen goons die me volgden.

De plaats waar ik werkte in Moskou was aan de Oelitsa Pravdy, letterlijk de Straat van de Waarheid. Elke morgen hield ik een passerende auto aan, onderhandelde even met de chauffeur over de ritprijs van twee dollar en werd naar mijn werk gereden. Op sommige dagen stopten er glanzend gepoetste zwarte regerings-Audi's met getinte ramen voor me, soms ambulances, en één keer een legertruck vol soldaten. In elk geval reed of hobbelde ik, in wat voor voertuig ook, langs Sadovaja-Samotetsjnaja en sloeg de Leningradsky Prospekt naar het noorden in. Het oude gebouw van de *Pravda*, waar de *Moscow Times* een halve verdieping had gehuurd, was een goor constructivistisch bakbeest dat gehurkt zat tussen achterafstraatjes met verzakte pakhuizen. Ik was binnen een kwartier op mijn werk en rende de trappen op naar de grote, holle redactiekamer.

De krant werd gedreven door slimme jonge expats, voornamelijk Amerikanen. De eigenaar was een kleine, Nederlandse voormalige maoïst die ook de Russische edities van *Cosmopolitan* en *Playboy* publiceerde. De meesten van mijn nieuwe collega's waren goed opgeleide Russische hoofdvakstudenten, allemaal slim, vriendelijk en enthousiast. Mijn eigen taak bij de krant was eenvoudig. Terwijl mijn meer serieus aangelegde collega's zwoegden op Kremlin-intriges en de toestand van de economie, werd ik losgelaten met de vrijblijvende instructie op zoek te gaan naar grillige reportages in de menselijke jungles van de stad. Het was voor iemand van vierentwintig, die er precies twee jaar tamelijk beschroomde journalistieke ervaring op had zitten, een klein maar opmerkelijk professioneel wonder. Volkomen onverwacht ontdekte ik dat ik de hele krijsende, tierende, onmatige, sensationele onderkant van Moskou min of meer voor mezelf had.

Halverwege de jaren negentig was Moskou vulgair, corrupt en

gewelddadig. Het was manisch, obsceen, luidruchtig en bezeten van Mammon. Maar bovenal vond ik er bijna alles dolkomisch, onnoemelijk grappig. Van de manier waarop boefachtige Nieuwe Russen de stickers met 'UV Protected' op hun zonnebril lieten zitten, tot hun gewoonte om oliemaatschappijen van elkaar te stelen, de manier waarop ze TNT onder auto's aanbrachten en op openbare plaatsen vuurgevechten ensceneerden, het was allemaal komisch. Tegen de tijd dat je genoeg van het allesdoordringende cynisme van het land in je had opgenomen, was zelfs de tragiek tot op zekere hoogte op een donkere manier amusant. Soldaten bliezen zichzelf op doordat ze met een hamer de koppen van raketten probeerden open te meppen, of probeerden gouden printplaten te stelen. Ambulancechauffeurs gebruikten hun werktijd om er wat bij te verdienen als taxi. Politieagenten hielden er prostitutiebedrijfjes op na en leverden de meisjes in politieauto's bij hun klanten af.

De president van Rusland dartelde rond op een podium in München, waar hij dronken een orkest dirigeerde. Ruslands kosmonauten repareerden hun ruimteschip met een Engelse sleutel en isolatieband als ze even tijd hadden tussen het maken van reclamefilmpjes voor Israëlische melk en pretzels en het drinken van blikjes wodka met het opschrift 'Psychologische Steunstoffen'. Meisjes die met je mee naar huis gingen na een kwartier dronken geklets in een nachtclub waren dodelijk beledigd wanneer je bij een tweede afspraak geen bloemen meebracht. Gogol wist de vervuilde geschiftheid van Rusland het best weer te geven – de nachtmerrieachtige stemming van ontregeling, de krankzinnige, konkelende mensjes, de onnozele ijdelheden, de beestachtige dronkenschap, de kwijlende pluimstrijkerij, de stelende, onbekwame, vrekkige boerenstand.

Net zoals mijn vader waarschijnlijk had gevonden, vond ik Rusland niet alleen een ander land, maar een andere werkelijkheid. Wat de stad naar buiten toe liet zien, was best vertrouwd – de witte gezichten, de winkelfaçades in westerse stijl, de neoklassieke architectuur. Maar dit Europese korstje verscherpte alleen het gevoel dat het daaronder anders was. In plaats van geruststellend was de vervorming van het vertrouwde juist nog verwarrender. Moskou deed even surrealistisch aan als een koloniale buitenpost waar een verre meester had geprobeerd hardnekkig Britse architectuur en Europese stijlen aan te brengen. Onder al dat vertoon was het hart van de stad wild en Aziatisch.

Een van mijn eerste opdrachten was de Eerste Jaarlijkse Tatoeage Conventie in Moskou te verslaan. De conventie werd in de verbijsterde Moskouse pers voorzichtig aangekondigd als een *koeltoerny festival*. In feite was het een clanbijeenkomst van de alternatieve gemeenschap van de stad, een uitbundige, heidense orgie van nonconformisme. Een dikke wolk van lichaamsgeur kwam uit de donkere ingang van de Hermitage-club golven, voortgestuwd door vele decibels van punkrock. Binnen waren de twee voornaamste ruimtes doordrongen van de ranzige rook van goedkope Sovjetsigaretten en gevuld met de deinende vormen van vaag verlichte, halfnaakte lichamen, grotendeels van het mannelijk geslacht. Moskous punkers, skinheads, motorrijders en een paar cultureel verwarde hippies zwierden rond als één reusachtige, stinkende, hijgende massa, die zich nog verdichtte om in een bezeten ritme te pogoën voor het podium, waar vier punks, hun hanenkam met zweet op hun hoofd geplakt, slechte covers van de Sex Pistols stonden te rammen.

Op een andere avond was ik te vinden in Dolls, een opzichtige en populaire striptent waar tieneracrobaten naakt op de tafels dansten. Daar zag ik Paul Tatum, een vooraanstaand Amerikaans zakenman; hij zat alleen aan een van de tafeltjes aan de rand van het podium, met een drankje in zijn handen. Tatum was een soort plaatselijke beroemdheid vanwege zijn al lang bestaande zakelijke conflict met een groep Tsjetsjenen over de eigendom van het zakelijk centrum van het Radisson-Slavjanskaja-hotel. Ik ging hem begroeten toen we binnenkwamen, en hij leek wat afgeleid; zijn gebruikelijke optimisme leek wat gespannen. We praatten een tijdje over de 'vrijheidsobligaties' die hij had uitgegeven om geld bijeen te brengen voor zijn juridische strijd met de Tsjetsjenen, en die hij aan zijn vrienden had verkocht.

Joseph Glotser, de eigenaar van de tent, kwam bij ons zitten; hij verzuchtte, half voor de grap, in een zwaar Amerikaans-Russisch accent, hoe moeilijk het was om 'in deze stad een eerlijke boterham te verdienen'. Tatum leek graag weer naar de vogeltjes te willen kijken, dus ik wenste hem het beste en ging terug naar mijn vrienden.

Een maand later was Tatum dood. Iemand had elf AK-47 kogels in zijn nek en rug gevuurd toen hij de voetgangerstunnel buiten het Radisson in kwam. Tatum had die avond niet zoals gewoonlijk zijn kogelvrije vest aan gehad, maar zelfs als hij het had aangehad zou het hem niets geholpen hebben, omdat de moordenaar van bovenaf had geschoten, recht omlaag door zijn sleutelbeen en bovenste wervels. Tatums twee lijfwachten waren ongedeerd. Het was een klassieke Moskouse moord. De schutter liet de kalasjnikov vallen en liep rustig weg, en een paar uur later gaf de politie de standaardverklaring uit, dat ze van mening waren dat de moord verband hield met de 'beroepsbezigheden van het slachtoffer'.

Niet veel later was ik de enige persoon die nog leefde die zich ons korte gesprek van die avond in Dolls herinnerde. Joseph Glotser werd ook omgelegd, een paar maanden na Tatum, door middel van één enkele sluipschutterkogel vanaf de overkant van de straat toen hij uit Dolls naar buiten kwam. De schutter was zo zeker van zijn schot dat hij een tweede schot niet eens nodig vond.

Kort daarna interviewde ik, voor een artikel over de Moskouse uitvaartwereld, een lijkbezorger die gespecialiseerd was in het oplappen van de lijken van maffiaslachtoffers om in een open kist getoond te kunnen worden. De man droeg een hawaïhemd onder zijn vlekkerige labjas en sprak over huurmoorden zoals een balletkenner zou kunnen praten over een voorstelling die hij mooi had gevonden. De moord op Glotser, zei hij, met veel waardering, was een van de 'mooiste, schoonste huurmoorden' die hij ooit gezien had. Hij was een echte held van de tijd; hij bracht zijn cynisme luchtig, en maakte een grap van de afschuwelijke dingen rondom hem, zodat het niet bij hem binnen zou komen. Mijn buitenlandse vrienden en ik, leek me, waren ook lijkbezorgers, met labjassen over onze hawaïhemden; we veinsden allemaal een afstandelijk connaisseurschap van Moskous griezelige slechtheid.

De lente begon op een nacht eind april, een paar weken nadat ik was aangekomen. De avond ervoor had er nog een winterse kilte in de nachtlucht gehangen, hoewel de laatste, hardnekkige resten vuile sneeuw de vorige week eindelijk gesmolten waren. De gazons waren kaal en sjofel en de aarde rook bitter en dood. Maar toen ik de volgende morgen wakker werd was de hemel een zinderend blauw, de voorzichtige knoppen die dagen eerder waren begonnen op te komen waren plotseling allemaal opengesprongen, en de boulevard ademde een onmiskenbare geur van leven uit. Tegen die avond had de lente zich in de hele stad stevig gevestigd.

Net als uitkomende vlinders hadden de meisjes in de straten hun winterjas afgeworpen en kwamen ze tevoorschijn op hoge hakken en in minirok. Op zondagen wandelde ik over de grindpaden van Tsvetnoi-boulevard naar de Tuinringweg. Bij Sad-Sam sloeg ik dan af in de richting van het Majakovski-plein en ging op weg naar de American Bar and Grill. Daar zat meestal een stel redactieleden van de *Moscow Times*, te roddelen, onder een lijkkleed van sigarettenrook en half verscholen achter gekreukte kranten, de restanten van gepocheerde eieren naar binnen te werken. Hier was het dan eindelijk, hield ik mezelf voor, het leven van een buitenlands correspondent: de glamour, de meisjes, de stevig drinkende collega's met hun laarzen op de koperen stang, de kameraadschap van jonge mannen ver van huis in een vreemde en heerlijke stad. Ja, ik was me er zelfs toen sterk van bewust dat ik de heftigste en meest avontuurlijke tijd van mijn leven aan het beleven was. Hoewel ik er natuurlijk in het gezelschap van mijn nieuwe collega's wel voor zorgde mijn vreugde te verbergen onder een aangekweekt laagje levensmoede luchthartigheid.

9 Borrelen met de KGB

Niet het ijs is beangstigend, maar dat wat eronder zit.
Alexej Soentsov tegen Mervyn, 1961

Het produceren bij de ambassade van saaie rapporten over het hoger onderwijs in de Sovjet-Unie begon snel minder aantrekkelijk te worden. De nieuwe wereld die Vadim had geopend was het Rusland waar Mervyn op af was gekomen, het opwindende, romantische land waarover hij had gedroomd toen hij zichzelf na schooltijd ijverig Russisch had geleerd en moeizaam door *Oorlog en Vrede* had geploegd. Rusland, de warmte en ruimte ervan, de onvoorspelbaarheid en opwinding ervan, drong door in zijn bloed. En daarmee kwam ook een soort roekeloosheid, en met die roekeloosheid een soort bevrijding.

Een vriend in Oxford schreef Mervyn een brief waarin hij om een kleine gunst vroeg. Die vriend was bezig een uitgave te verzorgen van de verzamelde gedichten van Boris Pasternak, de schrijver van *Dokter Zjivago*, en had wat vroeg werk van de auteur nodig, dat alleen beschikbaar was in de Lenin-bibliotheek in Moskou. Hij vroeg Mervyn de gedichten te kopiëren en ze naar Oxford te sturen. Er was één klein probleem. Een paar maanden daarvoor, in oktober 1958, was Pasternak de Nobelprijs voor Literatuur toegekend in erkenning van *Zjivago*. Onder druk van de Schrijversbond, die het boek net als de Partij beschouwde als een verderfelijke lofzang op het prerevolutionaire Rusland, was Pasternak gedwongen geweest de prijs af te wijzen. Sterker nog: alleen het feit dat Pasternak internationaal beroemd was had hem uit de goelag gehouden. Het ongepubliceerde werk van de schrijver uit de Sovjet-Unie krijgen zou gevaarlijk worden, waarschijnlijk illegaal zijn, en zeker bedreigend voor zijn carrière. Mervyn zei onmiddellijk dat hij het zou doen.

Mijn vader was de volgende twee weken bezig de manuscripten met een kleine camera te flitsen in de leeskamer van de professoren van de Lenin-bibliotheek, waar ze voor iedereen met een lezerskaart beschikbaar waren; de andere wetenschappers sisten dat hij stil moest zijn en de bibliothecaresse werd boos. Hij stopte twee pakjes met de afgedrukte foto's in twee achtereenvolgende weken in de diplomatieke tassen van de ambassade, om te voorkomen dat ze in beslag werden genomen door de Sovjetdouane.

Een week later kwam er een oproep van het hoofd van de ambassade die plechtig via de hiërarchie naar beneden werd doorgegeven aan Mervyn. Het leed geen twijfel dat er een stevige schrobbering aankwam. Hilary King deed hoffelijk en neerbuigend toen hij mijn vader ontving in zijn prachtige kantoor op de benedenverdieping van de ambassade. Maar King had van Buitenlandse Zaken in Londen, waar de inhoud van diplomatieke tassen zorgvuldig bekeken werd, gehoord over Mervyns onofficiële pakjes. De ambassade was erg kwetsbaar voor klachten van Sovjetkant, stelde King met een stem waarin bijtende beleefdheid doorklonk. Er zouden vreselijke toestanden komen als ze ontdekten dat Mervyn heimelijk foto's van het werk van een verboden schrijver had verzonden.

Ik kan me de uitdrukking op het gezicht van mijn vader voorstellen toen hij ziedend Kings kantoor uit kwam. Ik heb die vaak gezien, een onderdrukte agressie die naar buiten komt in flitsen van woede, meestal nadat ze een paar uren of minuten heeft liggen sudderen onder een façade van ijzige vriendelijkheid. Mervyn was zo verstandig geweest zich tegenover King te verontschuldigen. Maar vanbinnen, opgekropt, was er boosheid om het inspelen van Buitenlandse Zaken op de kleinzielige administratieve eisen van de Sovjets. Hij werd berispt om een handeling die voor iedereen buiten de pygmeeënwereld van de diplomatieke bureaucratie volkomen juist zou hebben geleken, en dat deed pijn, veel pijn. Mervyn liep weg, ziedend, door de met dik tapijt bedekte gang naar zijn eigen werkkamertje in het stallencomplex achter het gebouw.

Korte tijd later brachten ze, volgens een van de oneindig subtiele methoden die de ambassade hanteerde om aan te geven dat iemand in ongenade was gevallen, een jongere onderzoeker onder in Mervyns appartement en gaven Martin Dewhirst een eigen woning. Vervolgens hielden ze Mervyns toelage voor een werkster in.

Het was tijd voor de sprong. Een advertentie in een luchtposteditie van *The Times* leek redding te kunnen bieden; er werd een uitwisselingsprogramma van afgestudeerden tussen de Sovjet-Unie en Engeland aangekondigd, het eerste dat ooit had bestaan. Het was de gelegenheid waarop Mervyn had gewacht om de koele glimlachjes in de ambassade te verruilen voor vies ruikende gangen langs studentenslaapzalen en – misschien – bevrijding van de altijd aanwezige goons. Maar er was een probleem. Mervyn was een officieel erkende diplomaat – al stond zijn naam helemaal onder aan de Moskouse diplomatieke lijst van 1958 – en het was niet zo waarschijnlijk dat het Sovjetministerie van Buitenlandse Zaken geloof zou hechten aan zijn plotselinge verandering van status naar die van een nederige academicus. Mervyns eerste stap was zichzelf weg te halen van de beperkte lijst van mensen die vertrouwelijke documenten mochten inzien en van zijn beveiligingsvergunning af te zien. De ambassade leek maar al te graag bereid hem van beide zaken te ontslaan. Het papierwerk werd goedgekeurd door de ambassade en netjes opgestuurd naar het ministerie van Buitenlandse Zaken. En natuurlijk, nadat men het bekeken had, geweigerd.

Bij kebabs en wodka in een Azerbeidzjaans restaurant verdronk Mervyn samen met Vadim zijn verdriet. De Rus knikte hem in zwijgend medeleven toe en schonk met vaste hand wodka in hun glazen terwijl Mervyn zijn verhaal deed over de onbuigzaamheid van het ministerie.

‘Je moet het nog niet meteen opgeven, Mervyn,’ verzekerde Vadim zijn vriend. ‘Ik ga uitzoeken of mijn oom iets kan doen.’

Mervyn voelde zich oneindig opgelucht. Vadim, met zijn geheimzinnige hooggeplaatste vrienden met hun ZiLs en datsja’s, zou vast in staat zijn het ministerie over te halen van collectieve gedachten te veranderen. Vadim zei niet wat er als tegenprestatie van Mervyn zou worden verwacht. Ze proostten op Mervyns toekomst als Sovjetstudent, en vriend van het Sovjetvolk.

‘Dus jij gaat naar de Staatsuniversiteit Moskou.’ De ambassadeur, Sir Patrick Reilly, deed vriendelijk, ondanks de onvolkomenheden in Mervyns korte carrière op de ambassade, toen zijn binnenkort voormalige werknemer afscheid kwam nemen. ‘Heel ongebruikelijk. Ik vraag me af waarom het ministerie je daarvoor toestemming heeft gegeven?’

Het bleef lang stil. Dit was voor Mervyn niet de tijd of de plaats om het verhaal prijs te geven van Vadim en zijn oom, van hun avondjes stappen met zijn nieuwe vrienden, van de onverklaarbare verandering van gedachten van het ministerie. Hij zei niets. Toen er geen antwoord kwam, stak de ambassadeur hem zijn hand toe. ‘Nou ja dan. Het beste.’

Om de resterende paar dagen vakantie die hij te goed had bij de ambassade te gebruiken, maakte Mervyn een reisje naar Sovjet-Centraal-Azië. Een vrouw van de ambassade, die tot taak had gevoelige documenten te verbranden in een ijzeren pot, zei dat Boechara het waard was om een omweg te maken vanuit Samarkand en Tasjkent. Mervyn besprak zijn plannen vol opwinding met Vadim, die niet onder de indruk was van het enthousiasme voor historische plaatsen van zijn vriend. Mervyn ging in oostelijke richting op weg in een reeks kleine maar stevige vliegtuigen van Aeroflot. Boechara zou zijn laatste halteplaats worden.

De woestijnstad bleek koud en weinig uitnodigend, een rij huisjes met lemen muren langs de weg naar het vliegveld, die dichter bij het centrum plaatsmaakten voor een aantal nieuwe maar nu al vervallen ogende Sovjetgebouwen van beton. De taxichauffeur, een Boecharaanse Jood, kletste de hele weg over het gloednieuwe Intourist-hotel; toen ze er aankwamen, beklaagde hij zich over de zwaarte van Mervyns koffer en verhoogde de toch al exorbitante ritprijs. Het hotel was zeker nieuw, maar toen hij de deuren door was, merkte Mervyn dat het binnen kouder was dan buiten op straat. De receptioniste had haar bureau dichter naar de deur toe geschoven om warm te blijven.

Mervyn vroeg of de verwarming gauw zou worden aangezet. 'Dit is een nieuw hotel,' zei de receptioniste, beledigd door de stijfheid van de buitenlander. 'En de liften doen het niet. U zult de trap moeten nemen.' Ze gaf hem een kamer op de bovenste verdieping.

Toen hij zijn koffer de trappen op sleepte zag Mervyn een paar bekende benen naar beneden komen. Het scheen dat Vadim, volkomen toevallig, in Boechara was om zaken te doen. Beter nog, Vadim had toevallig die dag vrij om Mervyn rond te leiden langs de bezienswaardigheden van Boechara, met een dienstauto, en die avond bleek een Russische vriend van Vadim een welkomstfeestje te hebben georganiseerd in zijn huis in een buitenwijk. Vadim kondigde trots aan dat er ook een paar meisjes zouden zijn.

Na een dag rondrijden langs de bezienswaardigheden, veel te vluchtig naar Mervyns smaak, reden ze via een aantal ongeplaveide straten naar de buitenrand van de stad. Het huis van Vadims vriend stond in een oude Russische wijk van traditionele houten huizen, die heel anders waren dan de Oezbeekse huizen van baksteen. Volodja, hun gastheer, begroette hen hartelijk en goot hen vol met wodka. Ze aten kalkoen, de grootste die Mervyn ooit in Rusland had gezien, en dansten op oude Amerikaanse grammofoonplaten. Een van de drie meisjes die op het feestje waren, Nina, bleek in hetzelfde hotel te logeren als Mervyn en Vadim. Ze liepen gezamenlijk terug in het maanlicht en namen afscheid in de lounge.

'Kom je straks naar mijn kamer?' fluisterde Mervyn toen Vadim zich omdraaide om de trap op te gaan. Nina kneep even in zijn hand.

Mervyn liep halfdronken slingerend door de gang naar zijn kamer.

Er brandde licht, en er was iemand binnen. Degene die het was, had hem naar boven horen komen en deed de deur open. Doordat hij het licht uit de kamer in de rug had, kon Mervyn het gezicht van de man niet zien, maar hij wilde wel weten wat hij daar deed. 'De elektra in orde maken,' zei de man kalm. 'Maar nu zijn we klaar.'

Nadat de mannen waren weggegaan, plofte Mervyn neer op het bed. Zelfs hier midden in Centraal-Azië werd hij gevolgd door de KGB. Mervyn zag dat er twee lege glazen op de tafel stonden. Mannen van de geheime politie dronken blijkbaar graag een glaasje tijdens hun werk.

Hij kleedde zich vlug uit, rillend, en stapte in bed. Er werd zacht op de deur geklopt. Mervyn dacht dat het Vadim was, kwam uit bed en deed de deur open. Het was Nina. Ze duwde hem met een dartel gebaar naar binnen. Hij duwde haar weer naar buiten. Een verkrachtingsschandaal was het laatste wat Mervyn kon gebruiken; hij voorzag dat Nina's stevige omhelzing in een houdgreep zou ontaarden, en dat er vlak buiten de deur iemand zou staan wachten wanneer zij om hulp riep. Hij klom alleen in zijn ijskoude bed.

De Staatsuniversiteit Moskou was het grootste van Stalins grandioze hoge gebouwen die de skyline van Moskou telkens onderbraken als een ring van waakzame gieren. Het was ook, met zesendertig verdiepingen, destijds het hoogste gebouw in Europa. Op het weidse terras voor het gebouw stonden gigantische beelden van stevig gespierde mannelijke en vrouwelijke studenten die vol vertrouwen van hun zware stenen boeken en technische instrumenten omhoogkeken naar de toekomst. Het was heel wat anders dan de lukrake zandstenen viertallen van Oxford.

De universiteit gaf Mervyn een kamer in de 'hotel'vleugel, die in feite precies hetzelfde was als de overige vijfduizendzoveel kamers van de universiteit, behalve dat de gasten hier, in tegenstelling tot gewone studenten en professoren, de luxe van een schoonmaakster werd gegund. De kamer was klein, gemeubileerd met een bankbed, een vurenhouten bureau en een ingebouwde kast. Het enorme raam, waarvan de maat bepaald werd door het monumentale karakter van de voorgevel, was totaal niet in proportie met de afmetingen van de kamer.

Niettemin vond Mervyn het fantastisch daar te zijn. De universiteit was het tegenovergestelde van zijn afgesloten leven als diplomaat; ze was aards en had een echt Sovjetkarakter. Bovenal had Mervyn beduidend meer vrijheid dan toen hij bij de ambassade werkte. Natuurlijk stonden er buiten wel auto's van de KGB, klaar om buitenlanders te volgen wanneer ze uit het gebouw kwamen, maar de bewaking was gelukkig niet strikt, en zijn medestudenten hadden, al waren ze nog op hun hoede, meer vrijheid om met Mervyn om te gaan dan alle andere Russen, afgezien van Vadim, voordien hadden gehad.

Mervyn had er, toen hij bij de ambassade zat, een punt van gemaakt zo vaak hij kon te eten bij *stolovaja's* – goedkope openbare eethuizen – en met het openbaar vervoer te reizen waarheen dat mogelijk was. Nu, op de universiteit, at Mervyn elke dag in de kantine, met zijn papierachtige gehaktballen, dunne soep en waterige aardappelpuree. Hij had geen andere keus dan zich in trolleybussen te dringen, stampvol met dik ingepakt volk en de geur van zweet en zurige adem. Hij vond het heerlijk.

Georges Nivat, een jonge Fransman die een van Mervyns medestudenten was en een vriend van St Anthony's en het festival, deelde zijn enthousiasme voor het zich onderdompelen in het Sovjetleven. Georges woonde op een verdieping van de universiteit die hij deelde met een aantal Vietnamese studenten. Hun kookluchtjes, van gepeperde kippenpoten en knoflookrijke koolsoep, dreven door de gangen, tot ongenoegen van Georges. 'Het verpest mijn hele leven!' klaagde hij met Gallisch vuur wanneer hij naar Mervyns kamer kwam voor troost, thee en koekjes, en maakte fatalistische gebaren. 'Verpest mijn leven!'

Georges' fascinatie voor Russische literatuur had hem naar Moskou gebracht. Kort nadat hij op de universiteit was aangekomen, begon hij een van de grote literaire salons van Moskou te bezoeken, het appartement van Olga Vsevolodovna Ivinskaja aan Potapovski Pereoelok. Ivinskaja was de typiste en medewerkster van Boris Pasternak geweest sinds 1946. Ze was ook de minnares van de bekritiseerde dichter, en vormde de inspiratie voor Lara in *Dokter Zjivago*. Ze had een hoge prijs betaald voor haar verbintenis met Pasternak. In 1949 werd Ivinskaja, na haar weigering haar geliefde voor Britse spion uit te maken, vijf jaar gevangengezet. Ze was toen zwanger van Pasternak, maar verloor het kind in de gevangenis. Ze keerde pas na Stalins dood in 1953 terug naar Potapovski Pereoelok, en ze hervatten hun verhouding. Maar heel haar leven werd Ivinskaja gemarteld door Pasternaks weigering zijn echtgenote en kinderen te verlaten. De twee gezinnen woonden samen in een merkwaardig huishouden, waar de dichter bij Olga lunchte en de middagen doorbracht, waarna hij een beleefde buiging maakte voor de gasten van zijn minnares en wegging om het avondeten bij zijn vrouw te gebruiken.

Irina Ivinskaja was Olga's dochter uit een vorig huwelijk met een wetenschapper die liever zelfmoord pleegde dan zich te laten arresteren bij de Zuivering van 1938. Maar ondanks de tragedie die het leven van haar moeder had getroffen was Irina charmant, gelukkig en hartstochtelijk geïnteresseerd in boeken en ballet. Georges werd smoorverliefd op haar. Binnen een paar maanden vroeg hij haar ten huwelijk. Pasternak bracht een dronk uit op het jonge paar tijdens een drukbezocht feest op zijn datsja in Perdelkino. Mervyn was uitgenodigd om te komen en kennis te maken met de auteur, maar zegt dat hij te verlegen was. 'Ik zou niets tegen Pasternak weten te zeggen,' zei hij tegen mij.

Ik heb vaak nagedacht over deze vreemde weigering, omdat die zo slecht past bij de voorkeur voor risico en gevaar die mijn vader in die tijd van zijn leven aan de dag leek te leggen. Misschien kwam het doordat hij zich alleen op zijn gemak voelde bij zijn vrienden en sociaal gelijken en een hekel had aan formele plechtigheden – een hekel die nu nog bestaat. Hij heeft op mij altijd de indruk gemaakt erg op zichzelf te zijn, opgesloten in een beschermende wereld die hij om zich heen weeft om de buitenwereld op afstand te houden. Zijn werkkamer in Londen en de verschillende strenge academische appartementen die hij bewoonde tijdens gastprofessoraten werden altijd ingericht als kleine mannelijke nesten waar hij kon ontsnappen in zijn stapels papier, zijn potten thee en zijn Bach. Bij recepties en feestjes heeft hij meestal zijn rafelige, voor twee pond bij tweedehandswinkeltjes gekochte overhemden aan en uitgezakte tweedjasjes, en hangt hij ergens in een hoek met een geforceerde glimlach op zijn gezicht, wachtend tot het tijd is om weg te gaan. In een aanval van verlegenheid is hij zelfs vroeg weggegaan van mijn bruiloftsdiner. Ik zei hem gedag op de trap voor het oude Splendid Hotel op het eiland Buyukada, bij Istanbul, en hij stond daar in zijn antieke smoking en een beige regenjas. Hij bedankte me hartelijk voor een leuk feest, terwijl de muziek van een rauwe band van jonge zigeunerboeven uit de eetzaal brulde. 'Ik hou eigenlijk niet zo van dit soort grote bijeenkomsten,' legde hij uit, en hij draaide zich om om alleen door de lichte motregen terug te lopen naar ons huis.

Kort na het verlovingsfeest van Georges nodigde Vadim Mervyn uit voor een etentje in het Praga restaurant om Vadims pas behaalde diploma Master of Arts in oriëntaalse studies te vieren. De andere gasten waren grotendeels oudere academici, Vadims promotoren en vakgroephoofden. Maar tegenover Mervyn zat een elegant geklede man, een jaar of vijf ouder dan hij, met een opvallende grijze streep in zijn achterovergekamde haar. Vadim fluisterde Mervyn toe dat de man Alexej heette en onderzoeksassistent was bij zijn geheimzinnige oom. Maar hij stelde hen niet aan elkaar voor, en ze wisselden geen woord. Alexej hield een lange, geestige toespraak. Mervyn praatte met zijn buren, die onbewogen voor zich uit keken, en dronk te veel.

Een paar dagen later belde Vadim om een boodschap van Alexej door te geven: hij wilde Mervyn en Vadim uitnodigen voor een avond bij het Bolsjoi-ballet. Mervyn was verrast en voelde zich gevleid. Hoewel ze elkaar bij het diner niet gesproken hadden, vond Alexej het waarschijnlijk interessant een buitenlander te leren kennen, dacht Mervyn. Hij nam de uitnodiging aan.

Alexej was evenwichtig en vol zelfvertrouwen, een echt lid van de naoorlogse Moskouse *nomenklatoera* of officiële elite. Hij droeg in het buitenland gemaakte kleren en had gereisd; zijn vrouw, Ina Vadimovna, was lang en slank, en droeg, zag Mervyn toen ze elkaar troffen bij het Bolsjoi, een kostbare gouden armband met een horloge erin gemonteerd. Alexej zei trots dat zijn echtgenote een 'typische Sovjetvrouw' was. Mervyn dacht aan zijn schoonmaakster, Anna Pavlovna, die hijgend naar de bushalte sjokte met haar boodschappennetten vol eieren uit de universiteitskantine. Zij leek Mervyn eerder een typische Sovjetvrouw.

De avond was een succes. Alexej hield veel van ballet, en Mervyn en hij hadden een vriendelijk gesprek in de pauze, terwijl Vadim, toch meer een cultuurbarbaar, bij de bar rondhing en naar meisjes keek. Alexej begon Mervyn geregeld te bellen en nodigde hem uit voor etentjes in het Aragvi, het Bakoe, het Metropole Hotel, het Nationale Hotel – de beste restaurants die Moskou te bieden had. Alexej had geld, en hij had een geheimzinnige speciale relatie met de maîtres d'hôtel van de stad, waardoor hij op korte termijn kon reserveren, altijd met een onderdanige glimlach begroet werd en naar een goede tafel of privékamer gebracht werd.

Alexej was vrijpostiger dan Vadim in gesprekken, sprak openlijker over politiek, deed minder intiem. Hij praatte nooit over vrouwen en dronk matig. Alexej toonde belangstelling voor Mervyns jeugd en zijn achtergrond, maar Mervyn merkte aan zijn banale reacties dat hij van armoede of klasse geen idee had dat verderging dan de marxistisch-leninistische clichés. Heel ironisch: Alexej, de Sovjetkampioen van de internationale arbeidersklasse die zelf uit een bevoorrechte elite stamde, en Mervyn, een naïeve maar oprechte Britse patriot, overtuigd anticommunist, maar volgens marxistische begrippen van nature een revolutionair.

Tijdens een van hun steeds frequentere etentjes kwamen Mervyn en Alexej te spreken over het strenge visumbeleid, bewaking en spionnen. Ze zaten in het Nationale Hotel, al een groot deel van de eeuw een favoriete pleisterplaats van de beau monde van de stad. Alexej merkte op dat de Sovjet-Unie erg op haar hoede moest zijn voor buitenlandse spionnen. Mervyn vertelde, misschien om te bewijzen dat hij er niet zo eentje was, om de impliciete verdenking te neutraliseren, voor de grap aan Alexej dat er op de ambassade altijd om gelachen werd dat er onder de Bolsjoi Kamenny-brug, vlak om de hoek vanaf de ambassade, een hok was waar KGB-mannen domino zaten te spelen terwijl ze wachtten tot ze werden opgeroepen.

Alexej luisterde met interesse, plotseling nog ernstiger, en vroeg Mervyn waar dat hok precies was. Na de maaltijd stond hij erop dat ze onder de brug gingen kijken. Misschien omdat hij voelde dat Mervyn ergens mee zat, maakte Alexej een kleinerende opmerking over het werk van MI5 en MI6, alsof hij wilde zeggen dat als Mervyn daar op de loonlijst stond, hij het zou weten. Mervyn ging niet met hem in discussie.

Toen Mervyn een paar dagen later langs de brug reed, zag hij dat het hok en de goons weg waren.

Vadim organiseerde weer een avond op de datsja van zijn oom. Net als de vorige keer gingen ze erheen in een ZiL, maar ditmaal had Vadim een vriend meegebracht, een skileraar, en drie mollige maar energieke meisjes. Ze gingen 's avonds langlaufen tussen de dennen, en de onhandige Mervyn viel herhaaldelijk in sneeuwhopen, zodat de meisjes moesten giechelen. Ze warmden zich op met wodka voor de open haard, en trokken zich vervolgens boven terug elk met een meisje. Mervyns meisje was groot, en, dacht hij, al wat ouder. Maar ze leek best bereid de rol te spelen van zijn bedpartner voor die nacht, en het zou grof zijn geweest om te weigeren.

Mervyn en Alexej zaten in een privékamer in het Aragvi, en hadden al heel wat Tsindali-wijn op. Op de tafel voor hen stonden de resten van een reusachtig maal van lamskebabs, *lobio* van groene bonen en brood met *chatsjapoeri*-kaas. Alexej was nu eens in een mededeelzame stemming, en sloeg de oomachtige toon aan die hij soms bij Mervyn gebruikte. Hij had besloten zich actiever bezig te houden met Mervyns carrière, kondigde hij aan. Had Mervyn zin om wat te reizen? En zo ja, waarheen dan? Mervyn, verheugd, zei zonder verder na te denken Mongolië. Dat was niet mogelijk, zei Alexej. Ergens in de Sovjet-Unie, zou dat hem wat lijken? Mervyn stelde Siberië voor. Alexej was enthousiast. De grote Bratsk-dam, misschien? Het Baikal-meer? Mervyn vond het geweldig en stemde onmiddellijk toe. Ze brachten een dronk uit om de afspraak te bevestigen.

Op welk moment besefte Mervyn dat hij te ver begon te gaan? Hij was misschien naïef, maar zo naïef toch vast niet. Alexejs banden met de KGB werden steeds duidelijker – de denigrerende opmerkingen over de Britse geheime dienst, de geheimzinnige en onmiddellijke verdwijning van de domino-spelende goons onder de brug, de suggestieve vragen over Mervyns politieke opvattingen. Het was vast overduidelijk voor Mervyn dat hij werd aangeworven.

Ik denk dat de waarheid is dat ze elkaar nooit echt begrepen hebben. Het dogmatisme van Alexej verhinderde dat hij het diepgewortelde patriottisme van Mervyns klasse en generatie zag, waarin het als het toppunt van slechte smaak werd beschouwd om een bioscoop uit te gaan voor 'God Save the King' afgelopen was. En Mervyns ijdelheid verhinderde hem zich ooit serieus af te vragen waarom Alexej hem, een onbekende postdoctoraal student, zo volhardend het hof maakte, en zoveel geld en tijd aan hem besteedde. Ik ben ervan overtuigd dat Mervyn wist dat hij met de KGB flirtte. Wat hij niet wist, was hoe gevaarlijk dat spelletje kon blijken te zijn. Zelfs toen hij ja zei op de reis naar Siberië, moet hij het sterke vermoeden hebben gehad dat hem ooit, vroeg of laat, gevraagd zou worden de rekening te betalen. Maar de avontuurlijkheid – weer die nu sinds lang begraven avontuurlijkheid – had de overhand. Wat er ook gebeurde, het zou opwindend zijn. En hij was immers juist naar Rusland gekomen om opwinding te vinden?

Wanneer je 's nachts over Siberië vliegt, in de winter, krijg je een spookachtig gevoel dat je over de rand van de wereld bent gevlogen. Het droomlandschap van besneeuwde bossen onder je lijkt zich zwart en ononderbroken uit te strekken, niet alleen tot aan de horizon, maar daarachter, altijd door. Toen ik in 1995 Baikal bezocht, op weg naar Mongolië – dat mijn vader nooit te zien kreeg

– vloog ik in een klein Sovjetvliegtuig, een antieke An-24 die zijn lange loopbaan in de tijd van mijn vader begonnen moest zijn. Hij deinde op en neer in de schroefwind en het gebrul van de propellers overstemde elk gesprek terwijl we verder de nacht in vlogen en het licht achter ons in het westen wegstierf.

Solzjenitsyn heeft het netwerk van gevangenkampen dat zich door de hele Sovjet-Unie uitstrekte de Goelagarchipel genoemd. Maar in feite is heel Rusland een archipel, een reeks geïsoleerde eilanden van warmte en licht die verspreid liggen in een vijandige zee van leegte. Ergens, juist in deze uitgestrektheid van Rusland, ligt één sleutel tot de Russische beleving. De vaagheid en het fatalisme, ontstaan uit het leven in een land waar men ooit een halfjaar nodig had om erdoorheen te reizen; een chronische berusting in de grillen van het gezag, ontstaan uit de historische onmogelijkheid om met de buitenposten van zo'n onregeerbaar gigantisch rijk te communiceren. Toen ik las over het beroemde *oekaz* (decreet) van Peter de Grote, waarin hij zijn burgers boos bevel gaf alle voorgaande oekazi te gehoorzamen, stelde ik me hem voor als een gek geworden radio-omroeper die verontwaardigde boodschappen de ruimte in stuurt, en alleen zwakke kosmische echo's ten antwoord krijgt.

Telefoonlijnen, satelliet-tv en Aeroflot lijken Rusland wat dichter bijeen te hebben gebracht, maar in sommige opzichten hebben elektronische communicatiemiddelen het gevoel van onoverbrugbare afstand alleen versterkt. Rusland blijft het grootste land van de wereld; zelfs na het verlies van 17 procent van zijn grondgebied na de val van de Sovjet-Unie, overspant het nog steeds elf tijdzones. Een voormalige cameraman van de Staatstelevisie vertelde me een keer dat het televisiesignaal van *Vremja*, het Sovjetavondnieuws, herhaaldelijk via de stratosfeer moest worden teruggekaatst ter compensatie van de bocht van zeventig graden die de aarde maakt tussen Moskou en het meest oostelijke punt van het land bij Tsjoekotka. Halverwege de jaren negentig kon men gemakkelijk telefoneren met de aan de Stille Oceaan gelegen kuststreken Kamtsjatka of Magadan, maar het tijdsverschil was bijna even groot als met New York. Het laatste deel van de snelweg die het

Europese Rusland verbond met het Verre Oosten werd pas in 2002 voltooid – voordien kwam die honderden kilometers lange voorlopige weg uit op het ijs van de bevroren rivier de Amoer, en was daar alleen in de winter te passeren.

Geen wonder dus dat de meeste mensen die geboren zijn voor een leven in deze grote, lege ruimtes opgroeien met een instinctief gevoel van machteloosheid tegenover de onmogelijke fysieke werkelijkheden die hun leven bepalen. Deze fysieke beperkingen lijken het gemakkelijker te maken om de beperkingen door menselijk toedoen te accepteren. 'God is hoog boven ons en de Tsaar is ver weg', luidt het oude Russische gezegde, en het was vast niet toevallig dat een van de centrale lessen van de Russisch-orthodoxe Kerk die van *smirenije* was, ofwel onderwerping aan de last die de Heer de gelovigen te dragen heeft gegeven. Anton Tsjechov heeft deze lusteloosheid weergegeven in zijn *Drie Zusters*, een studie over drie jonge vrouwen die verpletterd worden door het provinciale isolement, en wier jeugdige hoop en geestkracht langzaam maar onafwendbaar worden gedoofd door de oneindige loomheid van Rusland. Zelfs het leven in Moskou, waar de mondaine elite afgeschermd is van het isolement en het middeleeuwse duister van het dorp, lijkt op een krachtige maar ontastbare manier bepaald te worden door de grootheid van het land dat de stad omringt, net zoals het leven aan boord van een schip doordrongen is van een weten dat overal eromheen de diepe, koude zee is.

Alexej en Mervyn vlogen naar Siberië in april 1960, toen Mervyns eerste termijn aan de Staatsuniversiteit Moskou afgelopen was. Ze reisden over de witte uitgestrektheid van Rusland in een reeks kleine An-24-vliegtuigen. Hun eerste halteplaats was Novosibirsk, een nieuw, grijs industriegebied gebouwd rond een laag tsaristisch grensstadje, dat bestond uit vervallen blokhutten en verzakte koopmanshuizen in het midden en brede boulevards met identieke flatgebouwen erlangs in de buitenwijken. Mervyn vond de plaats deprimerend en zielloos, ondanks het kennelijk oprechte enthousiasme van Alexej.

Ze reisden verder naar Bratsk, destijds niet veel meer dan een uit barakken opgebouwde plaats. Achter Bratsk lag een grote, bevroren rivier, en een enorm, half ontdooid meer. Een groot socialistisch meer, legde Alexej uit, geschapen door de wil van het volk en het werk van een miljoen arbeiders. Voor het meer stond een grote hydro-elektrische dam van beton en staal, die de natuur temde ten behoeve van het arbeidersparadijs.

Ze lieten zich inschrijven bij een geïmproviseerd Intourist-hotel, een prutserig bouwsel te midden van de modderige straten, neergezet om onderdak te bieden aan bezoekende hoogwaardigheidsbekleders die hierheen werden gehaald om onder de indruk te raken van het grote hydro-elektrische wonder. Ze bezochten de dam de volgende ochtend. Het water van de voorjaarsvloed brulde door de turbines, het beton boog zich balletachtig naar de verte. Mervyn was het met Alexej eens dat het schitterend was, echt schitterend. Alexej knikte zwijgend en goedkeurend. De jonge Mervyn ging goed vooruit. 'Kwam er geen einde aan de opwindende verrassingen in het wonderland dat Rusland was?' schreef mijn vader later in zijn memoires – of hij dit ironisch bedoelde, of als echo van zijn jeugdig enthousiasme, daar kom ik niet uit.

De laatste etappe van Alexejs grootse Siberische reis, die gepland was als een toeristische tocht, maar op onverklaarbare wijze een soort officiële reis langs de wonderen van het socialisme was geworden, ging naar Irkoetsk en Baikal. Bossen, weer eindeloze bossen, een horizon zo uitgestrekt dat hij in het landschap van een droom leek thuis te horen. Het Baikalmeer, het grootste meer van de wereld, was plat en verblindend wit, een gigantische prairie van ijs boven een uitgestrektheid van koud, zwart water van 4500 meter diepte.

'Hier in het Baikalmeer leven meer dan 300 soorten vis,' luidde het enthousiaste commentaar van de stevig gebouwde directeur van het collectieve landbouwbedrijf die op een geheimzinnige manier lucht had gekregen van Alexejs komst met zijn voorname buitenlandse bezoeker. De drie mannen stonden zwijgend op het krakende ijs van het meer, huiverend in de koude, frisse wind. Alexej, wiens gebruikelijke bedaarde houding verstoord was door een nacht in een ruwe boerenhut, tuurde geërgerd naar de oever. Mervyn keek bedenkelijk naar het dunne voorjaarsijs onder zijn voeten, dat zichtbaar inzakte wanneer ze erover liepen.

'Je hoeft niet bang te zijn voor het ijs, alleen voor wat eronder zit,' merkte Alexej op toen hij zag dat Mervyn zich ongerust maakte.

'Laten we nog wat verder het meer op gaan,' zei de directeur.

Alexej deed zijn aanbod uiteindelijk tijdens een lunch van *pelmeni*-knoedels, Siberische vissoep en wodka op het vliegveld van Irkoetsk, vlak voor ze terug zouden vliegen naar Moskou. Mervyn had de vraag half en half verwacht, maar het was nog steeds een schok toen hij kwam. Was Mervyn bereid om te werken voor 'de zaak van internationale vrede'?

Alexej, die voorovergebogen aan de tafel zat met een uitdrukking van diepe ernst in zijn ogen, was overtuigender dan ooit. Zijn verheerlijking van de deugden van de rechtvaardige Sovjetmaatschappij was bekend: Mervyn kwam uit een arm gezin en hij had met eigen ogen de rechtvaardigheid van het Sovjetleven gezien. Nu was de tijd gekomen om Mervyn een gelegenheid te bieden om iets te doen aan de onrechtvaardigheid van de wereld. Hoewel Alexej het woord niet in de mond nam, was het voor hen beiden duidelijk dat dit betekende voor de KGB te werken.

Mervyn beschaamde Alexejs theorieën over de klassenoorlog door te weigeren. Hij kon zijn land niet verraden, zei hij. De lunch eindigde met beschuldigingen en prikkelbaarheid. Voor het eerst sinds Mervyn hem kende, begaf Alexejs ijzige charme het en hij gaf Mervyn te verstaan dat hij verwend was, hypocriet en ondankbaar. Mervyn zat er gegeneerd en zwijgend bij.

Terug in Moskou, na een lange, gespannen vlucht, kwam het vliegtuig hobbelend tot stilstand op het beregende tarmac van het Vnoekovo-vliegveld. Terwijl ze naast elkaar stonden te wachten tot hun bagage was uitgeladen, verontschuldigde Alexej zich, en nam zijn voorstel terug. 'Laten we het vergeten. Ik had het mis. Het was niet het goede moment. Ik zou je in Moskou graag nog willen zien. Laten we gewoon vrienden zijn en dit vergeten.' Ze namen moeizaam afscheid; Mervyn voelde zich meer gegeneerd dan bang over dit niet geheel onverwachte resultaat.

Nina uit Boechara belde Mervyn in zijn studentenflat op de universiteit. Ze was in de stad, zei ze, op een officiële reis, en zou Mervyn heel graag willen zien. Op dit moment ging ze uit om een blouse te kopen in GOEM, het staatswarenhuis aan het Rode Plein, en daarna zou ze vrij zijn. Ze maakten een afspraak voor die avond.

Toen Mervyn de telefoon neerlegde, aarzelde hij. Hoe was Nina aan zijn nummer gekomen? Hij nam zich voor het aan haar te vragen, maar dat heeft hij nooit gedaan.

Mervyn speelde spelletjes. Hij had geen flauw idee van de meedogenloosheid van de organisatie waarmee hij te maken had. Voor Mervyn werd de KGB gepersonifieerd door de hoffelijke Alexej en de zwijgende goons die hem in zijn ambassadetijd overal in Moskou op eerbiedige afstand hadden gevolgd.

Georges Nivat had die illusies niet. De idylle van Georges en Irina verzuurde snel nadat Pasternak op 31 mei 1960 in zijn datsja overleed aan een hartaanval. Toen Pasternak en zijn internationale reputatie weg waren, hadden de Ivinsky's geen beroemde beschermer meer. De KGB was er al jaren op gebrand hen te pakken; ze waren berucht omdat ze met westerlingen omgingen en cadeautjes van hen aannamen. Bovenal waren ze de erfgenamen van de internationale royalty's voor Pasternaks giftige anti-Sovjetboek. Nu konden Olga en haar op een buitenlander verliefde dochter worden aangepakt.

Kort na Pasternaks dood werden Mervyn en Georges, net als alle studenten van hun jaar, zoals gebruikelijk op de universiteitskliniek ingeënt tegen pokken. Mervyns inenting verliep normaal, maar Georges kreeg niet lang erna een geheimzinnige huidinfectie. De infectie werd zo ernstig dat hij op zijn geplande trouwdag in het ziekenhuis in bed lag. Er werd een tweede trouwdatum vastgesteld, in juli, maar in de kleine uurtjes van de morgen werd er een verpleegster op wacht gezet naast zijn bed, zodat er niets kwam van Irina's plan om Georges uit het ziekenhuis te smokkelen. Toen kreeg Irina zelf diezelfde afschuwelijke huidziekte.

Aanvankelijk vermoedde Georges noch Irina – en zelfs haar moeder niet, toch een veteraan van de martelcellen van de NKVD – dat ze door de KGB geïnfecteerd waren teneinde het huwelijk te voorkomen. Maar het werd steeds duidelijker dat dit de meest waarschijnlijke verklaring was voor hun geheimzinnige, heftige huiduitslag. Georges vond het een uitermate schokkend idee, evenals zijn toekomstige schoonmoeder, ondanks alles wat ze gezien had. Het studentenvisum van Georges zou eind juli verlopen zijn, en ondanks zijn wanhopige smeekbeden weigerden de autoriteiten het te verlengen. Irina was te ziek om Georges weg te brengen toen hij naar Parijs vertrok. Mervyn bracht een snikkende Georges met de auto naar de luchthaven, samen met Irina's moeder. De oude vrouw leek gekrompen te zijn, een schim van haar oude, levendige persoonlijkheid, toen ze Georges wegbrachten. Zowel hij als Irina herstelde snel, maar ze zouden elkaar niet eerder terugzien dan een half leven later.

Mervyn besloot samen met Vadim een korte vakantie te nemen. Ze vlogen naar Gagry, het vakantieoord aan de kust van de Zwarte Zee waar Boris Bibikov vijfentwintig jaar eerder gearresteerd was. Het was een welkome ontsnapping uit de mufheid van Moskous korte maar snoeihete zomer, en uit het verdriet over de schijnbaar ongeneeslijke ziekten van Georges en Irina en hun gedwongen scheiding. Daarbeneden in het zuiden was de lucht warm en geurig, niet aangetast door de saaiheid en depressiviteit van het Sovjetleven, en de plaatselijke bewoners waren gastvrij en praatgraag in plaats van door een pantser van grofheid afgeschermd tegen een vijandige wereld.

Mervyn ontspande zich. Die hele kwestie van de KGB zou wel overwaaien, hoopte hij, en Alexej had de zaak blijkbaar losgelaten. Hij had er wel voor gezorgd nooit iets tegen Vadim te zeggen – hij geloofde nog altijd, in alle oprechtheid, dat Vadim niets te maken had met de poging hem in te lijven. Ze lagen te zonnen op de stranden van Gagry, waar Mervyns huid roodverbrand raakte door de zuidelijke zon, of wandelden over de promenades. Mervyn vroeg aan een vriendelijke meisjesstudent met een rond gezicht met hem mee te gaan naar zijn kamer, en dat deed ze zonder aarzelen.

Maar toen de vakantie een paar dagen had geduurd, werd Mervyn aan de telefoon geroepen. Het was Alexej, die aankondigde dat hij in Gagry was. Hij regelde een ontmoeting in de schemering bij de champagnetent naast de ronde vijver van een naburig park. Hun samenzijn, tussen de gevlekte schaduwen en de kwakende kikkers, was kort maar dramatisch. Alexej was even elegant en ongehaast als altijd, en hij begroette Mervyn beleefd. Was Mervyn die avond vrij? Mooi. Er werd een tweede afspraak gemaakt voor negen uur, in een kamer in het hotel. Alexej draaide zich om en liep met zijn vaste tred knerpend weg over het grindpad.

Mervyn verwachtte niet dat de bijeenkomst plezierig zou zijn, en dat was hij ook niet. Alexej stelde Mervyn voor aan zijn 'baas', Alexander Fjodorovitsj Sokolov. Hij was een oudere, zwaargebouwde man die een slecht Sovjetpak droeg en goedkope sandalen. Sokolov was duidelijk een NKVD-krachtpatser van de oude school; zijn hele houding straalde minachting uit voor zijn jongere, fatterige collega en de verwende jonge buitenlander die voor hem stond.

Alexej stak met veel plechtigheid van wal. Hij sprak over Mervyns 'carrière' en over zijn 'plannen', en over het feit dat de Sovjet-Unie 'de enige vrije en rechtvaardige maatschappij op de wereld' was. Sokolov haalde het KGB-dossier over Mervyn aan en merkte bars op dat zijn vader zo arm was geweest dat hij nooit wijn had gedronken. Het werd toch zeker tijd dat Mervyn iets terugdeed tegen het systeem dat zijn vader zo had onderdrukt? Kennelijk, dacht Mervyn, waren de liters bier en vaten whisky die zijn pa achterover had geslagen niet door de KGB opgemerkt.

Na twee uur kwamen de dreigementen. 'Wij weten,' zei Alexej ernstig, 'dat je je schuldig hebt gemaakt aan immorele handelingen.'

'Als de Komsomol dat te weten zou komen,' gromde Sokolov, 'zou er een groot schandaal komen in de kranten, en u zou met schande overladen worden weggestuurd van de universiteit en uit het land.' Maar dat, wist Mervyn, was onzin. In feite waren er maar heel weinig 'immorele handelingen' geweest – één bezoek aan een bordeel in Moskou met Vadim, Nina uit Boechara, het meisje in de datsja van Vadims oom, een meisje dat in een vreemd, cirkelvormig gebouw woonde bij het ministerie van Buitenlandse Handel, de studente in Gagry. Het was een tamelijk bescheiden aantal, zeker in vergelijking met Valery Sjein of zelfs met Vadim zelf.

'De tijd is gekomen om eindelijk ja of nee te zeggen.' Alexej en Alexander Fjodorovitsj keken Mervyn vol verwachting aan.

'Dan moet het antwoord nee zijn,' zei mijn vader. 'Niets zal mij overhalen om tegen mijn land te werken.'

Die nacht besefte Mervyn, toen hij op zijn bed gezeten nadacht over de mogelijke gevolgen van zijn weigering, dat hij niet langer kon wachten. Hij was niet bang voor hun dreigement om een schandaal te verwekken, maar de KGB kon zijn vrienden kwaad doen. Er deden sinistere verhalen de ronde over verzonnen beschuldigingen, ongelukken, arrestaties wegens vandalisme, opheffing van woonvergunningen. Hij besloot zijn koffers te pakken, het eerste vliegtuig terug naar Moskou te nemen en uit de Sovjet-Unie weg te gaan, waarschijnlijk voor altijd.

Maar zo eenvoudig was het niet. Toen Mervyn een paar dagen terug was in Moskou kreeg hij een verzoeningsgezind telefoontje van Alexej. Op het hoogste niveau was besloten, verzekerde Alexej mijn vader, dat er geen verdere actie zou worden ondernomen. Alexej stond er zelfs op weer samen uit eten te gaan. Hij had een nieuwtje voor Mervyn.

'Die vrouw over wie je het had, Olga Vsevolodovna Ivinskaja,' zei Alexej terloops terwijl ze aanschoven voor wat hun laatste gezellige etentje samen zou worden. 'Die is onlangs gearresteerd. Op beschuldiging van smokkelarij. Ze had te maken met de smokkel van buitenlands geld, en andere dingen. Ze was moreel corrupt.'

Alexej at rustig door terwijl Mervyn naar zijn bord staarde; zijn eetlust was verdwenen.

'Ik heb je toch gezegd dat die familie niet deugde,' vervolgde Alexej. 'Als ik jou was zou ik vijftien kilometer uit hun buurt blijven.'

Mervyn keek toe terwijl Alexej nog wat wijn dronk. Het gezicht van Alexej was leeg, uitdrukkingsloos. Twee weken na de arrestatie van haar moeder werd Irina zelf van haar ziekenhuisbed gelicht en naar de Loebjanka gereden om ondervraagd te worden. Kort daarna volgde Irina, de liefhebster van ballet en schoonheid, haar moeder naar de onvoorstelbaar grove wereld van de werkkampen. Mervyn hoorde niets meer van hen. Dit was geen spelletje, begon het Mervyn eindelijk te dagen. Dit was helemaal geen spel. Hij trof haastig maatregelen om terug te gaan naar Oxford.

10 Liefde

Avonturen kunnen prachtig zijn.
Mervyn Matthews aan Vadim Popov, voorjaar 1964

Vooral wanneer ze voorbij zijn.
Vadim Popov

Het Moskou dat mijn vader kende was een stevig gewortelde plaats; de zekerheden en regels lagen even vast als de prijzen in staatswinkels en het plompe stalinistische stadspanorama. De meeste Sovjetburgers van zijn generatie woonden hun hele leven in hetzelfde appartement, werkten in dezelfde baan, kochten wodka voor de vaste prijs van 2 roebel en 87 kopeken, en wachtten tien jaar voor ze een auto kochten. De tijd werd gemeten van vakantie tot vakantie, theaterseizoen tot theaterseizoen, van de publicatie van een deel van de verzamelde romans van Dickens tot die van het volgende deel.

Veertig jaar later, toen ik in Moskou aankwam, was de stad bezig verloren tijd in te halen. De plaats was bezeten van haar eigen opdringende moderniteit; ze leek van dag tot dag te veranderen, elke dag weer. Opeens zag je jonge mannen met Caesar-kapsels en DKNY-sweaters waar eerst rode blazers en crewcuts in waren geweest. Internetcafés die tevens trendy kleding verkochten openden hun deuren waar vroeger kruidenierszaken gevestigd waren. Blinkende nieuwe winkelcentra van chroom en marmer verrezen verontrustend snel, compleet met doorzichtige roltrappen en geldautomaten die dollars leverden. Na enige tijd raakte ik zo gewend aan de snelheid waarmee alles veranderde dat het normaal ging lijken – een gerestaureerde kerk hier, een nieuw bedrijfshoofdkantoor daar, als paddenstoelen na een regenbui. De rest van Rusland viel misschien in stilte uit elkaar, maar Moskou werd dik van de buit van het geplunderde wereldrijk.

Wanneer ik niet in de diepte van Moskous onderbuik op zoek was naar sensationele onderwerpen voor artikelen, wijdde ik een groot deel van mijn tijd aan het bezoeken van feesten. Mijn vader had zijn pleziertje gevonden in lawaaiige zigeunerrestaurants. Een generatie later en plotselinge rijkdom en vrijheid hadden het Moskouse feestwezen veranderd in iets rijks en vreemds. In Club 13, gehuisvest in een vervallen paleis vlak achter de Loebjanka, kwamen dwergen in miniatuur-Kerstmankostuums je met zwepen met negen koorden op je rug meppen terwijl je de trap op liep. Bij de Titanic, de geliefde pleisterplaats van rijke criminelen, stonden de zwarte Mercedessen tien rijen dik geparkeerd, en troepen meisjes wachtten bij de tafeltjes in de vorm van patrijspoorten om zich te laten benaderen door heren met dikke nekken. In de Chance zwommen naakte mannen in reusachtige aquariums met een glazen voorkant, en in het Fire Bird casino heb ik een keer een avond zitten drinken in het onwaarschijnlijke gezelschap van Chuck Norris, de wat ouder geworden ster uit actiefilms, en zijn gast Vladimir Zjirinovsky, de ultranationalistische politicus.

Soms waagde ik het een bezoek te brengen aan een bar die de Hongerige Eend heette. Op 'Ladies' Nights' mochten er tussen zes en negen uur alleen vrouwen binnenkomen – en een paar vrienden van de eigenaar, die waren uitgenodigd om achter de bar te staan. Het ging erom dat zij onbeperkt gratis alcohol geschonken kregen, en zodoende was de zaak volgepakt met zo'n zeshonderd bezwete tienermeisjes, die allemaal om drank brulden, zo snel als we die konden schenken. Er hing een sterke geur van Slavische feromonen, en de aanblik van een muur van krijsende vrouwen die de cirkelvormige bar van alle kanten belegerden was beangstigend, alsof je Rourke's Drift moest verdedigen tegen naderende Zoeloes. Er stapten mannelijke strippers over de bar, die meisjes uit het publiek plukten en die naakt uitgekleed over de tapkranen legden. Doug Steele, de Canadese eigenaar, wiens gezicht een duivelse kleur groen had in het licht van de kassa, boog zich naar voren op zijn gespierde armen en overzag de herrie met kalme voldoening, als kapitein Kurtz in zijn eigen privé Inner Station. Tegen de tijd dat ze om negen uur de mannen binnenlieten, gleden er half blote meisjes van de met bier bedekte bar en vielen met een klap op de vloer, om te worden opgeraapt door de beveiliging en op een rij te worden neergelegd in de hal. Het duurde niet lang of er braken epische gevechten los; felle toestanden waarbij in ogen werd gestoken en met gebroken flessen geslagen, waarbij bierglazen door de lucht vlogen en botten gebroken werden, en de bewusteloze verliezers beneden bij de dronkenlappen terechtkwamen.

Ik ging naar een feest dat gegeven werd door Bogdan Titomir, de beroemdste rapper van Rusland, in zijn appartement-annex-disco, waar de ramen ratelden op het geluid van de muziek die uit de luidsprekers schalde en paren naar buiten slopen om achter in zijn Hummer te kussen. Toen ik Jana voor het eerst zag, werd ze van achteren verlicht door pulserend stroboscooplicht terwijl ze zich door de rook een weg baande langs de blondjes die op Bogdans staalblauwe banken gedrapeerd lagen, langs de verstrengelde lichamen in een half achter gordijnen verscholen alkoof, naar een tafel met hoopjes cocaïne erop. Ze droeg een piepklein minirokje bedrukt met paren lichtende Fornasetti-ogen, die pasten bij de vreemde gloed van haar eigen ogen onder het ultraviolette licht dat over de tafel hing. Ze maakte handig een lijntje zo dik als het touw van een galg, en snoof het op. Toen gooide ze haar blonde haren naar achteren en keek me recht in mijn ogen. En knipoogde.

'*Polezno i vkusno,*' zei ze glimlachend – 'gezond en lekker', een slagzin uit een televisiereclame voor een graanproduct – en hield me een opgerold bankbiljet voor.

Ik vond haar later, gezeten op de stoep voor Bogdans deur, met haar benen gespreid, haar polsen hangend over haar knieën, rokend. Ik ging naast haar zitten. Ze wierp me een blik toe, terwijl ze een trekje nam van de sigaret in haar mondhoek. We begonnen te praten.

Jana was een klassiek kind van Moskous gouden jeugd – rijk, intelligent, bevoorrecht en volkomen de kluts kwijt. Haar vader was een voormalige Sovjetdiplomaat in Zwitserland; haar moeder stamde uit een oud Sint-Petersburgs geslacht van intellectuelen. Half Moskou was verliefd op haar, en hoe meer ze hen afwees, hoe meer ze van haar hielden. Ze had het talent zich onder alle omstandigheden te redden, wat haar goed van pas was gekomen tijdens twintig jaren van ongeregeld en slordig leven. Het gemak waarmee ze zich verplaatste van het ene milieu naar een ander, van de ene plaats, man of afspraak naar een andere, was verbijsterend. Haar wispelturigheid en onberekenbaarheid waren echt onweerstaanbaar. Ze was woest primitief, temperamentvol, grillig en vaak zo egoïstisch als een klein kind. Jana deed me altijd denken aan iemand die voortdurend bezig is een reeks woeste karikaturen van zichzelf op de wereld uit te proberen, door steeds net iets andere varianten van haar sociale persoonlijkheid te presenteren. En zoals bij veel eenzame mensen het geval is, had ze een brandend verlangen om geliefd te zijn, en om legendarisch te zijn, maar geliefd vanuit de verte. En dat was de paradox waarmee ze leefde; hoe legendarischer ze werd, hoe onmogelijker het voor haar werd dat iemand van haar hield om wie ze zelf was.

We spraken vaak af bij Tram, een pleisterplaats voor de nieuwe rijken bij het Poesjkin-plein, met stalen buisstoelen en dofzwarte tafels, vanwaar ze me, na een licht maar ongehoord duur diner, meesleepte naar diverse feesten. Een daarvan was in een filmdecor in de MosFilm-studio's, gemaakt voor *De drie musketiers*, een labyrint van zeventiende-eeuwse balkons, poorten en wenteltrappen, alles van multiplex. Meisjes in jasjes van veren en hotpants dansten op een door paarden getrokken koets terwijl gezonde jonge mannen in Boss-jeans en met gladgekamd haar toekeken. Een ander feest was in het Theater van het Rode Leger, een absurd, stervormig stalinistisch gebouw, omringd door neoklassieke zuilen. In plaats van een extravagante balalaikashow voor Overwinningsdag was het geheel omgebouwd tot een gigantisch Day-Glo-bacchanaal, bevolkt door langbenige meisjes met stalen beha's en kaalgeschoren mannen in groene bontjassen. Er staat me een beeld voor ogen van Jana, die met een alles bedekkende zonnebril op die ze van iemand had geleend, als een maniak danste op de rand van het ronddraaiende podium. Ze stompte met haar vuist in de lucht terwijl ze langs me gleed met een statige vaart van acht kilometer per uur, en schreeuwde in het voorbijgaan: '*Davai, Davai!*' – een onvertaalbare uiting van uitbundigheid.

Al was Moskou nu nog zo goor, ik was dol op de energie van dit vreugdevuur van ijdelheden. Ik geloofde dat ik gestuit was op iets duisters, iets wat vibreerde en absoluut meeslepend was. Het geld, de zonde, de mooie mensen – het was gedoemd, apocalyptisch, voorbijgaand mooi als een Javaans beeld dat verbrand gaat worden. De gloeiende energie van de knappe, misleide jonge feestgangers die hier geregeld kwamen had dit geteisterde land een eeuw lang kunnen verlichten als ze ergens anders op gericht was dan zelfvernietiging en vergetelheid.

Jana en ik zagen elkaar geregeld gedurende een maand of zes. Haar fabelachtige aanwezigheid veranderde mij, dacht ik, in een beter en moediger mens. Ik voelde voortdurend ongeloof dat ik dit buitengewone schepsel naast me had. Dit kan niet waar zijn, zei ik tegen mezelf. Ik was niet eens jaloers wanneer ze zich door feestjes heen kuste en flirtte. Ik stond net als de anderen in de rij te wachten tot het zoeklicht van haar charme op mij viel, en dat was genoeg. Elke keer dat ze alle rijke jongens liet staan en met mij mee naar huis kwam, leek een klein wonder.

Er waren een paar zeldzame ogenblikken waarop ze de zware last van haar imago afwierp en deemoedig en kwetsbaar werd, een jongere en minder complexe versie van haarzelf. Dit is de Jana die nu voor mij nog bestaat – niet de fabelachtige Jana uit Bogdans tent, maar de make-uploze Jana in een Russische marinejopper die ik haar had gegeven en een zijden legerbroek die op stevige laarzen door Moskou stampt, heerlijk incognito.

Toen leek ze, zoals ik altijd had verwacht, haar belangstelling voor me te verliezen, en ik drong niet verder aan. Ik rationaliseerde dit door tegen mezelf te zeggen dat ik beter af was als ik mijn seksuele energie bewaarde voor bewoonsters van de aarde, in plaats van die te verdoen aan hemelse schepselen zoals Jana.

Maar toen Jana en ik niet meer met elkaar omgingen, begon ik te tobben; berooid, uitgezakt, depressief in een leunstoel. Ze zou een volmaakte eerste echtgenote zijn, zei ik voor de grap tegen mijn beste vriend en collega-verslaggever van de *Moscow Times*, Matt Taibi. Mijn oude appartement deed me te veel denken aan mijn leven vóór Jana, het was te veel gebaseerd op adolescentie. Daarom leende ik een paar dagen lang de woning van een vriend terwijl hij weg was, en bracht dagen door met op zijn verzakte oude bank zitten en sigaretten roken. Ik had het gevoel dat ik het moment diende te markeren met een of andere masochistische handeling, dus ik vroeg Matt zijn elektrische scheerapparaat te komen brengen. Voor het etalageraam op de tiende verdieping van de woning, dat uitzicht bood op het Kremlin, schoor hij alle schooljongenslokken van mijn hoofd af, die in een dikke laag op de kranten vielen die rond de stoel waren uitgespreid.

De pijn van mijn besluit om Jana te laten gaan zonder ruzie te maken – om liever voor Later te kiezen dan voor Nu – zat dieper dan ik wist. Ik was niet in staat geweest me los te maken uit het dwangbuis van gezond verstand toen Jana en haar wereld van extravagante dwaasheid op mijn weg kwamen, en die wetenschap brandde heet op mijn wangen als schaamte. Het leek me oud te maken – en dat des te meer omdat ik ook wist dat de wond mettertijd zou genezen, bijna zonder een spoor na te laten, en ik weer zou doorgaan als tevoren. Ik was bitter gestemd omdat mijn tienerbohemienschap zo grofweg was ontmaskerd als een vergankelijke schijnvertoning, en ik voelde me vernederd omdat ik duidelijk voelde dat de werkelijke reden waarom ik Jana had verloren was dat ik niet genoeg man was om haar te houden. Dat besef was hard, en ik ontvluchtte het door terug te keren naar de smeriger gewoontes van mijn oude leven, en dat in overdreven mate; ik probeerde de pijn weg te houden met seks en de vernedering te ontkennen met opschepperij. Het werkte, een tijdlang.

Na een halfjaar of zo verflauwde de intensiteit van mijn gevoelens voor haar tot een zwakke steek elke keer dat ik een foto van haar zag in *Ptjoetsj* of een ander trendy tijdschrift gewijd aan de capriolen van de clubjongeren van de stad. Ik was een nieuwe vriend die bestemd was nooit een oude vriend te worden – te weinig tijd, zoveel mensen en feesten. Toch dacht ik graag dat ergens tussen duizend afgedankte mensen, indrukken, feesten, ergens in die fabuleuze kaleidoscoop van haar vlinderbrein, mijn beeld nog zat.

Jana was te mooi, te surreëel volmaakt om te leven, dus het was vreemd genoeg geen verrassing voor me toen een wederzijdse kennis me in de herfst van 1996 's avonds laat belde en me vertelde dat ze verkracht en vermoord gevonden was bij een ver metrostation ergens in het grauwe voorstedelijke achterland van Moskou. Niemand – de politie nog het minst – had een idee wie haar zou willen doden.

Zelfs voor haar dood kon ik niet aan haar denken als iets anders dan een kind van haar tijd, dat vibreerde op de diepe, gedoemde ritmiek van een bepaald moment. Ik kon haar nooit ergens anders plaatsen dan in Moskou, of me haar voorstellen als oud, of verveeld, of cynisch, of dik, of getrouwd. Daarom leek het dus op de een of andere manier juist dat Rusland haar uiteindelijk had opgeslokt.

Ze was zo tegennatuurlijk vrolijk en optimistisch geweest terwijl alles om haar heen loog en doodging. Maar op het laatst stak de werkelijkheid een hand uit om haar uit haar wolk te plukken, net als Icarus, en trok haar omlaag, omlaag naar de diepte van zijn donkere onderbuik. Ze stierf gebroken, verkracht en angstig bij een ver metrostation, gewurgd door iemand – een vreemdeling, een minnaar? Wie zal het zeggen? Als ze een personage in mijn roman was geweest, zou ik haar ook hebben laten sterven.

Mervyn keerde naar de Sovjet-Unie terug aan het eind van de zomer van 1963, drie jaar nadat hij was weggegaan. Via St

Anthony's was het hem gelukt weer een uitwisseling van afgestudeerden te regelen met de Staatsuniversiteit Moskou. Het feit dat de autoriteiten hem toestemming hadden gegeven terug te komen was voldoende bewijs, veronderstelde hij met opluchting, dat gedane zaken gedane zaken waren voor de KGB. Terug in Moskou pakte Mervyn snel zijn oude vriendschappen weer op – dat wil zeggen, met uitzondering van Alexej en Vadim.

Mervyn had genoeg gehad van het snelle leven dat hij in zijn eerdere incarnaties had nagestreefd. Hij was eenendertig jaar oud, en klaar om een rustig leven te beginnen. Valery Golovitser vertelde Mervyn dat hij een verrukkelijk meisje kende dat precies goed voor hem zou zijn. Golovitser, zo lijkt het, was beter in het inschatten van zijn medemensen dan zijn vriend en neef Valery Sjein, die Mervyn probeerde over te halen uit te gaan met de brutale, modieuze en knappe meisjes van zijn snelle kennissenkring.

Nee, het meisje dat Valery Mervyn had toegedacht was even intellectueel en romantisch als hij zelf was, maar bovendien dapper en energiek. Mervyn was geïnteresseerd, maar vond het idee van een afspraakje met iemand die hij nog nooit gezien had te ver gaan. Hij vroeg of hij Valery's vriendin Ljoedmila kon zien voordat ze formeel aan elkaar werden voorgesteld.

Valery stelde voor dat Mervyn hen buiten de ingang van het Bolsjoi na een voorstelling zou opwachten; zo kon hij een blik werpen op zijn toekomstige nieuwe vriendin. Het was een plan dat alleen iemand uit een volkomen onschuldig tijdperk had kunnen bedenken; het had meer weg van iets uit een toneelstuk van Molière dan van het begin van een romance in de werkelijke wereld. Niettemin stond Mervyn braaf te wachten in de striemende regen van een oktoberavond, en hij kreeg inderdaad iets te zien van een piepkleine jonge vrouw die een beetje mank liep en die gezellig met Valery babbelde toen ze uit het theater kwamen.

Er werd een theevisite georganiseerd in Golovitsers kleine kamer. Mervyn werd voorgesteld als iemand uit Estland, om iets weg te nemen van het moeizame gevoel van vreemdheid dat de aanwezigheid van een authentieke Engelsman veroorzaakt zou hebben. Mila herinnert zich dat haar vooral de mooie lange rug van de 'Est' was opgevallen. Mervyn vielen Mila's vriendelijke blauwgrijze ogen op. In een dagboek dat Mervyn van tijd tot tijd bijhield, geschreven in stuntelig Welsh om het voor de KGB onbegrijpelijk te maken in het geval dat hij het boekje kwijtraakte, noteerde hij op 28 oktober 1963 dat hij een meisje had ontmoet 'met een heel sterk karakter, maar uitermate charmant, intelligent'. Ze spraken af elkaar weer te zien. Ze maakten samen lange wandelingen en praatten urenlang. Het duurde niet lang of mijn vader was een vaste bezoeker geworden in het kamertje van mijn moeder aan de Starokoesjenni Pereoelok.

Mijn moeder en ik gingen naar die oude kamer kijken, één keer, meer dan dertig jaar nadat ze er wegging, tijdens een van de jaarlijkse bezoeken die mijn moeder aan Moskou bracht. Het huis stond een eind van de straat af, en je moest door twee overdekte galerijen die vol lagen met niet opgehaald afval. Het was een lelijk gebouw uit het begin van de eeuw, log en saai, met dikke muren en getraliede ramen op de begane grond. De hal rook naar nat karton en schimmel, en de deur van het communeappartement op de begane grond was bedekt met schilferende lagen bruine verf. De oude rij deurbellen zat er nog steeds, één bel voor elke kamer van de kommoenalka. Ik drukte op de belknop, dezelfde knop waarop mijn vader in 1963 voor het eerst drukte, aarzelend, met een bos anjers in zijn hand, en weer, voor het laatst, in 1969 toen hij kwam om haar met zich mee te nemen naar Engeland. Een jonge vrouw deed open, luisterde terwijl wij uitlegden dat mijn moeder daar vroeger had gewoond, en liet ons met een verlegen glimlach binnen. Zij, haar man en de oude vrouw met wie ze samen de kommoenalka bewoonden, zouden er binnenkort uit gaan. Het gebouw stond op de nominatie om uitgebroken te worden en door de gemeente Moskou te worden verkocht om omgebouwd te worden tot luxeflats.

De woning stelde niet veel voor. Er was een brede gang, belegd met opkrullend linoleum, openhangende lagen behang, afzonderlijke sloten op elke deur. Aan het eind van de gang was een vieze keuken waarvan het plafond afschilferde door het gewicht van het vet van jaren, en uit de muur staken losgekoppelde gaspijpen van verdwenen kooktoestellen.

De kamer van mijn moeder, eigenlijk niet veel meer dan een opslagkamer, was nu een kinderkamer voor een slapende tweejarige. Mijn moeder keek zonder sentiment rond en tuurde omhoog en omlaag alsof ze op zoek was naar iets wat hier nog van haar restte. Ze vond niets en draaide zich om, en we gingen weg. Ze leek onaangedaan, en we gingen shoppen.

In die tijd woonde ik zelf aan de Starokonoesjenni Pereoelok. Het huis was een constructivistisch gebouw uit de vroege jaren dertig, en de lange, smalle kamers van het appartement hadden muren en ramen onder vreemde hoeken. Het was nog geen driehonderd meter van het oude appartement van mijn moeder bij de hoek van de Arbat. 's Avonds zwierf ik door de verlaten achterafstraatjes, naar de Rylejev-straat, waar Valery Golovitser vroeger woonde en waar mijn ouders elkaar voor het eerst ontmoetten. Ik liep over de Gogolevsky-boulevard, waar zij ook gelopen hadden, gearmd, naar de Kropotkinskaja Metro, en de Sivtsev-Vrzjek-straat in, waar mijn moeder altijd boodschappen ging doen bij Gastronom Nummer Eén. Het waren straten vol herinneringen voor mijn ouders, maar nog niet voor mij. Ik had hun brieven nog niet gelezen, en eigenlijk weinig interesse gehad voor hun vroege levens; ik voelde toen nog helemaal geen connectie tussen hun Moskou en het mijne. 'Mervyn, kun je je voorstellen hoe ik door de plassen van nachtelijk Moskou naar ons huis aan de Arbat loop?' schreef mijn moeder aan mijn vader, eind 1964. Hij kon het zich voorstellen. Nu kan ik het ook.

In haar kleine lichtloze kamer met dat ene smalle raam maakte Mila iets wat ze nog nooit eerder had gehad – een thuis. En daarna, toen Mervyn in haar leven verscheen, maakte ze een gezin.

'In de herfst van 1963 heb ik je voor het eerst gezien,' schreef Mila een jaar later. 'Ik voelde een soort innerlijke impuls, een soort kortstondige, schroeiende zekerheid dat jij precies die ene persoon was op wie ik eindelijk echt verliefd zou worden. Het was alsof een stuk van mijn hart zich losmaakte en onafhankelijk begon te leven in jou. Ik vergiste me niet. Ik ging je heel snel begrijpen en kwam zo dicht bij je alsof ik je schaduw was geweest sinds je je eerste stappen zette in deze wereld. Alle hindernissen vielen weg – politieke, geografische, nationale, seksuele. De hele wereld was voor mij in twee helften verdeeld – de ene helft: wij (jij en ik), en de andere: de rest.'

De kleinste bijzonderheden van de negen maanden die mijn ouders samen in Moskou doorbrachten zijn blijven leven omdat gedurende zes jaren van gedwongen scheiding hun gesprekken allemaal zeer gedetailleerd opnieuw leven werd ingeblazen in hun latere brieven. Bijna elke minuut en elke dag van hun paar maanden samen werd teruggehaald en liefdevol van alle kanten bekeken, als een souvenir. Elk kibbelpartijtje, elk gesprek, elke vrijpartij, elke wandeling werd overgespeeld in Mila's gedachten, overgespeeld en besproken, woorden en zinnen werden opgehaald en geanalyseerd, naar voren gehaald als levend bewijs dat het geen droom was geweest, dat ze een tijdlang echt samen een thuis hadden gehad, elkaar hadden gehad. 'Letterlijk elk detail van onze levens samen gaat door mijn geest,' schreef Mila. 'Ik leef voor de herinnering aan die tijden.'

Op winteravonden ging Mervyn, op de terugweg van de Leninbibliotheek naar de universiteit, bij Valery Golovitser thuis langs om even te kletsen en een paar nieuwe platen te halen; daarna dook hij in een overwelfde gang om te proberen zijn goons van de KGB af te schudden, en dan verscheen hij bij Mila's voordeur. Hij ging lekker zitten lezen op haar bank terwijl zij in de keuken steur bakte, Mervyns lievelingsvis. Na het eten maakten ze lange wandelingen over de boulevards en door de achterafstraatjes, en bleven tot laat zitten praten. Hij was dol op haar zelfgemaakte jam, die werd opgediend op prerevolutionaire Gardner-borden die ze in een antiekzaak had gekocht en die ze meenam naar Londen. Later werd Mila's kamer met zijn bedbank, tafeltje en kast een minnaarswereld voor hen, terwijl de buren in de kamer ernaast lawaaiige feestjes gaven en op de accordeon speelden.

Hun romance was voor hen beiden een thuiskomen – twee eenzame, leesgrage, liefdeloze mensen die in elkaar vonden wat ze heel hun ontregelde leven hadden gemist. Mila was negenentwintig en opgevoed met de romantische fantasieën van Sovjetfilms en literatuur. De meesten van haar vriendinnen en haar zus waren al in hun tienerjaren getrouwd. Hoewel Mila verhoudingen had gehad en ondanks haar vervormde heup populair was bij mannen, had ze nooit iemand gevonden die voldeed aan haar veeleisende normen.

Maar nu was daar plotseling, als door een handeling van God, die buitenlander met zijn lange rug, die dromerige, verlegen Russofiel met zijn lange vingers en zorgvuldige klinkers, zo ernstig en onschuldig (ondanks die zondige buitelingen in het gezelschap van Vadim en Sjein), zo verloren, zo verliefd op Rusland maar zonder thuis daar. Zij zou de belichaming worden van alles wat hij liefhad in Rusland, van de hartstocht en het vuur van het land.

Mervyn had precies de vorm van het gat dat in Mila's leven gaapte. Hij gaf haar bestaan zin, hij was wat ze had gemist om compleet te zijn, om een lap te leggen over de gruwel van haar kindertijd en de eenzaamheid van haar volwassen jaren. Zij werd de intelligente moeder die hij nooit had gehad. Hij werd de zoon, het kind om te koesteren zoals zij nooit gekoesterd was, alsof ze door hem te genezen zichzelf kon genezen, alles in orde kon maken voor hen beiden. Na een leven van ontbering was Mervyn Mila's redding.

'Het leven kan niet zo wreed en oneerlijk zijn als het me jou heeft gegeven,' schreef Mila aan hem, later, toen ze elk aan een andere kant van het IJzeren Gordijn woonden. 'Om de een of andere reden ben ik in jou getrokken, en niets zal me uit zo'n warme woning wegjagen. Er is zo weinig warmte en liefde in de wereld dat je het je niet kunt veroorloven ook maar een kruimel te verliezen van wat je daarvan gevonden hebt.'

Mervyn was echt Mila's eerste liefde, en die had alle morele zuiverheid en absolute, droomachtige helderheid van de adolescentie. Mila had veel te weinig menselijke referentiepunten voor haar emotionele leven, maar wel veel literaire. De taal van de liefde was, voor haar, melodramatisch, naïef en een tikje kinderlijk, maar werd geschraagd door een opwellende hartstocht die helemaal van haarzelf was. Het was geen erotische hartstocht, maar een hartstocht die gevoed werd door een vreselijke angst om verlaten te worden, deze ene kans te verliezen om haar ongelukkige leven te verbeteren en al het lijden daarin met één stoutmoedige streek uit te wissen.

Voor Mervyn was het een beetje anders. Zijn knappe uiterlijk betekende dat Russische vrouwen hem aardig vonden, met hem flirtten, met hem naar bed gingen. Maar hij had nooit Sjeins vuur of honger naar vrouwen. Vrouwen maakten hem verlegen, en hij beschikte niet over de ridderlijke charme van zijn Russische vrienden, hun pocherigheid of het zelfvertrouwen waar vrouwen voor vielen. Nu was hier Mila, de vrouw met een kreupel lichaam maar een mooie ziel, toegewijd, niet bedreigend, intellectueel onafhankelijk, in de eerste plaats een bondgenoot en vriendin en pas in de tweede plaats een vrouw, die toch een kennelijk oneindige voorraad liefde bezat om aan hem te schenken. 'Ik wil een goed, gezond leven voor je maken, een thuis, goed eten,' schreef Mila later, over haar beeld van hun toekomst. 'Het zal me zoveel plezier geven om jou te helpen met je werk. Ik ben er zeker van dat wij een echt gezin kunnen maken, bijeengehouden door liefde en vriendschap, wederzijds begrip, hulp aan elkaar. Alles wat we hebben, hebben we gedaan met ons eigen werk, ons eigen verstand. Samen kunnen we alles voor elkaar krijgen.'

Misschien wel het allerbelangrijkste was dat Mila Mervyns pijnlijke verleden begreep zoals niemand het tot dan toe had kunnen begrijpen. 'Ik zie je verlangen om jezelf uit de armoede, uit de anonimiteit in de grote wereld te brengen,' schreef ze. 'Ik zie hoe jij, alleen en zonder beschermheren en zonder een duidelijke weg om te volgen, doorzet met je leven en de toppen ervan beklimt; ik begrijp je smaak, je interessen, je zwakheden.'

Er was een moment, op een modderige avond in februari, dat

Mervyn en Mila samen uit het appartement aan Starokonoesjenni Pereoelok weggingen en naar de Gogolevsky-boulevard liepen. Mervyn moest rechtsaf om naar de Kropotkinskaja Metro te gaan, Mila linksaf om bij een paar vrienden op bezoek te gaan. Ze omhelsden elkaar, en toen hij wegliep in de schemering besefte Mervyn plotseling, zoals hij in zijn memoires schreef, dat hij 'smoorverliefd was op dat scheve figuurtje, en ik kon voor mezelf geen toekomst zien zonder haar'.

Hij had geen idee – hoe kon hij dat ook weten – hoe hard ze in de komende jaren voor die liefde zouden moeten vechten, of hoe diepgaand die zijn leven zou veranderen. Zijn liefde voor Mila begon, net als zijn liefde voor Rusland, als een romantische bevlieging. Wat eraan vooraf was gegaan waren avontuurtjes, vrij van gevolgen en opwindend. Wat zou komen, zou hem uit hemzelf drijven en al zijn reserves aan vastbeslotenheid vergen.

Mila nodigde Mervyn uit in het appartement van haar zus Lenina aan de Froenzenskaja-kade, een duidelijk teken van de groeiende ernst van hun relatie. Zelfs na zoveel jaren in Rusland was de woning van Lenina het eerste gezinshuis waar Mervyn ooit op bezoek was geweest. Geen van zijn vrienden, zelfs Vadim niet, had hem ergens anders uitgenodigd dan in een vrijgezellenkamer op de universiteit of in een kommoenalka zoals die waarin Valery Golovitser woonde.

Het was dapper van Mila, en karakteristiek voor haar, om hem te vragen, en van Lenina was het dapper om het idee te accepteren dat er een buitenlander op bezoek zou komen. Het feit dat Mervyn af en toe geschaduwd werd door de KGB was voor hen allebei duidelijk, en ze deden vrolijk alsof er niets aan de hand was, maar zijn bezoek kon gevaarlijk blijken voor Lenina's eenbenige echtgenoot Sasja, die inmiddels hoofd was van de afdeling Financiën van het ministerie van Justitie. Niettemin kwam Mervyn, kreeg *sjtsji*-soep, gehaktballen, cake en thee voorgezet, en werd behandeld als een lid van de familie. Hij werd uitgenodigd om terug te komen. Ondanks het buitenlanderschap van mijn vader en zijn vreemd formele manier van doen, raakten Lenina, Sasja en hun twee tienerdochters algauw erg op hem gesteld.

De zomer kwam, en Mila nodigde Mervyn uit op de datsja van de Vasins in Vnoekovo, een uur rijden vanuit het centrum van Moskou, maar al helemaal in het Russische achterland van oneindige luchten, eindeloze velden, aarden privaten en uit een put opgehaald water dat in emmers werd binnengebracht. In de zonneschijn hielp Mervyn Sasja de tuin omspitten en aardappels en komkommers planten. 's Middags stopten ze takjes en berkenbast in de samowar, dronken rokerige thee en aten zwartebessenjam terwijl het licht afnam. Mila en Mervyn maakten lange wandelingen in de berkenbossen, hij in een hemd met korte mouwen, zij in een lange katoenen impriméjurk, bij het middel geplooid, die ze had nagemaakt van een foto in een tijdschrift.

Ik ben zelf in die datsja op bezoek geweest, toen ik acht was, tijdens een reis naar Moskou met mijn moeder en mijn kleine zusje. Ik vond het enorm spannend in dat kleine houten huis te verblijven, met zijn krakende planken vloer, gevuld met de geur van aarde en tafelzuur, waar het stof rondzwierde in stralen van zomerzon. De noordelijke zomerdagen leken zich eindeloos te rekken, de hemel was onbewolkt en weids. Maar hoe warm de dag ook was, de korenvelden waren altijd vochtig en vol kikkers en slakken. Er was een kleine vijver vol met piepkleine baarsjes, waarvan ik er een keer een ving in een jampot en mee naar huis nam. Mijn visje ging dood in de nacht, en ik voelde me zo schuldig dat ik het plechtig in de tuin begroef, met mijn vingers gravend in de dikke aarde.

De tuin raakte overwoekerd, ondanks de moeite die mijn oom Sasja deed om hem te onderhouden. Lenina zei smalend dat hij drie zakken aardappels had geplant en er twee had geoogst. Dit kan iets te maken hebben gehad met het feit dat wij jongens – vreemd genoeg herinner ik me geen moeizame periode van verlegen kennismaken met de andere dorpsjongens; we vormden onmiddellijk een bende – ze stiekem opgroeven terwijl de volwassenen hun middagdutje deden, de aardappelplant netjes terugzetten in de grond en ons met onze buit terugtrokken in het bos, waar we de aardappels bakten in de as van ons kampvuur.

Laat in de middag gingen we soms het bos in om bessen en paddenstoelen te verzamelen. Deze oeroude gewoonte leek deel uit te maken van de Russische ziel; iedereen in het dorp was er obsessief mee bezig. Na de winderige zomerhitte op de velden en de stoffige wegen was het bos donker, roerloos en schimmelig. Het was een klassiek Russisch berkenbos, eindeloos en desoriënterend en stil. Ik vond het altijd eng om de dode bladeren weg te halen om de paddenstoelen onder de bomen bloot te leggen sinds er een reusachtige duizendpoot over mijn hand was gelopen. De Russische geest was hier, het rook naar Rusland. Wat verder van het pad af leek het een oerbos, vol schaduwen en gefluister, anders dan welk Engels bos ook.

De oude samowar uit de tijd van mijn vader was er nog, en ik verzamelde droge dennenappels om het vuur te stoken, dat het water nooit goed aan de kook leek te krijgen zoals het hoorde. Terwijl we lauwe thee dronken en zelfgemaakte jam aten, ondervroeg ik Sasja over de oorlog, en zijn tank. Hij was een goedhartige man en beantwoordde mijn vragen geduldig. Een oude vrouw uit het dorp die men kende als Babka Simka, die mijn tante hielp in huis, gaf me op mijn kop omdat ik zo vreselijk weinig wist over de geschiedenis van de Grote Patriottische Oorlog, maar ik ging toch door met vragen. Later speelden mijn dorpsvriendjes en ik Burgeroorlogje, Roden tegen Witten. De grootste eer was dan om een houten model van een Vickers-machinegeweer, dat door een van de grootvaders van de dorpsjongens gemaakt was, op zijn kleine wagentje te mogen trekken. Wanneer we ermee door de dorpsstraat met zijn diepe voren langs de datsja van mijn tante reden, riep Sasja soms aanmoedigend: 'Vrede in het land van de Sovjets!' terwijl we langskwamen.

Terug in Moskou, op de avond van 27 maart 1964, zat Mervyn met Mila te eten in haar kamer. Hij was een zorgvuldig man, en had besloten een tijd te wachten eer hij haar ten huwelijk vroeg. Maar toen ze de keuken in liepen om de vuile schalen in de gootsteen te zetten, flapte hij plotseling uit: 'Laten we ons laten inschrijven!'

'O Mervoesja,' zei Mila, gebruikmakend van het verkleinwoord voor zijn naam dat ze had bedacht. Ze omhelsden elkaar in de vettige warmte van de keuken. Maar ze zei niet ja. In plaats daarvan zei ze dat Mervyn erover na moest denken, voor het geval dat hij van gedachten wilde veranderen. Ze kusten elkaar ten afscheid in de gang, en Mervyn liep naar de metro.

De volgende dag kwam Mervyn weer langs, en Mila zei ja. Meteen gingen ze naar het herenhuis aan de Gribojedov-straat waarin het Centrale Paleis voor Huwelijken was gevestigd, de enige plaats waar het buitenlanders was toegestaan te trouwen. In de ongodsdienstige Sovjet-Unie werden paren niet in de naam van God in de echt verbonden, maar in naam van de staat, onder het toeziend oog van borstbeelden van Lenin en begeleid door een uitbarsting van een plaatopname van Prokofjev uit een apparaat dat bediend werd door een stuurs kijkende oude vrouw. Mervyn en Mila wachtten in de rij bij het kantoor van de directeur tijdens het drukke lunchuur om hun namen te laten noteren voor een trouwdatum. Ze kregen te horen dat de eerste open plek over bijna drie maanden was, op 9 juni, en die namen ze. Ze gingen weg met een uitnodigingsformulier waarop hun huwelijksdatum was ingevuld, en kregen zoals het hoorde bonnen uitgereikt voor champagne, die ze in speciale winkels konden inwisselen. Op straat gingen ze uiteen; mijn vader nam de trolleybus naar de Lenin-bibliotheek en mijn moeder ging terug naar haar werk.

De lange Moskouse winter liep ten einde. Mervyn zat aan het kleine tafeltje van Mila en maakte aantekeningen uit zijn boeken in het licht van een lamp, terwijl Mila op het bed zat te breien. Ze kocht grammofoonplaten en boeken voor Mervyn op weg naar huis van haar werk, waar alle meisjes nieuwsgierig waren naar haar lange, verlegen verloofde, en haar benijdden. De meeste avonden nam hij de laatste metro naar huis, zijn kamer op de universiteit, maar soms bleef hij, en dan lagen ze met zijn tweeën als tieners samengeperst op het kleine bed, en liep Mervyn op zijn tenen naar buiten voordat de buren op waren. Ze hadden eindelijk allebei het geluk gevonden.

Hun idylle duurde jammerlijk kort. In mei zag Mervyn, na een langdradige bijeenkomst met zijn supervisor aan de Staatsuniversiteit Moskou, dat er een ongewoon zware KGB-ploeg was aangesteld om hem te volgen. Hij had die middag een afspraak met een vriend van de universiteit, Igor Vail, maar vanwege die goons belde Mervyn hem op en stelde voor elkaar een andere keer te treffen, omdat, zo legde Mervyn uit met een duidelijk eufemisme, 'ik het vervelend vind om langs te komen onder bepaalde omstandigheden'.

Mervyn was niet op zijn gemak omdat Vail een paar weken eerder een rode trui van hem had gekocht. Mervyn zou het geld komen halen, dat Igor hem niet meteen had kunnen betalen. Mervyn had Igor ook een oud bruin pak gegeven om bij de *kommisionka*, de tweedehandswinkel, te brengen, wat alleen een Sovjetburger kon doen. Formeel waren dat beide illegale handelingen, net als elk zakendoen door particulieren in de Sovjet-Unie. Igor had het pak aangenomen, en gezegd dat hij een betere prijs kon krijgen van een Afrikaanse student aan de universiteit. Igors stem klonk ongewoon gespannen toen Mervyn hem belde, maar hij zei dat hij toch maar moest komen.

Vail deelde een kamer in een communewoning aan de Kropotkinskaja-straat met zijn moeder. Hij begroette Mervyn overdreven hartelijk bij de deur. Zijn moeder was er niet, maar er zaten twee mannen van middelbare leeftijd in pakken op de bank. 'Mijn twee vrienden,' stootte Igor uit, 'zijn erin geïnteresseerd dat bruine pak te kopen dat je wilde verkopen, weet je nog?'

'Ja, wij zijn geïnteresseerd in alles wat u wilt verkopen,' zei een van de mannen stijfjes.

Er viel een stilte. Mervyn draaide zich om en wilde weggaan. Dit was duidelijk een afgrijselijk amateuristische schijnvertoning, en met stijgende paniek besefte hij wie dit zo georganiseerd had, en waarom. Igor bleef wanhopig glimlachen. De man die gesproken had, stond op van de bank en haalde een rode identiteitskaart van de politie tevoorschijn. Mervyn, zei hij, was gearresteerd wegens de misdaad van economisch speculeren.

De rechercheurs reden Igor en Mervyn zwijgend naar het dichtstbij gelegen politiebureau, het Zestigste Militia-district aan de Maly Mogiltsevsky Pereoelok, vlak achter het Smolenskaja-plein. Mervyn moest even wachten en werd toen binnengeleid in de kamer van de accijnsonderzoeker, een kapitein Mirzoejev, die nauwgezet een lang verslag van het incident maakte, waarbij de nadruk lag op Mervyns misdaden als zedenbederver van Sovjet-jongeren en als kapitalistische speculant. Maar de beschuldigde weigerde dit te ondertekenen, en vroeg de man van de militie hem bij een telefoon te brengen. Mervyn wist heel goed wie er achter dit hele incident zat en kon zich tenminste een klein beetje superieur voelen vanwege het feit dat het kaliber van zijn vervolgers hoger was dan dat van kapitein van de politie.

'Ik moet de KGB bellen,' zei hij tegen Mirzoejev, die hem onmiddellijk naar de telefoon van het voorste bureau bracht.

Mervyn draaide een nummer dat Alexej hem jaren eerder gegeven had en dat in zijn agenda stond. Er werd opgenomen door een onbekende vrouw die zich niet druk leek te maken over het nieuws dat Mervyn vanuit een politiebureau belde. Ze nam zijn gegevens op en zei dat hij moest wachten.

Een halfuur later kwam Alexej de verhoorkamer in lopen in een snel pak, even keurig als altijd. Ze hadden elkaar bijna drie jaar niet gezien. Hij nam Mervyn afkeurend op en maakte er een vertoning van te vragen wat er gebeurd was. Mervyn, die besloot dat het het beste was om het spel van Alexej mee te spelen, vertelde hem precies wat er gebeurd was. 'Je beseft toch wel dat het een heel ernstige aanklacht is, Mervyn,' zei Alexej koeltjes. 'Heel ernstig.'

Er waren weinig formaliteiten. Alexej leidde Mervyn domweg uit het politiebureau naar buiten en in een wachtende auto, een ZiL. Alexej is hogerop gekomen, dacht Mervyn terwijl ze omhoogreden, de Lenin-heuvels in, en terug naar de universiteit. Alexej probeerde een gezellig gesprek aan te knopen en vroeg beleefd naar Mervyns moeder. Mervyn antwoordde dat ze ziek was, maar dat het veel slechter met haar zou gaan als ze wist in welke moeilijkheden haar zoon zich bevond. 'O ja, Mervyn,' zei Alexej. 'Je bevindt je in moeilijkheden.'

Ze hadden verder weinig tegen elkaar te zeggen terwijl ze naast elkaar zaten op de brede achterbank van de ZiL.

Later, toen hij alleen in zijn kamer op de universiteit over de lichtjes van de stad zat uit te kijken, dacht Mervyn erover na wat hem te doen stond. Hij nam aan dat Alexej gauw zijn oude aanbod zou hernieuwen om 'voor het volk van de Sovjet-Unie te werken'. Er waren nog zes weken te gaan voor zijn voorgenomen trouwdag, en de Sovjets konden hem gemakkelijk uitwijzen of hem tot twee jaar in de gevangenis zetten als hij zijn kaarten verkeerd uitspeelde. Hij leefde in geleende tijd.

Mervyn vertelde Mila de volgende dag dat de KGB een 'provocatie' tegen hem had geënsceneerd. Mila, die erg onredelijk kon zijn als het om triviale dingen ging, was kalm in een crisissituatie. Ze schonk een kop thee voor Mervyn in. 'Tja, zo is het leven in Moskou,' zei ze, en ze serveerde hem wat van haar jam op een schoteltje om met een lepel op te eten. Op de een of andere manier, hoogst naïef, hoopte Mervyn dat hij de KGB lang genoeg aan het lijntje kon houden om met Ljoedmila te trouwen en haar voor altijd weg te halen naar Engeland.

Helaas had de KGB andere plannen. Er volgde een reeks moeizame bijeenkomsten in het Metropole Hotel met zijn oude tegenspelers, Alexej en diens baas, Alexander Fjodorovitsj Sokolov. Mervyn probeerde om de hete brij heen te draaien en had het over zijn grote liefde en sympathie voor de zaak van internationale vrede en het onderling begrip van volken. De KGB-ers werden ongeduldig en drongen aan op een duidelijk antwoord. Sokolov bijvoorbeeld was opgevoed in een tijd waarin zulke fratsen gewoonlijk werden aangepakt door geweld te gebruiken. Hij brak bits door Mervyns geneuzel heen – wilde hij nou voor de KGB werken, of niet? Hij werd agressief, bonkte op de tafel, woedend door de steeds wanhopiger uitvluchten van mijn vader. Aan het eind van wat hun laatste bijeenkomst zou worden was het heel duidelijk dat het geduld van de KGB snel begon op te raken, als dat niet al gebeurd was.

Zo lang ik ervan heb geweten, heeft de manier waarop mijn vader zich tegen de KGB verzette me een edele en principiële daad geleken. Maar op een ander niveau vind ik het ook onbegrijpelijk. Nu ik dit schrijf, lijkt het me dat als ik voor de keus was gesteld gescheiden te worden van de vrouw die ik liefhad of een papier te ondertekenen waarin stond dat ik voor de KGB wilde werken, ik zonder aarzelen mijn handtekening op de stippellijn zou hebben gezet. Hoe ik ook over de KGB dacht, ik zou de zaak van mijn persoonlijk geluk belangrijker hebben gevonden dan wat ook. Ik kom er niet uit of dit een verschil is tussen mijn generatie en die van mijn vader, of een verschil in temperament tussen ons persoonlijk.

Mijn vader is geboren in een generatie van wie de vaders braaf verzengend machinegeweervuur tegemoet liepen voor Koning en Vaderland. Hij groeide op in een conformistische tijd, en hoewel veel in zijn leven opmerkelijk individualistisch was, was het idee zijn vaderland te verraden en te capituleren voor de verleidingstactieken van de KGB, hoe subtiel die ook geformuleerd waren, iets wat hij zichzelf niet kon toestaan. Maar zijn weigering was geen zaak van kiezen voor conformisme in plaats van voor de extravagante dwaasheid van verraad. Zijn diepgeworteld gevoel van persoonlijke eer wilde niet dat hij dit deed; ondanks de cynische houding tegenover politiek die hij zijn leven lang had gehad, twijfelde hij nooit aan zijn liefde voor zijn vaderland. Hij zou een hoge prijs betalen voor zijn principes.

Er kwam een brief, op dun, officieel briefpapier, met de mededeling dat de trouwdatum van mijn ouders was afgelast omdat er 'een criminele aanklacht was ingediend' tegen Mervyn – wat eigenlijk niet waar was, want de zaak was bij de politie nog in onderzoek. De KGB had ook Valery Golovitser opgeroepen voor een lange reeks ondervragingen, op voorwaarde van strikte geheimhouding, maar toch liet hij Mervyn via wederzijdse vrienden weten dat de hamer hem getroffen had. Mijn vader, die inmiddels erg bang was voor wat de volgende zet van de KGB zou zijn, besefte dat zijn vrienden begonnen te lijden onder de gevolgen van zijn houding.

Eén manier, dacht Mervyn, om een eind te maken aan deze wraakspiraal, kon zijn contact te zoeken met de leider van Labour, Harold Wilson, destijds nog leider van de oppositie. Wilson was in Moskou voor een ontmoeting met de Sovjets, die erg geïnteresseerd waren in de kansen van Labour bij de volgende verkiezingen. Op de avond dat Wilson aankwam, nam Mervyn een trolleybus naar het Nationale Hotel, en gebruikte zijn buitenlanderschap als een talisman om langs de veiligheidsdienst van het hotel te komen en Wilsons kamer op te zoeken. Wilson deed zelf open nadat Mervyn op de deur had geklopt, maar toen hij begon uit te leggen wat hem dwarszat en te vragen of hij persoonlijk bij Chroesjtsjov wilde interveniëren, rook Wilson onraad en weigerde, beleefd maar beslist. Toen hij twee dagen later een bezoek bracht aan Wilsons schaduwminister van Buitenlandse Zaken, Patrick Gordon Walker, werd hij nog beslister afgewezen. Walker gaf mijn vader de zinloze raad contact op te nemen met de ambassade.

Mervyn en Ljoedmila besloten op de afgesproken datum te verschijnen in het Paleis voor Huwelijken aan de Gribojedov-straat, ongeacht de opzegging. Mila droeg een met parels geborduurde linnen bruidsjurk, en Mervyn had in de zak van zijn jasje een zware roodgouden trouwring die hij voor de gelegenheid had gekocht.

Mijn vader speelde een spel dat uiteindelijk het einde alleen maar versnelde, door een gezelschap van buitenlandse correspondenten uit te nodigen om verslag te doen van zijn poging om te trouwen. Victor Louis van *Evening News*, een geheimzinnig personage van Russische geboorte, die de nestor was van de buitenlandse pers in Moskou, was aanwezig, evenals een tiental goons van de KGB. Toen het erop aankwam, was de directeur van het huwelijkspaleis zo verstandig ervoor te kiezen de hele dag niet in het gebouw te zijn. Haar koppige plaatsvervangster weigerde het stel in de echt te verbinden, met de woorden dat hun reservering in opdracht van 'het bestuur' was afgelast. Louis ging dapper voor hen in de strijd en drong bij de plaatsvervangster aan op een 'geldige wettelijke reden' voor de weigering het paar in de echt te verbinden. De bureaucraten trokken zich terug achter de oude Sovjettactiek urenlang niets te doen, tot uiteindelijk de energie van hun smekelingen oploste in wanhoop, en toen de avond inviel, ging iedereen naar huis.

Mijn vader voelde wel dat de onvermijdelijke vergelding na zijn mislukte publiciteitsstunt spoedig zou volgen, en dook onder in Ljoedmila's flat. De buitenlandse pers, die ontdekte dat hij niet in zijn kamer op de universiteit was, meldde dat hij verdwenen was. Twee dagen lang klampten Mila en Mervyn zich vast aan de illusie dat er misschien nog een wonder zou gebeuren, en probeerden ze de vreselijke stormvloeden van de wereld buiten de dunne deur van haar kamer te houden. Mila meldde zich ziek op haar werk, en het tweetal bracht de dagen door met gearmd over de Arbat wandelen, of opgesloten in haar kamertje lezen en praten. Maar de gedeelde telefoon van de kommoenalka maakte een eind aan hun wanhopige poging tijd te rekken. Mervyn moest zich melden bij de Britse ambassade.

Twee beambten van de ambassade stonden hem op te wachten bij de ingang van de juridische afdeling en namen hem mee naar de 'zeepbel', een hokje dat verondersteld werd vrij te zijn van bewaking, en waar ze dus konden praten zonder afgeluisterd te worden. De reden voor dit geheimzinnige gedoe was dat Mervyn te horen kreeg dat het ministerie van Buitenlandse Zaken 'reden had om te geloven dat Mila door de KGB op hem af was gestuurd'. Er werd geen bewijs gegeven voor deze bewering. Er volgde een moment dat Mervyn zich later herinnerde als een van de meest trotse ogenblikken van zijn leven, nog meer dan zijn weigering om voor Alexej te werken: hij stond vol walging op en liep de kamer uit, en de ambassade uit, zonder nog een woord te zeggen.

Maar hoewel zijn walging zeker oprecht was, was zijn vertoon van moed geforceerd. Nu echt in wanhoop nam mijn vader, wiens aangeboren verlegenheid het moest afleggen tegen paniek en het steeds sterkere gevoel dat er een catastrofe op komst was, de trolleybus terug naar zijn kleine toevluchtsoord aan de Starokonoesjenni Pereoelok om het onvermijdelijke af te wachten. De volgende dag, 20 juni, kwamen twee ambtenaren van de Britse ambassade bij de flat langs om een brief af te geven. De aanwezigheid van zoveel buitenlanders bracht grote opwinding teweeg bij Mila's fluisterende buren.

De brief deelde mijn vader mee dat de ambassade een officiële brief had ontvangen van het Sovjetministerie van Buitenlandse Zaken met de strekking dat een zekere William Haydn Mervyn Matthews, postdoctoraal student, nu in de Sovjet-Unie als *persona non grata* werd beschouwd en onmiddellijk het land diende te verlaten. Een paar minuten later werd er aan de deur gebeld door een geüniformeerde militair en een *droezjinnik*, of burger-helper. Mervyn had zonder ingeschreven te zijn in de flat gewoond, zei de militair, en hij moest met hen meekomen. Hij had weinig keus.

Ze reden snel door het centrum van Moskou – er was toen nog bijna geen verkeer in de straten – en kwamen langs het Loebjankaplein, waar Mervyn een akelig moment beleefde omdat hij dacht dat daar hun eindbestemming was, maar in plaats daarvan reden ze via de Tsjernisjevski-straat naar het OVIR, het bureau voor paspoorten en registratie. Daar kreeg Mervyn formeel meegedeeld dat zijn visum verlopen was en dat hij onmiddellijk diende te vertrekken. Een staflid van de Britse ambassade bood vrijwillig aan hem te helpen een plaats te vinden op een eigenlijk volgeboekt vliegtuig naar Londen de volgende dag, 21 juni 1964. Mervyn was zo verontwaardigd dat hij weigerde een woord Engels te spreken, zodat de man van de ambassade gedwongen was elk woord van zijn gesprek met de ambtenaren moeizaam te laten vertalen.

Ze brachten hun laatste nacht samen door in Mila's flatje. Mervyn vond het niet nodig terug te gaan naar de universiteit om zijn spullen in te pakken. Zowel hij als Mila was bijna verstomd van verdriet. De volgende ochtend vergezelde ze Mervyn in een taxi naar het Vnoekovo-vliegveld, met een grauw gezicht en helemaal kapot. Ze omhelsden elkaar. Toen Mervyn door de slagboom naar de paspoortcontrole liep, en uit haar leven, waarschijnlijk voorgoed, was het verdriet dat Mila overmande niet minder bitter dan het verdriet dat ze had gevoeld toen haar ouders van haar waren weggenomen.

'God, wat een vreselijke minuten heb ik daar op het vliegveld gehad. Ik stond alleen in de hoek naar jouw vliegtuig te kijken, terwijl de tranen over mijn wangen stroomden,' schreef Mila een paar dagen later aan Mervyn. 'De taxichauffeurs probeerden te helpen; ze vroegen wat er aan de hand was en zeiden dat ze me gratis zouden meenemen als ik niet genoeg geld had. Het duurde heel lang voordat ik weg kon gaan; ik bleef daar maar rondhangen, in de hoop dat er een wonder zou gebeuren en dat jij terug zou komen.'

11 Mila en Mervoesja

Mijn liefde is sterker dan hun haat.
Mila aan Mervyn

Mervyn werd wakker van vogelgezang. Buiten was het een stralende zomermorgen in een keurige Engelse tuin in een voorstad. Vanuit de keuken beneden kon hij het gekletter van ontbijtborden horen en het gemurmel van de BBC-radio. Terwijl hij in bed lag, drongen de gebeurtenissen van de laatste paar dagen zich aan hem op als de nasleep van een nachtmerrie.

'Hij is een koppige idioot, en hij zou beter moeten weten,' had zijn moeder de vorige dag tegen de *Daily Express* gezegd, en wat die koppigheid betreft had ze zeker gelijk. Maar er was meer aan de hand dan koppigheid. Mervyn had zijn hele leven gevochten tegen het provinciale eentonige werk dat anderen voor hem hadden bestemd. Nu, besefte hij, zou hij ook om Mila moeten vechten.

Die ochtend besloot Mervyn om alles te doen wat in zijn macht lag om Mila uit Rusland weg te krijgen. Dit was geen impulsief besluit. Als doorgewinterd pragmaticus gaf hij zichzelf vijf jaren. Als het dan nog altijd hopeloos was, zou hij zich verzoenen met het feit dat hij gefaald had, en doorgaan met zijn leven.

Mervyn richtte een werkplek in in een achterkamertje van het kleine huis van zijn halfbroer Jack in Barnes. Van daaruit begon hij telefoontjes te plegen, om de draden van zijn leven weer op te pakken. Een van zijn eerste telefoontjes was naar St Anthony's

College. Het hoofd van het college, Bill Deakin, had de persberichten over de capriolen van zijn student in Moskou met toenemende zorg gevolgd. Deakin stelde voor de volgende avond samen te gaan eten bij Scott's visrestaurant in Mayfair. Deakin was een imposante figuur, op-en-top een patriciër. Hij had met Churchill samengewerkt tijdens de oorlog, en was per parachute in Joegoslavië gedropt om contact te leggen met Tito's partizanen, samen met Sir Fitzroy Maclean. Hoewel Mervyn Deakin aardig vond en respecteerde, was hij nu juist zo'n keurige figuur van de gevestigde orde die hem in de verdediging drong.

Deakin had weinig aandacht voor Mervyn gehad voordat hij naar Moskou vertrok, maar nu de verlegen man uit Wales de zonde had begaan de naam van het college op de voorpagina's te brengen, was het tijd voor een ernstig gesprek. Het diner was duur en middelmatig – mijn vader vond dat het gastheerschap van Alexej in Moskou veel beter was geweest – maar Deakin was heel vriendelijk terwijl hij zijn whisky-soda's erdoorheen joeg. Hij liet Mervyn het volledige verhaal vertellen, en zijn eerste zorg was zich ervan te verzekeren dat hij niet betrokken was geweest bij enige criminele activiteit in Moskou die de reputatie van het college kon schaden. Bij de koffie vond Deakin het raadzaam dat mijn vader 'eens met de mensen van de beveiliging zou gaan praten' over zijn ervaringen. Buiten hield Deakin een taxi aan, waarna mijn vader naar de metro kon lopen. Het viel mijn vader op dat Deakin vrijgevig was met fooien van tien shilling.

Al toen hij in Moskou in het vliegtuig stapte, was er bij Mervyn een plan opgekomen dat stoutmoedig genoeg was om aan zijn dringende behoefte om in actie te komen te voldoen. De volgende week zou Nikita Chroesjtsjov met zijn vrouw een bezoek brengen aan Zweden, en Mervyn was van plan om hun een persoonlijke brief te laten toekomen, waarin ze gesmeekt werden twee gewone jonge mensen te helpen in het huwelijk te treden.

Op de een of andere manier kreeg Mervyns moeder lucht van dit plan, doordat hij er iets over had gezegd hetzij tegen de pers, of tegen zijn broer Jack. 'Doe me een plezier, Mervyn, en zie ervan af naar Scandinavië te gaan om Chroesjtsjov op te zoeken,' schreef ze vanuit Swansea aan haar zoon. 'Hij reist rond met een enorme lijfwacht en je zou doodgeschoten kunnen worden.' Mervyn negeerde haar advies, wat in de komende jaren een gewoonte zou worden.

Hij nam een vliegtuig naar Göteborg, maar landde er juist terwijl de Chroesjtsjovs vertrokken. De Zweedse politie, die uit de kranten had vernomen dat hij zou komen, wachtte Mervyn op en was enorm opgelucht dat hij te laat aankwam. 'Chroesjtsjov weg,' zei een Zweedse politieman in burger tegen Mervyn, terwijl hij omhoogwees naar de waterige zonsondergang.

Mervyn werd uitgenodigd voor een etentje met de redacteur van de *Göteborgs Handels- och Sjöfarts-tidning*, en liet zich interviewen. Nu hij Chroesjtsjov in Göteborg had gemist, volgde Mervyn hem naar Stockholm, door de trein te nemen door de regenachtige Zweedse nacht. Toen hij er aankwam, wist hij een goedkope kamer te vinden in het Hellman Hotel, en zette zijn theespullen klaar: een elektrisch komfoor, een geperforeerde lepel voor de blaadjes, en een kroes. Het was een gewoonte die hij tot ver in mijn jeugd volhield. Ik herinner me de theespullen duidelijk; ze stonden altijd op vieze tafels in goedkope hotelkamers overal waar we logeerden, in de Provence, in Istanbul, Cairo, Florence, Rome. Hij had ook een bord en bestek meegebracht, omdat de Zweedse restaurants hem te duur waren. In plaats daarvan at hij snacks en broodjes die hij in kruidenierswinkels kocht.

De volgende morgen ging Mervyn op weg naar de kantoren van de twee grote Stockholmse dagbladen, *Aftonbladet* en *Stockholms-Tidningen*, waar hij van verslaggevers hoorde dat de beveiliging rond Chroesjtsjov strak georganiseerd was, en dat hij niet moest proberen om in de buurt van de grote man te komen. Ze beloofden grote hoofdartikelen te plaatsen in de editie van de volgende dag.

Die avond ging Mervyn alleen naar een lunapark op een van de eilanden en keek naar de dansende jonge stellen. Ze moesten er voor elk nummer afzonderlijk betalen, zag hij. Hij stelde zich voor dat Mila en hij samen door de tourniquets liepen.

Om drie uur 's nachts werd hij gewekt doordat er op de deur

werd geklopt. Het was Des Zwar, een verslaggever van de *Daily Mail*. Mervyn probeerde van hem af te komen, maar Zwar hield aan. Hij was alle hotels in de stad af gegaan om Mervyn te zoeken, zei hij. 'De redactie denkt dat er een goed verhaal in kan zitten, dus daarom hebben ze mij op u afgestuurd.'

Ze gingen op het bed zitten en praatten. Mervyn vertelde zijn verhaal aan Zwar, en Zwar vertelde Mervyn over de passies in zijn leven: golf en mooie vrouwen – 'in die volgorde'. Het verhaal van Zwar, een meesterlijk stukje roddelbladproza dat mijn vader bewaard heeft in de eerste van vele mappen met krantenknipsels, verscheen in de krant van de volgende dag.

'Dr. Mervyn Matthews, de eenendertig jaar oude postdoctoraalstudent wie de toestemming werd geweigerd om met een Russisch meisje te trouwen, was vannacht in Stockholm in afwachting van een kans om morgen met de heer Chroesjtsjov te spreken. Eerder vandaag zwierf hij door het stadscentrum van Stockholm met een brief aan de heer Chroesjtsjov in zijn zak. Hij zei: "Ik zal het niet opgeven"... Als dr. Matthews probeert door het kordon van met machinegeweren bewapende politie te breken, loopt hij het risico te worden doodgeschoten. Mensen van de beveiliging, zenuwachtig geworden nadat er dreigementen zijn vernomen de heer Chroesjtsjov te ontvoeren, zitten in de bomen, staan langs de wegen en zitten zelfs te paard, met bevel te schieten als iemand probeert dicht bij de Russische leider te komen.'

Mervyns geld raakte op, en hij was er niet in geslaagd ook maar in de buurt van Chroesjtsjov te komen. De volgende dag vloog hij met lege handen terug naar Oxford.

'Ik zit bij het raam van ons college en denk aan jou,' schreef Mervyn aan Mila in zijn mooie lopende Russische schrift. 'Die vervloekte staking [van de posterijen] is nog steeds aan de gang, ze zeggen dat het nog wel een tijd zal duren, dus ik heb aan een vriend gevraagd deze brief in Parijs te posten. Er is een week voorbijgegaan zonder nieuws van jou. Ik wacht in spanning op je telefoontje.'

Zijn taalgebruik in die allereerste brieven was voorzichtig, de stijl formeel. Het is alsof hij haar reactie, haar verwachtingen van hem wilde peilen. 'Ik zou zelf wel willen bellen maar ik wil je niet storen... Ik doe nog steeds alles wat ik kan om een oplossing te vinden voor ons probleem. Je kunt volledig op mij vertrouwen. Ik vergeet mijn Mila geen ogenblik. Ik heb je foto's, die oude foto's, maar ik durf er niet naar te kijken. Ze zitten in een envelop. Ik weet dat ik, zodra ik naar je gezicht kijk, overmand zal worden door zo'n enorme golf van verdriet dat het echt niet gaat. Het is zo leeg, zo leeg zonder jou... Het is hier warm en benauwd weer. Een echte Oxfordse zomer. Het college is nog precies zoals het was, maar ik ben veranderd. Ik wil weten hoe jouw stemming is – het zal gemakkelijker voor me zijn als ik weet dat je niet wanhoopt. Wanneer ik aan ons afscheid denk, breekt mijn hart. Maak je niet ongerust – ik zal het er niet bij laten zitten. Bedenk dat ik allerlei stappen onderneem om ons wederzijds geluk te bereiken. Denk om je zenuwtjes, om je gezondheid. Je M.'

Een paar dagen later kwamen Mila's eerste brieven uit Moskou aan in Mervyns kamertje in St Anthony's.

'Vandaag beginnen we aan een nieuw leven, een leven van brieven en strijd,' schreef Ljoedmila op 24 juni. 'Ik voel me heel slecht zonder jou, het is net of het leven is opgehouden... In de drie dagen sinds je bent weggegaan heb ik veel kracht, gezondheid en zenuwen verloren. Ik weet dat je boos zult zijn, maar ik kon niets met mezelf beginnen. Ik slaap heel slecht, ik blijf maar denken dat je moet terugkomen, en dat ik op je zou moeten wachten, ik spring op bij elk geluidje. Mijn vriendinnen proberen me te steunen... Iedereen hier die eerlijk en verstandig is vindt het [onze scheiding] stom, onmenselijk, gemeen en schandelijk.'

Mila's vriendinnen kwamen geregeld langs om haar te troosten; ze brachten eten mee en sleepten haar mee naar het park om een eindje te wandelen. Maar Mila was nu 'zwijgzaam in gezelschap, dom, niet in staat om iets te zeggen'. Ze weigerde de lakens op haar bed te verschonen omdat die nog steeds 'de geur van jouw lichaam' droegen. Op de zaterdag na Mervyns vertrek beloofde ze zichzelf dat ze de energie zou opbrengen om naar het theater te gaan. Het was de première van *Cyrano de Bergerac* in het Sovremennik, maar voor het eerst in haar leven was Mila niet in staat de voorstelling uit te zitten, en ze ging weg na het eerste bedrijf. Ze had het gevoel dat ze rondrende 'als een eekhoorn in een rad'.

'Ik leef alleen nog met mijn verdriet, de wereld buiten heeft voor mij opgehouden te bestaan,' schreef ze de volgende dag aan Mervyn. 'Het spijt me heel erg dat ik je heb laten gaan. We hadden langer moeten wachten. Alles is nu duizend keer moeilijker, de eenzaamheid is ondraaglijk. Op het Instituut hebben alle vrouwen medelijden met me, maar onderling vinden ze dat je me hebt bedrogen. Ze zeggen: "Zal hij het wel blijven proberen?" Dan zeg ik tegen hen dat je dat zeker zult doen, en dat we heel veel van elkaar houden. Ze rennen allemaal naar de bibliotheek om de *New York Times* te lezen. Veel mensen vonden je foto mooi... Ik probeer zo snel mogelijk naar huis te gaan en met niemand te praten. Mijn moeder heeft heel vervelend gereageerd [op je vertrek]. Ze zegt dat ze wel dacht dat dat zou gebeuren! Je bent een buitenlander.'

Als ik iets heb beseft tijdens het schrijven van dit boek, is het dat mijn vader een diep integer mens is. Hij had beloofd met Mila te trouwen, en hij zou zijn woord houden. Sterker, hij zou veel opofferen om de afschuwelijke beschuldiging van Martha te weerleggen dat hij, een buitenlander, Mila aan haar lot zou overlaten, en haar voor de tweede keer tot wees zou maken. 'Mijn jeugd en jouw jeugd en het heden komen allemaal samen tot één beeld van pijn – ik wil niets liever dan dit allemaal kapotslaan en een stralend nieuw leven beginnen,' schreef een gekwelde Mila. 'Het is zo naar, zo koud en wees-achtig sinds je bent weggegaan.'

Ljoedmila liet er geen twijfel over bestaan wat het antwoord was op de onuitgesproken vraag in de eerste, voorzichtige brieven van Mervyn – haar hele bestaan was gericht op het gevecht dat ze moest aangaan, en haar hele leven werd in beslag genomen door de pijn van hun uiteengaan.

'Mervoesja! Ik geloof in je, zul je me teleurstellen?' schreef Mila.

'Ik zal hiermee doorgaan tot het einde. Hoe dan ook, ik vraag je, ik smeek je: als jij niet tot het einde toe wilt vechten, schrijf me dan een brief en stuur hem met iemand mee, zo zal het voor mij gemakkelijker zijn. Zoek geen uitvluchten – dat is het allerergste, erger dan de dood.'

Op aanraden van Bill Deakin schreef Mervyn voor MI5 een uitvoerig verslag over zijn contacten met de KGB. Hij ging ook vaak praten met David Footman, zijn mentor op St Anthony's, een lange, ernstige man die in een grote souterrainwoning in Chelsea woonde. Footman was net als Deakin hoffelijk en beschaafd, met een grote intelligentie en een moeiteloze sociale superioriteit. In de Eerste Wereldoorlog had hij een Military Cross gekregen, en, al wist mijn vader dat destijds niet, in de Tweede Wereldoorlog had hij aan het hoofd gestaan van het Sovjetbureau van de Geheime Dienst.

Ik herinner me Footman duidelijk van verschillende bezoeken aan zijn woning in Chelsea toen ik nog heel jong was. Hij was erg mager en onberispelijk gekleed, en sprak op de lijzige toon van de hogere klassen die ik tot dan toe alleen op de televisie had gehoord. Zijn woning was gevuld met boeken en foto's van de vliegtuigen uit de Eerste Wereldoorlog die hij had gevlogen (en, dat vond ik spannend om te horen, waarmee hij was neergestort), en ik herinner me dat hij me plechtig de hand schudde wanneer we weggingen, hoewel ik niet ouder was dan vijf of zes. Ik geloof dat Footman de eerste was die dat deed.

Bij een gebarsten kopje met slappe thee luisterde Footman vol medeleven naar Mervyns verhaal, terwijl hij intussen zorgvuldig zijn pijp stopte. Jonge mensen hoorden in moeilijkheden te komen, zei hij tegen mijn vader; dat was hem ook een paar keer gebeurd. Footman bekende dat hij altijd liever een secretaresse had willen hebben die 'weleens de liefde had bedreven' dan een preuts type; zij waren gemakkelijker in de omgang. Nadat Mervyn was uitgesproken, raadde Footman hem aan eens te gaan praten met 'Battersby, van de afdeling Beveiliging van het ministerie van Buitenlandse

Zaken – daar zullen ze vast wel geïnteresseerd zijn'. Hij vulde nogmaals zijn pijp en streek met zijn hand over zijn gedistingeerde voorhoofd.

'Je rekent er toch niet op dat je haar het land uit krijgt, hè? Dat zou een ongelofelijke meevaller zijn. Je moet realistisch zijn in dit soort zaken.'

Maar Mervyn kon niet realistisch zijn; dat lag niet in zijn aard. Ook denk ik dat hij geïnfecteerd was geraakt met iets van het irrationele en het maximalisme van Rusland. Niet zozeer de oppervlakkige verslaving aan zelf-dramatisering, wat zeker een erg Russische gewoonte is, maar eerder het echte opstijgen van de geest dat alleen lukt wanneer de werkelijkheid onmogelijk is om mee te leven. Realistisch zijn, in Russische termen, betekende je overgeven. Voor Mila zou het betekend hebben dat ze op haar vijftiende in een stoffenfabriek ging werken. Voor Mervyn zou het een baantje als bediende bij de plaatselijke Co-op hebben betekend. Zowel Mila als Mervyn had altijd geweigerd zich te schikken in wat volgens anderen redelijk was.

Kort na zijn gesprek met Footman kwam er een brief uit Moskou via Italië, waar hij gepost was door een Italiaanse communistische vriendin van mijn moeder. Dit was Mila's manifest, tegelijkertijd een uitdaging en een *cri de coeur*. Wat de brief beslist niet was, was realistisch, en dat maakt hem zo schitterend – en bijna onverdraaglijk – om te lezen, zelfs een heel leven later.

'Je zult deze brief krijgen aan de vooravond van je verjaardag,' schreef Mila. 'Ik stuur hem via Italië. Dit is de kreet van mijn liefde, dit is alleen voor jou en mij.' Hun andere brieven, namen ze aan, werden steekproefsgewijs gelezen door de KGB; deze brief, vond Ljoedmila, mocht absoluut alleen door hem gelezen worden.

'Ik heb nog nooit zulke brieven aan iemand geschreven, alles wat hier staat is eerlijk en waar. Mijn liefde voor jou lijkt misschien wel pathologisch sterk. In onze tijd is mensen geleerd met weinig tevreden te zijn, met halve hoeveelheden, met het kunstmatige. Ze vergeten gevoelens gemakkelijk en doen gemakkelijk afstand van elkaar, verraden elkaar, ze accepteren gemakkelijk surrogaten, ook in de liefde. Ik ben mijn hele leven tegen de stroom in gegaan; mijn hele leven is een felle strijd geweest tegen pogingen me een manier van leven op te leggen, een manier van denken die voor mij volstrekt onaanvaardbaar lijkt. Mijn leven is een gevecht geweest om een opleiding te krijgen, om ontwikkeld te worden, een gevecht om onafhankelijkheid en ten slotte een gevecht om liefde.

Vanaf mijn prilste jeugd heb ik een oneindige verhitte woordenwisseling met het leven gevoerd. Het leven zei tegen me: Studeer niet! Hou niet van mooie dingen! Speel vals! Geloof niet in liefde! Verraad je vrienden! Denk niet na! Gehoorzaam! Maar ik hield koppig vol dat mijn antwoord "Nee" was, en ploegde mijn zware pad vooruit door het puin. Het leven was wreed en wraakzuchtig. Het ontzegde me liefde, vriendelijkheid, warmte. Maar mijn dorst daarnaar werd alleen maar sterker. Het leven probeerde me ervan te overtuigen dat geluk onmogelijk is, maar toch geloofde ik er nog steeds in, bleef ik ernaar zoeken en erop wachten, klaar om ervoor te vechten wanneer ik het vond en het nooit op te geven.

Ze zeggen dat je alleen van iemand zou moeten houden om diens goede eigenschappen – maar ik hou van alles in jou, goed en slecht. Ik schaam me niet voor jouw zwakheden, ik draag ze in me als iets heiligs, onbereikbaar voor ogen van buitenaf. Ik hoor het niet wanneer iemand kwaad van je spreekt. Ik geloof dat alleen ik alles van jou zie, en hieruit vloeit mijn overtuiging voort dat jij de beste bent. Ik hou van je als mijn kind, als een deel van mijn lichaam; ik heb vaak het gevoel dat ik jou heb gebaard. Ik wil je zo graag in mijn armen wiegen, je beschermen tegen gevaar, je redden van ziekte.

Geloof je me, mijn jongen, geloof je dat ik bereid ben voor jou mijn leven op te geven? Ik probeer, met mijn zwakke vrouwenmoed, je te helpen te weigeren om bang te zijn voor deze mensen, niet aan hen toe te geven. Voel je dat? Ik weiger nog altijd bang voor hen te zijn, ook al zijn ze oppermachtig. Echt waar, deze donkere dagen hebben me getoond hoeveel ik van mijn muisje hou, hoe ik samen met hem ben gegroeid in hart en ziel, en wat voor verschrikkelijke operatie op me is uitgevoerd – een operatie aan mijn hart. Mijn doel nu is deze wrekende arend, dit vraatzuchtige roofdier, te laten zien dat mijn liefde sterker is dan hun haat.'

Hoe had Mervyn kunnen weigeren te vechten na zo'n hartverscheurende brief? Hoe zou wie dan ook zijn geliefde kunnen teleurstellen, nadat hij het voorwerp is gemaakt van zoveel liefde, geloof en hoop? 'Hou van me,' schreef ze. 'Of ik zal sterven.'

'Voor mij was niets zoals het eerst was,' antwoordde hij. 'Maar je hebt een zware morele taak op mijn schouders gelegd en ik ben er niet zeker van dat ik de kracht zal hebben om die te dragen. Ik heb het niet over de moeilijkheden betreffende ons huwelijk – je kunt er zeker van zijn dat dit plan voor 150 procent zal worden uitgevoerd. Nee, ik doel op het hoge morele voorbeeld dat jij voor me bent, de noodzaak om mezelf te vervolmaken. Jouw lof maakt me beschaamd. Je lijkt ermee te zeggen dat ik beter ben dan jij. Maar grotendeels kan ik alleen van jou leren. Jij hebt me een totaal nieuwe kijk op het leven gegeven, juist toen ik daar behoefte aan had.'

Zijn Russisch, in alle jaren dat ze elkaar brieven schreven, was even stijf en formeel als het hare vurig en hartstochtelijk was. Het lijkt haast of hij tegen zijn opvoeding moet vechten om woorden te vinden om gevoelens uit te drukken die te groot, te sterk zijn om binnen de smalle grenzen van beleefd corresponderen te passen. Mijn vader ondertekende de zojuist geciteerde brief met een zwierige krul; een kleinigheid, misschien, maar het was een extravagantere handtekening dan hij zich ooit eerder had toegestaan onder een brief te zetten.

Het lukte Mervyn een telefoongesprek met Lenina aan te vragen, en hij vroeg haar een boodschap door te geven aan Ljoedmila dat ze later in die week in het Centrale Telegraafkantoor moest komen. Mila was helemaal van de kaart na het eerste langeafstandsgesprek sinds hun uiteengaan. 'Zodra ik je stem hoorde, racete het bloed als een raket door mijn lichaam,' schreef ze. 'Ik wil je stem kussen.' Ljoedmila kon de gemeenschappelijke telefoon in de gang van haar flatje niet gebruiken vanwege de nieuwsgierige buren, en daarom kwamen ze tot een systeem van veertiendaagse telefoongesprekken. De gesprekken moesten van tevoren geboekt worden, en ze moesten kort zijn vanwege de kosten. Maar de paar minuten praten in een nauwe telefooncel in het Telegraafkantoor werden een reddingslijn voor Mila.

'Kleine Mervyn! Ik mis je zo erg, ik wil zo graag je hoofdje, je hals, je neusje kussen, maar wat moet ik beginnen, hè, mijn jongetje?' schreef ze kort na hun eerste telefoongesprek. 'Hoe moeten we deze hindernis overwinnen die ons zo ver uit elkaar houdt? Het is zo wreed, zo moeilijk, om een geliefde te hebben en hem niet te kunnen zien, niet bij hem te kunnen zijn. Soms bloeit er hoop in me op, geloof, ik wil graag moedig en sterk zijn, maar vaker voel ik zo'n wanhoop, zo'n teleurstelling, zo'n vreselijke pijn in mijn hart, zo bitter, dat mijn kracht het begeeft en mijn zenuwen het niet meer aankunnen, en dan wil ik het de hele wereld toeschreeuwen. Ik kan nog altijd niet geloven dat het waar is, dat je niet naast me bent. Zo wreed, zo oneerlijk! Maar aan wie ga je dit bewijzen, wie heeft tijd voor onze pijn, voor ons onrecht? Een machine voelt niet, hij denkt niet, hij rolt alleen maar over mensen heen, deze boosaardige moloch van de geschiedenis.'

Mervyn begon er juist achter te komen hoe de moloch van de geschiedenis werkte. Ondanks alles wat er gebeurd was, had hij nog steeds het krankzinnige idee dat hij de strijd ermee kon aangaan en winnen, ondanks de verstandige raadgevingen van zijn mentoren en de vervloekingen van zijn moeder. Mervyn stond voor een beslissing om achter iets aan te gaan wat goed en mooi en waarschijnlijk onhaalbaar was – of zich te verzoenen met iets wat gewoon en banaal was. Hij koos voor het buitengewone. In die beslissing ligt een moment van grote moed besloten, stralend genoeg om een heel leven te verlichten.

Lenina toonde ook haar karakter in een kleine maar levensbevestigende daad van dapperheid. Ze schreef aan Mervyn dat zij hun strijd om te trouwen zou steunen. 'Mila is mijn eerste kind en ik hou heel veel van haar, vooral nu,' schreef Lenina. 'Ik kan alleen maar aan jullie relatie denken, waar ik ook ben. We houden allemaal van je. Je bent een volledig lid van onze familie. Een ander in mijn plaats zou natuurlijk niet van je gehouden hebben, zou je gezien hebben als een dief die bij klaarlichte dag een stuk uit mijn hart heeft gescheurd. Maar omdat ik wil dat Mila gelukkig is en iemand heeft die van haar houdt, hou ik ook van je, hoe moeilijk je soms ook bent.' Lenina's dochter Nadja schreef ook; ze hoopte dat Mervyn terug zou zijn voor de winter en het paddenstoelenseizoen.

Halverwege augustus deed Mervyn weer een poging een Sovjetleider aan te klampen en hem een brief te geven over zijn benarde situatie. Hij nam een vliegtuig naar Bonn om te proberen de schoonzoon van Chroesjtsjov, Alexej Adzjoebej, te ontmoeten. Aangezien het getetter in de pers van Stockholm niets had opgeleverd, besloot hij ditmaal zijn doelwit zo onopvallend mogelijk te benaderen. Via een vriend van het college kwam hij in contact met Carla Stern, een Westduitse uitgeefster met goede connecties, die Mervyn inlichtingen gaf over de plannen van Adzjoebej, en een uitnodiging voor een particuliere receptie waar hij aanwezig zou zijn.

Mervyn, in zijn beste pak, zocht zijn weg door de volle salon. Adzjoebej stond in een kring van Duitse zakenlieden, die allemaal gretig praatten over de mogelijkheid binnen te dringen in de Sovjetmarkt. Er was bijna geen beveiliging. Mervyn schudde Adzjoebej de hand en gaf hem een brief. Adzjoebej keek lichtelijk gegeneerd, knikte kort naar Mervyn, gaf de brief zonder commentaar aan een assistent en wendde zich weer naar de zakenlieden. Mijn vader ging meteen weg, en keerde diezelfde avond nog terug naar Londen. Het was nauwelijks een opvallende ontmoeting geweest.

'Het enige wat mij troost geeft – en jou hopelijk ook – is het begrip en het medeleven van iedereen die ons ongelukkige verhaal kent,' schreef hij na zijn terugkeer aan Mila, zonder iets te zeggen over zijn mislukte reisje. 'Ik ben ervan overtuigd dat het kwaad dat gebeurd is uiteindelijk ongedaan zal worden gemaakt. Ik onderneem allerlei stappen om ons wederzijds geluk te bereiken.'

Op aanraden van Bill Deakin belde Mervyn een zekere heer Battersby van MI5. Ze hadden een gesprek dat nergens toe leidde. Het enige dat Battersby onthulde, was dat zijn collega Sewell in Moskou geen bewijzen had om tegen Mervyn te zeggen dat zijn verloofde door de KGB op hem af was gestuurd; het was maar een 'voorzorgsmaatregel' geweest. Wat de Britse ambtenarij betrof, was de zaak daarmee afgehandeld.

Een paar weken later, in begin september, stuurde MI5 een functionaris naar Oxford om met Mervyn persoonlijk te spreken. M.L. McCaul was fors, van middelbare leeftijd en erg doelgericht; hij had de houding van een sergeant-majoor. Hij reed met Mervyn naar de Bear in Woodstock om er te eten en ging de details na van het verslag dat Mervyn eerder had ingediend, om te controleren of er nog iets was wat hij er niet in had gezet. McCaul sprak over Alexej en Alexander Sokolov als 'uw vrienden' en 'dat stel'.

'De zinsnede "een sfeer van vriendschap gebruiken met het doel iemand te rekruteren" die u in uw verslag gebruikte, beviel ons wel,' zei McCaul tegen mijn vader. 'Die hebben we daarom in een van onze documenten gezet.' Hij ging er verder niet op in aan wat voor stukje MI5-literatuur Mervyn zonder het te weten had bijgedragen. Een paar dagen later stuurde McCaul twee foto's aan Mervyn om te zien of hij kon zeggen wie erop stonden. De ene was van een Russische postdoctoraal student die twee jaar eerder aan St Anthony's had gestudeerd, en die niets te maken had met Mervyns zaak. De andere foto was van een man die Mervyn nog nooit had gezien. Hij herinnerde zich Alexejs sarcastische commentaar over MI5, dat ze daar zo weinig effectief werkten, en was het helemaal met hem eens.

Tot Mervyns verrassing kwam MI5 op 2 maart 1966 eindelijk toch met iets goeds; hij ontmoette een man in het Charing Cross Station die hem een foto liet zien van een elegante figuur met een breed, knap gezicht en een opvallende streep grijs haar boven zijn slaap. Het was Alexej. De man van MI5 vertelde Mervyn dat zijn achternaam Soentsov was; het was voor het eerst dat Mervyn die naam hoorde. In Moskou had hij nooit aan Alexej durven vragen hoe hij heette.

In Moskou, voor Mila, was Mervyn overal; hij verscheen als de spookachtige overjas in het korte verhaal van Gogol. In het theater zag ze een paar 'landgenoten van je, met lange nekken en lange vingers, en ik werd zo bedroefd, zo verbitterd, dat ik besloot niet te blijven voor de voorstelling', schreef ze. 'Mijn Jongen! Waar moet ik de kracht vinden om zo lang te wachten?'

Mila's leven werd langzaamaan overgoten en overgenomen door de virtuele aanwezigheid van Mervyn. Ze hing een muur van haar kamertje vol met foto's van haar verloofde, en 's avonds liep ze in haar eentje over de Gogolevsky-boulevard naar het metrostation Kropotkinskaja om naar de stroom mensen te kijken die naar buiten kwam, om te zien of Mervyn zou verschijnen. 'Als ik je nu toch eens tegenkwam bij de metro; dan zouden we samen naar huis lopen, en de zomernachtlucht inademen. De straatjes achter de Arbat zouden mooi lijken, de mensen aardig, de avond zacht. Maar nu lijkt het alsof iedereen me kritisch bekijkt. De bomen lijken oud en geel – met jou erbij waren ze jong en levend. Ik kijk afgunstig naar vrouwen die de hand van een man op hun schouder hebben liggen.'

Voor de grote borden bij de metro waar de kranten van de dag waren opgeplakt bleef ze staan en las verhalen over gevechten tussen mods en rockers op het strand van Hastings. Daarna ging ze weer naar huis en schreef, en laat in de avond ging ze weer naar buiten om haar brief te posten in de brievenbus op de hoek van de Starokonoesjenni Pereoelok en de Arbat, zodat hij met de eerste lichting mee zou gaan. De kleine rituelen die in de rest van haar tijd in Rusland haar leven zouden bepalen, begonnen een troostend patroon te vormen, een routine die de machteloosheid van haar situatie, tenminste een beetje, kon verzachten.

''s Morgens begin ik, zodra ik wakker ben, een brief te schrijven, mijn liefste jongen... Ik stel me jou voor terwijl je slaapt, opstaat, doucht... Geen brieven meer... het wachten is het ergste. Zelfs als de postbode er elke dag drie bracht, zou het niet genoeg zijn, en nu hebben we een tijd zonder post... Geen nieuws, het is alsof mijn leven stilstaat.'

De rest van de zomer was Mervyn aan het werk met Alexander Kerensky, de slimme jurist die aan het hoofd had gestaan van de Voorlopige Regering van het Russische Rijk in de onduidelijke maanden tussen juli en oktober 1917, toen hij ten val werd gebracht door de staatsgreep van de bolsjewieken. Kerensky was nu hoogbejaard, een spinachtig mannetje met een bos grijs haar en dikke brillenglazen. Mervyn hielp hem met zijn onderzoek, dat eraan gewijd was de gebeurtenissen te ontrafelen waarin hij zelf een belangrijke rol had gespeeld. Mervyn vertelde Kerensky zijn eigen verhaal. De oude man voelde met hem mee, maar voor hem was Rusland een ver en vijandig land waaruit hij een halve eeuw eerder gevlucht was en dat hij nooit zou terugzien. Ze praatten over de Revolutie en over de meedogenloze mannen die erdoor aan de macht waren gekomen.

'Raspoetin? O, ja, hij was heel sterk, heel sterk!' mompelde Kerensky bijvoorbeeld. 'Lenin! Die had ik moeten laten arresteren toen ik dat kon.' Mervyn knikte; hij was het er oprecht mee eens.

Mijn vader begon brieven te schrijven aan meelevende parlementsleden en hoogwaardigheidsbekleders die wellicht in staat waren hem te helpen met zijn gevecht. Professor Leonard Schapiro van de London School of Economics gaf hem een lijst met namen en adressen, en Mervyn begon aan een onvermoeibare correspondentie die op den duur een hele dossierkast ging vullen. Hij schreef aan Bertrand Russell, de filosoof, die bij de Sovjets in een goed blaadje stond vanwege zijn campagnes tegen de kernbom; Selwyn Lloyd, de voormalige minister van Buitenlandse Zaken die 'goed had kunnen opschieten' met zijn tegenhanger in de Sovjet-Unie, Andrej Gromyko; Sir Isaiah Berlin, de in Riga geboren filosoof van het All Souls College; George Woodcock, secretaris van het Congres van Vakbonden en een bekend medereiziger. Ze antwoordden allemaal met beleefde woorden van begaanheid, maar boden weinig echte hulp.

Inmiddels werd het grootste deel van Mervyns tijd besteed aan brieven schrijven, telefoongesprekken voeren en bezoeken afleggen. Zijn academische werk schoot erbij in. Mervyn bracht een bezoek aan de privésecretaris van de ambassadeur van de Sovjet-Unie, Alexander Soldatov, maar deze ontmoeting leverde tot zijn teleurstelling niets anders op dan beleefde platitudes. Mijn vader bleef, met perverse volharding, visums voor de Sovjet-Unie aanvragen; even volhardend werden deze door de Sovjets afgewezen.

Mervyn had weinig hoop dat hij nog echt een visum zou krijgen. Mila daarentegen leek ervan overtuigd te zijn geraakt dat haar eigen aanvraag van een Sovjetuitreisvisum, een zeldzaam privilege dat gewoonlijk alleen gegund werd aan mensen die in politiek opzicht het meest vertrouwd werden, een kans had goedgekeurd te worden. Toen ze op 18 augustus hoorde dat haar uitreisvisum 'op het hoogste niveau' geweigerd was, was ze er kapot van.

'De laatste twee maanden heb ik, met de hulp van mijn vrienden en familie, in de hoop geleefd dat er een eind zal komen aan mijn lijden, maar gisteren heb ik ontdekt dat mijn hoop ijdel is,' schreef ze, en het briefpapier is bevlekt met tranen. 'Ik heb de hele nacht rondgelopen in de hitte, want ik kon niet slapen, en vandaag baad ik nog in tranen, alsof er voor mijn ogen een stuk van mijn hart is uitgescheurd. Weer ben ik in vreselijke wanhoop. Ik smeek je, mijn schat, laat me niet in de steek, ik ben op sterven na dood.

Ik zit in huis als een vogel in een kooi, ik heb slecht geslapen, in een vreselijke mengeling van liefde en pijn, maar ik zal moeten doorleven, het verdragen, wachten. Nog één minuut wachten en, lijkt het, mijn hart zal zichzelf in stukken scheuren en het bloed zal uit mijn mond stromen. Samen met jou kan ik elke marteling aan, maar alleen is het verschrikkelijk zwaar... Sommige mensen zijn blij: ze vinden niets zo heerlijk als het bloed te zien druipen uit zielen die ze met hun klauwen uit elkaar hebben gescheurd. Ze denken dat ze me gered hebben van een vurig Gehenna. Zij denken dat jij een vleesgeworden duivel bent, en dat ze zelf heiligen zijn. Blijf kloppen op de poorten van de hemel, luister en je zult van achter hen mijn stem horen die naar je roept. Ook al wil de poortwachter je niet doorlaten, laat hem niet slapen.'

Een paar dagen later leek haar stemming wat te zijn opgeklaard. Mila verontschuldigde zich voor haar wanhopige brieven van de week ervoor. 'Wist je maar hoe jouw besluitvaardigheid voor mij als zuurstof is. Alsjeblieft, Mervoesja, zeg nooit tegen me dat je ermee bent opgehouden met je hoofd tegen de muur te bonken. Trek je niet terug! Het bestormen van muren werkt niet altijd de eerste keer. Ik zal het nooit kunnen verdragen te horen dat je de hoop, het vertrouwen in je eigen vermogen, hebt opgegeven.'

In Moskou liep de zomer ten einde. Mila oogstte de aardappelen en komkommers die Mervyn had geplant. Het bessenseizoen was aangebroken, en Mila en haar nichtjes waren dagenlang in de bossen met ijzeren emmertjes bezig met het verzamelen van wilde aardbeien, bosbessen en veenbessen in de moerassige open plekken. Sasja plukte vruchten, en Mila en Lenina kookten enorme potten vol jam in de keuken van de datsja. Mila hield een paar potten apart, die ze samen met Mervyn wilde opeten zodra hij terug zou komen.

'Vertel me alsjeblieft alles over je leven, over het kleine kerriehuis midden in de stad,' schreef Mila aan Mervyn, na haar tijd buiten op het land kalmer dan ze in maanden was geweest. 'Al deze dingen zijn voor mij van vitaal belang. Daarin zie ik mijn echte, levende persoontje, mijn liefste jongen.' Aan het eind van de brief maakte Mila een paar kleine schetsen van een blouse die ze bezig was te naaien. 'Hier is een grappig gedichtje voor jou,' schreef ze een dag later. 'Mervoesja – geluk, Mervoesja – onderkant, Mervoesja – vreugde, Voor Mila – liefs... Is je kamer warm, je deken? Komen duivels van verleiding je bezoeken?'

'De postbeambten eisen 7½ procent, de regering biedt 4½ procent, en tot ze hieruit zijn, moeten wij lijden,' antwoordde Mervyn. 'Volgens mij zit de regering helemaal fout in deze kwestie, maar ik loop niet te koop met deze mening. De laatste paar nachten heb ik slecht geslapen, en ik droom vaak van jou. Ik denk vaak aan de heerlijke dingen die je voor me hebt gekookt. Ik probeer hier niet te veel te eten. Ik heb een nieuw paar pantoffels voor mezelf gekocht, Hongaarse pantoffels, en ik ben begonnen squash te spelen. Wees niet bedroefd, lieve Milotsjka, alles zal uiteindelijk goed komen voor ons. Ik omhels je. M.'

Het was slechts een kwestie van tijd voordat Mila's schandalige liefdesverhouding met een buitenlander die uit de Sovjet-Unie was gezet in botsing kwam met haar positie op het Instituut van Marxisme en Leninisme. Ze wist dat er achter haar rug om veel gekletst werd. Sommigen van haar collega's voelden duidelijk met haar mee; veel anderen keken haar in het voorbijgaan achterdochtig aan. Mila deed haar best om alleen te zijn, zodat ze niemand in verlegenheid bracht. Ze probeerde zich te begraven in werk, maar merkte alleen dat ze dom was geworden 'van de pijn, die hindert me vreselijk'.

De klap kwam na een speciaal bijeengeroepen vergadering van de leidende Partijleden bij het Instituut, het onbuigzaamste stel zeloten dat Mila ooit had ontmoet. 'Deze week is een nachtmerrie geweest, een en al zenuwen, tranen,' meldde Mila. 'Op het werk is er een enorme heisa. Een paar dagen geleden is er een Partijvergadering geweest. Ze wilden een rapport hebben over "Mijn Zaak". Ze wilden bloed zien. Ze riepen: "Waarom hebben we dit niet eerder geweten? Waarom heb je ons niet alles verteld?" (Dit is allemaal in de stijl van de Partijsecretaris.) "We moeten meer te weten komen via de Organen [van Staatsveiligheid]. En wat zegt ze om zich te verdedigen? Ze ontkent het. Zien jullie wel! Als de regering een beslissing heeft genomen, betekent dat dat die juist is. Ze moet gestraft worden! Ze heeft haar persoonlijke belangen de voorrang gegeven boven die van de maatschappij! Ze is het slachtoffer geworden van anti-Sovjetpropaganda!"'

Een paar collega's van Mila deden dapper pogingen om haar te verdedigen; ze drongen aan op clementie en zeiden dat verliefd worden haar nog niet tot een vijand van het volk maakte. Maar grotendeels 'hielden de slimmen hun mond, en de schoften schreeuwden zo hard ze konden'. Deze rechtbank van hypocrieten was het ergste soort druk, een volmaakt wapen voor de van conformisme bezeten Sovjetmaatschappij. En niet alleen de Sovjetmaatschappij: tegen het gezag ingaan is tot daar aan toe, maar weinig menselijke wezens kunnen weerstand bieden aan een eenstemmig koor van afkeuring van degenen die ze kennen en vertrouwen.

Mila gunde hun niet de overwinning haar in tranen te zien uitbarsten. Maar de ervaring was diep schokkend. Hoe energiek ze ook was, ze was toch een Sovjetvrouw, de dochter van een communist, een kind dat was grootgebracht door de staat. Nooit eerder was ze geconfronteerd met het vooruitzicht als andersdenkende te worden beschouwd. En ze was zich er maar al te zeer van bewust dat de smet van rebellie misschien wel haar hele leven op haar zou blijven rusten.

'Ik denk dat zelfs als ik hier wegga, ze meteen mijn nieuwe werk zullen bellen, of iemand zal op de ouderwetse manier inlichtingen over me geven, en dan zullen ze me daar ook onmiddellijk ontslaan,' schreef Mila. 'Toch moet ik weggaan. De sfeer is verziekt, er wordt veel geroddeld, ik moet praatjes aanhoren waarvan ik "iets kan leren", die genoeg zijn om me een hartaanval te geven.'

Hoewel Mila officieel uit de gratie was, had de directeur van het Instituut met haar te doen. Hij zorgde voor een overplaatsing naar de Centrale Bibliotheek van de Academie van Wetenschappen, waar ze dezelfde status en hetzelfde salaris kreeg, en waar Mila wetenschappelijke artikelen uit Franse academische tijdschriften moest vertalen. Tot Mila's grote opluchting bleken haar nieuwe collega's jong en onafhankelijk van geest te zijn. De bibliotheek was in feite 'een hol vol dissidenten... Het was alsof ik als een vis in het water was gegooid', herinnerde Mila zich. De kamer waar ze werkte was gedecoreerd met grote, surrealistische, met potlood getekende karikaturen van diverse historische figuren met fletse koppen die iemand van de directeur direct op de muren had mogen tekenen. Haar collega's en zij amuseerden zich door een reeks grappige foto's te maken – op een ervan zijn Mila en haar vriend Erik Zjoek te zien, poserend als de Arbeider en de Vrouw van de Collectieve Boerderij, een klassiek standbeeld van de Sovjetjeugd uit de jaren veertig. Hij houdt een hamer vast, zij een sikkel, en ze staan met de ruggen tegen elkaar in een zogenaamd heroïsche houding. Op een andere foto zijn de jonge bibliothecarissen te zien in een parodie op Rodins beeldhouwwerk 'de burgers van Calais'; ze staan in een rij met hun hoofden tragikomisch gebogen. De vrijgevochten atmosfeer van de bibliotheek maakte het voor Mila mogelijk verhitte twistgesprekken te voeren met de oudere onderzoekers over de vraag of er nog tijdens hun leven een eind zou komen aan de macht van de Sovjets. Mila stelde dat het zou gebeuren; professor Faigin, die alles wist over Peter de Grote, was van mening dat hij nog eeuwen zou blijven bestaan. 'Het Russische varken heeft driehonderd jaar op zijn ene zij gelegen,' grapte de dartele oude professor. 'Nu is het op zijn andere zij gerold en zal zo nog eens driehonderd jaar blijven liggen.'

Op 19 oktober 1964 ging Mila met twee nieuwe vriendinnen op pad om de terugkerende kosmonauten Vladimir Komarov, Konstantin Feoktistov en Boris Jegorov te begroeten. Die waren de ruimte in gegaan toen Nikita Chroesjtsjov nog aan de macht was; tegen de tijd dat ze op de aarde terugkeerden was hij zonder ophef afgevoerd in een coup van het Politburo, en vervangen door Leonid Brezjnev. Voor het grotere Sovjetpubliek had de overgang vrijwel ongemerkt plaatsgevonden, maar de hardere lijn van Brezjnev zou niet veel goeds betekenen voor de zaak van mijn ouders. Mila en haar vriendinnen wuifden enthousiast toen de kosmonauten in een open auto in lichte regen door de Gorky-straat reden. Daarna gingen ze naar een stampvol café en praatten tot de avond.

Maar ondanks haar nieuwe baan en de steun van haar vriendinnen wilde de pijn van het gescheiden zijn haar niet loslaten. 'Ik hoop toch zo dat onze liefde niet zal uitdoven, ik wil zo graag bij je zijn dat het lijkt dat als ik de keus zou hebben, ik liever zou sterven dan nooit meer bij je te zijn. Echt waar!' schreef Mila, op een avond in de herfst alleen in haar kamer. 'Ik mis je. Ik lijd vreselijk. Ik kan nergens naar kijken, nergens naar luisteren. Ik wil de hele wereld toeschreeuwen uit liefde, uit wanhoop, uit zo'n wreed en oneerlijk lot!'

Terwijl ik de brieven van mijn ouders las, gezeten bij het haardvuur van de datsja waar ik woonde met de vrouw die nu mijn echtgenote is, voelde ik iets vreemds. Terwijl Xenia op de bank zat en het moeilijke, lopende schrift voorlas, en ik op de vloer gezeten aantekeningen maakte, kon ik het afschuwelijke gevoel niet van me afzetten dat mijn ouders allebei dood waren, dat ik ze kwijt was. Hun stemmen klonken van zo ver, de bijzonderheden van hun intieme leven en hun lijden waren zo aangrijpend, dat ik het gevoel had dat ik levens doorspitte die al geleefd en weg waren. De kracht van de brieven lag evenzeer in wat er niet in stond als in wat er wel in stond, en ik merkte dat ik de betovering niet kon verbreken, zelfs niet toen ik mijn moeder opbelde en door de telefoon haar vertrouwde stem hoorde. We praatten over geruststellende banaliteiten, en ik kon het niet opbrengen om te zeggen wat ik voelde – dat ik helemaal van mijn stuk was van bewondering en liefde. En van verdriet, omdat ik wist dat hoewel mijn ouders na verloop van tijd herenigd zouden worden, hun onuitgesproken overtuiging dat ze hun traumatische jeugd konden uitwissen door middel van buitensporige zelfopoffering en strijd in naam van liefde, uiteindelijk niet zou uitkomen.

'Ik wil je zo graag mijn gevoelens vertellen, vertellen van mijn oneindige, diepe, warme en eeuwig droevige liefde voor jou,' schreef mijn moeder. 'Mijn brieven lijken droog omdat het onmogelijk is in woorden te zeggen wat er gebeurt – iets wat tegelijkertijd heerlijk en verschrikkelijk is. Het is licht en mooi, maar brandend pijnlijk.'

De winter viel in over Moskou, en, wat later en minder heftig, over Oxford. Mervyn bleef brieven schrijven aan iedereen van wie hij dacht dat ze iets voor hem konden doen. Maar het begon duidelijk te worden dat er geen snelle oplossing zou komen. Mila en hij bleven eens in de veertien dagen tien minuten met elkaar praten door de telefoon, tegen ruïneuze kosten. Ze spraken af elkaar afwisselend te bellen – Mila betaalde 1 roebel 40 per minuut nadat ze een complex systeem van formulieren en bankbriefjes had ingevuld om het gesprek te boeken bij het Centrale Telegraafkantoor in de Gorky-straat. Elk gesprek kostte 15 roebel 70, een aanmerkelijk brok van haar salaris van tachtig roebel per maand. Maar voor Mila was het elke kopeke waard. Ze bereidde zich even zorgvuldig voor op haar telefonische 'afspraakje' twee keer per maand met Mervyn in het Centrale Telegraafkantoor als wanneer hij daar echt aanwezig zou zijn, in plaats van een verre stem te zijn via een krakerige lijn. Ze zorgde ervoor dat ze geen schoenen aantrok die Mervyn niet mooi vond. Ze vroeg haar nicht Nadja haar haar te touperen tot een suikerbrood, en ze trok haar nieuwe regenjas aan en nam haar nieuwe handtas mee. Dit is het beeld van mijn moeder dat het duidelijkst bij mij terugkomt wanneer ik aan de brieven denk: een kleine, manke figuur in haar zelfgemaakte mooiste kleren en zorgvuldig gekapt haar, die alleen naar de halte van de trolleybus op de Gogol-boulevard loopt, trots dat ze op weg is naar een afspraakje met een mooie man die helemaal van haar is.

Tussen het campagne voeren door had Mervyn de laatste hand gelegd aan zijn eerste boek, een sociologisch werk over de Sovjetjeugd. Hij had hier, met tussenpozen, sinds 1958 aan gewerkt, en nu was daar de drukproef, klaar voor de laatste correcties. Het werk zou, hoopte Mervyn, zijn ingezakte academische loopbaan een zet omhoog geven, en zijn paspoort blijken te zijn voor het permanente staflidmaatschap bij het college waar hij zijn hele volwassen leven naar had gehunkerd. Maar nu de gelederen werden gesloten voor een uitputtingsslag, begon hij te twijfelen. Zou het boek, al was het mild van toon, de Sovjets misschien beledigen en zijn kansen om Mila het land uit te krijgen schaden?

Na een paar weken tobben besloot hij het niet te riskeren. Mervyn belde de uitgeverij, Oxford University Press, en vroeg hun het boek van de lijst te schrappen. Dit gaf veel consternatie bij de pers, en op St Anthony's. Het was een fantastisch offer om te brengen, en Mervyn wist toen waarschijnlijk al dat hij zijn kansen op academisch succes onherstelbare schade toebracht. 'Vanuit een bepaald gezichtspunt is dit goed,' schreef hij aan Mila, toen hij haar zijn besluit liet weten. 'Maar al die inspanning, al die nerveuze energie, allemaal voor niets...' Terwijl ik hier zit, bezig een eind te maken aan mijn eigen boek na vijf jaar inspanning, lijkt het offer van mijn vader onvoorstelbaar groot. Nog weken erna kon Mervyn het nauwelijks opbrengen te geloven wat hij had gedaan.

Op 26 april 1965 werd Gerald Brooke, een jonge docent die Mervyn had gekend toen ze allebei dankzij het uitwisselingsprogramma aan de Staatsuniversiteit Moskou studeerden, door de KGB gearresteerd. Hij werd opgepakt bij de woning in Moskou van een agent van de Volks Arbeiders Partij, of NTS, een kleine en ongelukkige door de CIA betaalde anti-Sovjetorganisatie. Deze organisatie had zo wanhopig geschipperd, bleek later, dat er bijna evenveel Sovjetspionnen in zaten als echte, misleide actievoerders. Brooke werd gepakt toen hij propagandafolders bezorgde bij een paar onfortuinlijke NTS-agenten die zelf een paar dagen eerder gearresteerd waren. Toen Brooke bij hun woning arriveerde, stond de KGB hem op te wachten.

De NTS had ooit in Oxford geprobeerd Mervyn te rekruteren. Georgy Miller, een bejaarde Russische emigrant, probeerde mijn vader over te halen een pak papieren af te leveren bij een contactpersoon in Moskou. Mijn vader was zo verstandig geweest om te weigeren; Miller had blijkbaar meer succes gehad bij Brooke. Maar het was op het kantje geweest. Voor hetzelfde geld, dacht Mervyn toen hij het bericht over Brookes arrestatie las, was ik dat geweest.

Brooke werd aangeklaagd wegens anti-Sovjetactiviteiten en veroordeeld tot vijf jaar gevangenisstraf. De Sovjetpers gebruikte het geval om een campagne tegen het Westen op te zetten. Mervyns vroegere collega bij de ambassade, Martin Dewhurst, was tijdens het proces tegen Brooke ook beschuldigd van anti-Sovjetactiviteiten, evenals Peter Reddaway, een andere vriend van Mervyn, die net als hij uit de Sovjet-Unie was gezet. Maar gelukkig werd Mervyns naam niet genoemd bij het proces of in de pers. Waarom niet heeft hij nooit geweten.

Er begonnen algauw geruchten de ronde te doen dat de Sovjetautoriteiten aanboden Brooke uit te wisselen voor Peter en Helen Kroger, twee Amerikaanse communisten die als Sovjetspionnen hadden gewerkt, eerst in de jaren veertig als koeriers van de spionnengroep bij het Manhattan Project in de Verenigde Staten, en later in mindere functies in het Verenigd Koninkrijk. De

Krogers zaten in de gevangenis; ze waren tot twintig jaar veroordeeld wegens spionage in Engeland nadat ze erop betrapt waren een spionnengroep te leiden in Portland, de Engelse basis voor kernonderzeeërs. Brooke, die alleen maar promovendus was, was absoluut niet van hetzelfde niveau als de Krogers, en Mervyn en anderen vermoedden dat hij enkel een pion was in een groter spel. Dit werd door de Krogers zelf bevestigd tijdens een interview voor de BBC in 1990. Brooke was speciaal gearresteerd om gebruikt te worden als ruilobject om de Krogers terug te krijgen, bevestigden zij, na intens lobbyen in Moskou door hun KGB-chef in Londen, Konon Molody, alias Gordon Lonsdale, die aan arrestatie was ontkomen en naar huis had weten terug te keren toen het spionageproject werd opgerold, maar zich nu eraan wijdde de vrijlating van zijn vroegere agenten te bewerkstelligen.

Mervyn broedde op het idee dat Mila betrokken kon worden bij een mogelijke uitruil van spionnen. 'Er wordt al gesproken over een Brooke-Kroger uitwisseling,' schreef Mervyn aan Frederick Cumber, een zakenman met goede relaties bij de Sovjetambassade. 'Dat betekent dus twee Ks voor één B. Persoonlijk denk ik dat er een aantal uitstekende argumenten is om Mila hierbij te betrekken. De Russen zouden het beschouwen als een verwaarloosbare concessie, en ze willen de Krogers heel graag uit het land hebben. De maanden van scheiding vallen ons allebei erg zwaar, en er gaat geen dag voorbij zonder dat ik diep nadenk over ons probleem. Wij leven om zo te zeggen per brief. Ik heb er nu zo'n 430 van Mila gekregen, en heb haar ongeveer hetzelfde aantal gestuurd (om van briefkaarten maar te zwijgen).'

Het sprankje hoop op een overeenkomst doofde echter algauw uit nadat de Britse regering had verklaard dat ze zo'n uitwisseling niet zou goedkeuren: het kabinet weigerde domweg toe te geven aan chantage van de Sovjets.

In Moskou bracht Mila haar dagen door met luisteren naar grammofoonplaten om Engels te leren. Ze herhaalde de eenvoudige verhaaltjes over Nora en Harry en hun verdwenen hond, die door de slager werd teruggegeven, tegelijk met een rekening voor de worstjes die de hond had opgegeten. Sommige brieven van Mervyn werden per ongeluk bezorgd in de brievenbus van haar buurvrouw Jevdokia, en Ljoedmila peuterde het slot open met breinaalden en een schaar om ze terug te krijgen. Ze kreeg steeds meer last van paranoia en vroeg Mervyn om een lijst van zijn brieven op te sturen, omdat ze haar buren ervan verdacht ze te stelen. 'Ze slijpen hun messen,' vreesde Mila. Ze sliep slecht, gekweld door nachtmerries van gescheiden zijn, met daardoorheen flitsen van lang onderdrukte herinneringen uit haar eigen jeugd.

'Vannacht heb ik gruwelijk gedroomd. Ik krijste en huilde en mijn zus dacht dat ik ziek was. Ik kan niet geloven dat de droom niet echt waar was, hij was zo levendig. Dus nu ligt iedereen te slapen en ik zit nog steeds te huilen. Mijn zus zegt dat die droom een heel slecht voorteken is. Het lijkt wel alsof ik geboren ben voor dit ongelukkige gevoel... zo'n brandende pijn, zo'n perverse subtiele marteling. Al mijn kracht en gedachten worden in onze liefde gestopt. Er is voor mij geen weg terug.'

Bij het ministerie van Buitenlandse Zaken deed men nu geen moeite meer om de irritatie over Mervyns tirades te verbergen. Howard Smith, het hoofd van de 'Noordelijke Afdeling' waar Rusland onder viel, leek Mervyn te beschouwen als, hoogstens, een lastige nietsnut, en hoorde zijn telefoontjes aan met groeiende ergernis, die bijna ontaardde in grofheid.

'De zaak van dr. Matthews is ons... welbekend,' schreef Michael Stewart, de minister van Buitenlandse Zaken, aan Laurie Pavitt, parlementslid, die een brief had geschreven om voor Mervyn te pleiten. 'Hem zijn herhaaldelijk in brieven en gesprekken met ambtenaren en ministers van Buitenlandse Zaken de redenen verteld waarom wij het niet als juist beschouwen zijn zaak te selecteren voor officiële offertes. Gezien de geschiedenis van deze zaak bestaat er werkelijk geen kans op een gunstige reactie op een officieel ingrijpen.'

Het dieptepunt in de betrekkingen tussen Matthews en het ministerie van Buitenlandse Zaken kwam toen Howard Smith op St

Anthony's kwam eten. Mervyn vroeg aan Fred, de rentmeester van het college, of hij Smith wilde vragen na de maaltijd bij hem boven op zijn kamer te komen. Toen Smith in de deuropening verscheen, verloor Mervyn zijn zelfbeheersing en liet hem, zoals hij later zei, 'recht voor z'n raap weten wat ik van hem vond'.

'Smith kwam zichtbaar geschokt terug in de grote zaal,' vertelde Mervyns vriend Harry Willets hem later. 'Hij vertelde aan iedereen binnen gehoorsafstand dat jij onderuitgezakt in een stoel had gelegen en hem "die drol van een Smith" had genoemd toen hij je deur opende. Zijn sigaar was uitgegaan.' In Mervyns herinnering had hij Smith alleen 'een scheet' genoemd. Misschien heeft hij het allebei gezegd.

Dit was de laatste nagel in de doodskist van Mervyns carrière in Oxford. Zijn onderzoek was tot stilstand gekomen en zijn boek was teruggetrokken, hij had op de voorpagina van de *Daily Mail* gestaan, en nu dit weer. Deakin ontbood Mervyn bij zich thuis voor een waarschuwend glaasje sherry. 'Grof en volstrekt onacceptabel,' zei Deakin met afgemeten stem. 'En hij was nog wel te gast op het college. We kunnen zoiets onmogelijk tolereren. Heb je nog iets gehoord over die baan die in Glasgow beschikbaar was? Misschien zou het voor jou beter zijn om naar het noorden te gaan zodat je hier weg bent.'

Het was afgelopen met Oxford, de meest gekoesterde droom van mijn vader na Ljoedmila zelf. Bij een biertje in de Lamb and Flag aan St Giles' Street bevestigde Harry Willets dat Mervyns baan als onderzoeker beëindigd werd. Uit Oxford te worden gegooid was een zondeval die diepere littekens bij Mervyn zou achterlaten dan alles wat hem verder in zijn leven was overkomen; het was een klap die alles wat hij daarna nog bereikte, zou vergiftigen.

12 Op verschillende planeten

Ik ben krankzinnig geworden van liefde.
Mila aan Mervyn, 14 december 1964

Moskou, ontdekte ik, leek mensen aan te trekken die razend intelligent waren, maar vaak hongerig en gekwetst, op de vlucht voor mislukking of trachtend iets aan de wereld te bewijzen. Net als een traumatische liefdesrelatie kon het mensen voorgoed veranderen. En net als een liefdesrelatie, of een drug, werd je er altijd in het begin vrolijk van, maar later eiste het de kick die het had gegeven weer op, met rente. 'Wat, dacht je dat je dat allemaal voor niets kreeg?' grinnikte mijn collega bij de *Moscow Times*, Jonas Bernstein, wanneer ik op het werk verscheen klagend over een kater, of wrijvend over vreemde blauwe plekken. Ik vermoed dat het antwoord ja is, we dachten dat allemaal.

Moskou bereikte de top van haar zichzelf-feliciterende overmoed aan het eind van de zomer 1997. De burgemeester van de stad, Joeri Loezjkov, besloot dat van de 850ste verjaardag van Moskou een viering moest worden gemaakt van de rijkdom en het succes van de hoofdstad, en hij kondigde een groots openbaar feest af. Op de bewuste dag reed Loezjkov triomferend in een gemotoriseerde Griekse wijnkom langs het oude Centrale Telegraafkantoor terwijl het centrum van Moskou was volgepakt met vijf miljoen feestvierders. Luciano Pavarotti zong op het Rode Plein en Jean Michel Jarre bracht een *son-et-lumière*-act op de Lenin-heuvels, door zijn lasers te projecteren op de hoge kolos van de Staatsuniversiteit Moskou. Ik herinner me dat ik wankelend door een berg afval achter een rij wodkakramen bij het Park Koeltoeri op zoek was naar een plaats om te pissen, en een stel ontdekte dat lag te copuleren tussen de weggegooide bierflesjes en chipszakjes. Het was een nacht van anarchie; terwijl Jarres lasers over de stad bloeiden, reden massa's jongeren op de daken van stampvolle trolleybussen en gooiden zevenklappers in de menigte.

Toch had Moskou in diezelfde tijd een smerige onderbuik waarvan mensen zoals majoor Loezjkov wensten dat hij niet bestond. Ik bracht twee dagen door in het Koerski Station, een doolhof van gore betonnen perrons, bewoond door dakloze mensen die zo ver gevallen waren als ze maar konden vallen. Wanneer het avondspitsuur afgelopen was, kwamen de geheime bewoners van het station voorzichtig uit hun ondergrondse wereld onder de tunnels tevoorschijn en eisten het station weer als hun eigendom op. Wanneer ik omlaagklauterde naar de rails, vond ik hele families van zwervers die onder de perrons woonden in nesten van karton en afval. Ik dronk biertjes met een groep tienerzakkenrollers die de helft van hun buit aan de politie gaven als beschermingspremie. Een dertienjarig hoertje met een gezicht dat was volgesmeerd met witte make-up en vuil haar dat met een glimmende plastic klem omhoog werd gehouden, probeerde me met praatjes te versieren. Ik kocht een blikje gin-tonic voor haar, en ze legde uit dat ze was weggelopen uit een verafgelegen dorp, waar haar aan alcohol verslaafde ouders haar hadden geslagen. 'Maar nu ben ik hier in de grote stad,' zei ze, opklarend, terwijl ze haar wereld van beton, afval en neon overzag. 'Ik heb er altijd van gedroomd hier te wonen.'

Ik vond andere weglopers die zich verstopt hadden in een doolhof van ondergrondse verwarmingsbuizen in een buitenwijk van de stad. Deze kinderen hielden zich in leven door zakken te rollen, en spullen te dragen voor de plaatselijke marktkooplui, alles om hun verslaving te betalen aan het snuiven van een goedkoop merk lijm genaamd Moment. Ze zagen er sjofel en uitgeteerd uit maar waren onstuitbaar vriendelijk en vrijpostig, ook al werden ze voortdurend bedreigd door plunderende homoseksuelen die hen probeerden te verkrachten, door de politie die hen van tijd tot tijd kwam oppakken, en door Amerikaanse missionarissen die hun eten brachten en hen tot Jezus lieten bidden. Ze waren zo listig en cynisch als ratten, maar ze leefden als een groot gezin; ze hielpen de jongsten, die nog maar acht of negen waren, en die ze eten gaven en onderrichtten in de harde manier van leven in hun kleine wereld. Ze nodigden me trots uit in hun hol en vroegen verlegen aan me of ik hotdogs voor hen wilde kopen, de grootste tractatie die ze zich konden voorstellen.

In augustus van dat jaar verhuisde ik naar een nieuw appartement in de Petrovka-straat. Mijn hospita op Starokonoesjenny Pereoelok, die zich had laten meesleuren in de waanzin van de economische hausse, probeerde mijn huur met 50 procent te verhogen met een opzegtermijn van twee dagen. Ik beloofde dat ik zou betalen, maar ging er toen snel vandoor.

Mijn nieuwe medebewoner was een verrukkelijk Canadees bloemenkind dat zich tot effectenmakelaar had ontpopt; ze heette Patti. Patti had, net als de duizenden expats die Moskou in die tijd binnendrongen, geprofiteerd van een reusachtige economische hausse die gevolgd was op de herverkiezing van Boris Jeltsin in het jaar daarvoor. Het waren goede tijden voor diegenen die de juiste plaats innamen om hun voordeel te doen met de verkoop van de eeuw.

De rijke jonge buitenlanders van Moskou waren de conquistadores van het kapitalisme; ze woonden in gigantische appartementen waarin ooit Stalins ministers hadden gehuisd, gaven heroïsche feesten in wat de meest luxueuze datsja's van het Politburo waren geweest, smeerden hem voor weekends in Ibiza, kozen wie ze wilden uit het vrouwvolk van het veroverde land en oogstten zogezegd de vruchten van de honderd miljard dollar die de NAVO voor de militaire uitgaven had bestemd en waardoor ze daar konden zijn. Overdag handelden ze in aandelen, kochten bedrijven op en verkochten snel lopende consumptiegoederen aan de Russische massa's, zodat ze fortuin maakten met de verkoop van Tampax, Marlboro's en deodorants. 's Avonds en 's nachts reden ze door Moskou rond in glanzende zwarte SUV's, zwelgden in cocaïne en verzamelden een entourage van verbluffend mooie vriendinnen.

Eén kennis van mij verdiende miljoenen doordat hij een goede relatie had met de Russisch-orthodoxe Kerk. Het Kremlin stond de Kerk toe om alcohol en sigaretten vrij van invoerrechten te importeren, waarbij de winst dan bestemd zou zijn voor de reconstructie van kerken. Een andere vriend verdiende zijn poen door accountantsverslagen te maken voor een vooraanstaand Amerikaans adviesbureau. De manier waarop hij werkte was heel eenvoudig. Hoe slecht of vervallen de fabriek ook was, hij deed altijd de aanbeveling de helft van hun werknemers te ontslaan, maakte een creatieve versie van hun boekhouding om aandelen aan lichtgelovige westerse beleggers te verkopen, en deelde de winst van de hieruit volgende eerste emissie met de directie.

Rusland was duidelijk aantrekkelijk voor iedereen die een duistere trek had van grove onverantwoordelijkheid en zelfvernietigingsdrang. En als je die had, was er niets om je te verhinderen daaraan toe te geven. Het was een vreemde, goddeloze wereld, waar waarden permanent in een toestand van schijndood verkeerden en je angstwekkend veel vrijheid had om de slechtste uithoeken van je eigen zwarte hart te onderzoeken.

Maar ondanks de gunstige tijd kon Moskou zich wreken op haar nieuwe meesters, door hun buitenlandse zielen geniepig te verneuken. Je zag dan hoe jongelieden die als opgewekte, uit de klei getrokken jongens waren aangekomen, binnen een jaar die harde, gesloten uitdrukking op hun gezicht kregen die je meestal associeert met circusmensen. Egoïstische jonge hedonisten ontwikkelden zich snel tot egoïstische psychotische monsters – te veel seksueel succes, geld, wodka, drugs en cynisme in te korte tijd.

Patti echter wist op de een of andere manier haar hippieopgewektheid te behouden, ondanks al die dingen. Er is me uit die tijd een beeld van Patti bijgebleven. Het was vroeg in de morgen, bij een zomerse zonsopgang, en ik werd wakker en zag Patti in mijn kamer poedelnaakt in mijn bureau snuffelen, op zoek naar overgebleven amfetamine. Ze moest een vroege vlucht halen; ze ging weer eens op zakenreis naar Siberië om fabrieken op te kopen. Ik strompelde naar de badkamer, keek in de spiegel, en zag Nosferatu naar me terugkijken. Patti, intussen opgepept door haar chemische wekker, klepperde opgewekt door de gang op haar Prada-sandalen, zeulend met haar tassen van Ralph Lauren, en riep tot ziens.

'Patti, lieverd, wanneer koop je nou eens een fabriek voor mij?' riep ik vanuit de badkamer.

'Gauw, schatje, heel gauw, wanneer we allemaal hééél hééél rijk zijn! Dáág!'

Terwijl in 1965 de herfst naderde, trof Mervyn voorbereidingen om zijn kamer op St Anthony's voorgoed te verlaten. Hij had een docentschap bij Nottingham University aangenomen; volgens zijn eigen inschatting bevond dit instituut zich 'ongeveer onder aan de tweede divisie' van universiteiten. Veertien maanden had hij zich ingespannen en hij had niets bereikt met Mila, en de eenzaamheid vrat aan hem. In zijn laatste weken in Oxford reed hij geregeld naar Wytham Woods en zwierf alleen tussen de bomen.

'Ik ben erg treurig vanavond, dus schrijf ik aan jou, dat helpt,' schreef Mervyn. 'Ik werd getroffen door wat je in je brieven zei over je eenzame wandelingen. Praat je dan echt tegen me, roep je naar me? Ik dacht de hele avond dat ik je stem kon horen, laag en lief en zangerig, ook al kon ik geen antwoord geven. Ik denk vaak aan je en je bent altijd bij me... Ik dacht hoe fijn het zou zijn als je hier was; we zouden in de tuin in de zon zitten of samen iets doen. Mijn verdriet is bijna ondraaglijk, maar na een tijd trekt het weg en dan kan ik me vermannen en werken.'

Met het einde van zijn carrière in Oxford kwam de wanhoop. Conventionele tactieken werkten duidelijk niet, dus begon Mervyn te denken over iets onorthodoxers. Als laatste vriendelijk gebaar bood St Anthony's aan Mervyn te betalen voor een reis naar een conferentie in Wenen, ook al had hij geen onderzoek gedaan en had hij geen artikel te presenteren. De enige voorwaarde was dat Mervyn 'geen grappen' moest uithalen, zo waarschuwde Theodore

Zeldin, een van de bestuursleden van St Anthony's, hem.

De conferentie was een weelderige aangelegenheid, met banketten en eindeloze toespraken. Mervyn glipte weg en ging alleen eten in een Russisch restaurant, de Feuervogel geheten, waarvan de eigenaar een enorme, zweterige Rus was die ook aan de tafels bediende en wodka schonk, zelfs als die niet besteld was. Een Bulgaarse gitarist zong melancholieke liederen en kibbelde met de eigenaar.

Mervyn had inderdaad wat 'grappen' op het oog, waarvoor hij op de dag dat de conferentie afgelopen was onopgemerkt naar Tsjechoslowakije moest gaan, om een vertrouwelijke brief te versturen waardoor, hoopte hij, zijn fortuin zou keren. Hoewel er in die tijd geen visum nodig was en de treinrit naar Praag maar drie uur duurde, had Mervyn voor zijn vertrek een slapeloze nacht, omdat hij bang was net als Gerald Brooke gepakt te worden. Maar de reis verliep zonder problemen; de grenswachten keken met gefronst voorhoofd naar zijn paspoort, maar zetten er wel een stempel in.

Mervyn kwam op 6 september 1965 in Praag aan en liet zich inschrijven in het vervallen Hotel Slovan. Hij vond Praag levendiger dan Moskou, en ontdekte zelfs een sjofele nachtclub, waar hij een enkel glas wijn dronk. Die avond ging hij ervoor zitten om een lange, openhartige brief aan Alexej te schrijven. Mervyn legde uit dat het uit propagandaoogpunt gunstig was om Mila te laten gaan, en bood een 'aanzienlijke' som geld aan als dat zou gebeuren. Hij haalde gevallen aan van Polen en Oost-Duitsers die zich het land uit hadden gekocht, onofficieel maar wel legaal. Hij zou Rusland hiermee helpen, en hoewel hij niet rijk was, kon hij weldoeners vinden. Het geld zou naar 'liefdadige doelen' in de Sovjet-Unie kunnen gaan. 'Wij zijn ongeveer even oud, Alexej, en we kunnen ernstig en oprecht met elkaar praten. Help alsjeblieft!' smeekte Mervyn.

In tegenstelling tot Mila leek Mervyn nog steeds illusies te koesteren over de fundamentele fatsoenlijkheid van de KGB, of in elk geval van Alexej persoonlijk. Wat hij niet in de brief zette, was een aanbod om met hen samen te werken – maar in dit stadium zou zo'n aanbod waarschijnlijk toch niet geaccepteerd zijn. Hij verstuurde de brief de volgende ochtend per aangetekende post vanuit het Centrale Postkantoor, vlak bij het Wenceslas-plein. Hij heeft nooit een antwoord ontvangen.

Misschien vonden mijn ouders iets in hun gescheiden zijn wat weergalmde in een emotionele dorheid die ze beiden vanuit hun jeugd met zich meedroegen. Maar er kwam een punt, al vroeg in hun relatie per brief, dat ze zoveel van hun leven in hun brieven begonnen te zetten dat het weergeven van de ervaring voorbijstreefde aan de ervaring zelf, het materiaal werd te omvangrijk, het proces van er geschiedenis van te maken begon hen van hun heden te beroven.

In Moskou hield Mila zich aan vaste rituelen met betrekking tot haar liefdesverhouding op afstand. Wanneer ze naar haar werk vertrok, kuste ze Mervyns foto. Op weg naar huis ging ze gramofoonplaten voor Mervyn kopen, zodat hij samen met zijn vrienden naar Russische muziek kon luisteren. Ze raadpleegde haar arts over kleine kwaaltjes van Mervyn. In bijna elke brief heeft ze het over wat Mervyn moet eten; haar obsessie met eten was nog een overblijfsel uit haar jeugd.

'Luister je wel naar je Mila? Alsjeblieft, Mervyn, eet niet te veel peper, azijn en andere specerijen. Drink je je melk wel? Ik drink elke avond een halve liter.' Wanneer Mervyn ertegenin probeerde te gaan door te zeggen dat hij af en toe best een kerriegerecht lustte, moest Mila daar niets van hebben. 'Ik respecteer je smaak, maar ik ben bang dat die soms je gezondheid schaadt – ik bedoel wat ik in Moskou tegen je heb gezegd, je passie voor oosters, Kaukasisch en Indiaas eten. Dat is te gekruid voor jou; jij bent iemand uit een zeeklimaat. Dit is eten voor mensen met sterke magen, maar jij bent een tere noordelijke bloem, jij moet zacht eten.'

Mila vroeg om kleren, die Mervyn dan in Londen kocht (en in zijn brieven mopperde hij voor de grap over de kosten) en via Dinnerman's naar Moskou stuurde. Dinnerman's was de enige firma die pakketten naar de Sovjet-Unie mocht versturen. Mila kocht boeken en stuurde die naar Mervyn in Londen in pakketten in bruin pakpapier, met grof touw dichtgebonden. Het duurde niet lang of er stonden er honderden in zijn boekenkast.

Mila's virtuele verhouding met Mervyn ontwikkelde zich geleidelijk aan tot een volledige obsessie; ze dook diep in een verbeeldingswereld die ze zelf had geschapen. 'Het is alsof ik helemaal in een complex mechanisme leef dat Mervyn heet, om me heen zie ik al zijn bouten en moeren,' schreef ze. 'Jij bent de zin, het doel van mijn leven... Binnenkort ga ik een nieuwe religie praktiseren, het Mervoesisme, en ik zal iedereen in mijn God van vreugde en warmte laten geloven.'

In veel opzichten leek het haar dat het leven dat vertegenwoordigd werd door de stroom brieven reëler was dan haar omgang met de levende mensen om haar heen.

'Ik heb geen heden, alleen een verleden en een toekomst, als ik daarin kan geloven,' schreef ze. 'Alles om me heen is dood, ik zwerf tussen de ruïnes door, verder naar een of ander doel, naar jou.' Ze leefde voor Mervyns brieven; 'alle andere dingen bedenk ik enkel om de tijd te vullen.'

Mila beschrijft hoe ze op de binnenplaats van Starolonoesjenny Pereoelok in een warm motregentje zit en luid lacht terwijl ze Mervyns laatste brieven leest terwijl een oude baboesjka met een kwaad gezicht vanuit een kelderraam naar haar kijkt. 'Het was alsof er vleugels uit mijn rug waren ontsproten,' schreef ze. 'Jouw hele ziel, in de vorm van papier en inkt, stroomde als een heldere rivier in me en vulde mijn lichaam en ziel met kracht. Dit is het beste medicijn dat ik zou kunnen krijgen. Je brieven worden steeds beter, binnenkort zal ik niet van verdriet huilen maar van vreugde.'

In het weekend ging ze naar de datsja. Olga las Tsjechov terwijl Mila breide; een nazomerse hagelbui ratelde op het ijzeren dak van het huisje. Toen de bui over was, maakte Mila een lange wandeling door de maisvelden, en riep Mervyns naam. De last van het verdriet woog zwaar. 'Mervyn, het verdriet zuigt het leven uit haar weg... Ze heeft toch zeker al genoeg geleden in haar leven. Ik maak me echt zorgen over haar,' schreef Lenina. 'Waarschijnlijk omdat ze nooit de liefde van ouders heeft gevoeld of gezien, lijdt ze nu twee keer zoveel. Ons huis is in de rouw, letterlijk... Nooit glimlacht of lacht ze meer, ze heeft voortdurend tranen in haar ogen. Ik vraag je vaker te schrijven, ze leeft voor jou.'

Mila's menstruatie was opgehouden door het getob, maar haar arts had gezegd dat ze zich daar niet druk over hoefde te maken. 'In oorlogstijd menstrueerden vrouwen jarenlang niet meer,' zei ze tegen Mila. Niettemin schreef ze dagelijkse injecties voor 'voor je zenuwen', en ook een cursus 'magnetische therapie'– kennelijk een of andere vorm van pseudowetenschappelijke kwakzalverij van het soort waar de hypochondrische Sovjets dol op waren.

Gedurende een paar maanden in 1965 lijkt Mila bevangen te zijn geraakt door de angst dat haar knap ogende verloofde haar ontstolen zou kunnen worden. Dat drong zelfs door tot in haar slaap. Mila droomde dat ze met Valery in het Bolsjoi was en Mervyn beneden in de stalles zag zitten met een andere vrouw. Ze riep en schreeuwde, en werd gegrepen door een onbeheersbaar verlangen om zich over de rand van het balkon naar beneden te storten, naar hem toe.

De pijn van het gescheiden zijn had de diepste angsten van Mila losgewoeld – vooral verlatingsangst, maar ook minder heftige onzekerheden over haar uiterlijk. Mila voelde scherp dat ze geen schoonheid was. 'Dit is de pijnlijkste kwestie voor mij, en ik praat er nooit over met wie dan ook – maar het spijt me vreselijk dat ik in dit opzicht niet in de smaak zal vallen bij je vrienden en kennissen,' schreef Mila. 'Daar ben ik erg bang voor, ik maak me er zorgen over. Al heb ik één troost – ik heb mijn leven lang veel vrienden en vriendinnen gehad, ook mooie, en ze hielden allemaal van me en voelden zich tot me aangetrokken. Ik weet dat jij van mooie vrouwen houdt, net als elke man. Ik hou ook van schoonheid. Ik hoop van harte dat jij hieroverheen zult kijken en zult zien wat anderen niet zien. We zullen samen naar mooie vrouwen kijken. Ik ben niet zo onzeker dat ik de schoonheid van andere vrouwen niet kan erkennen als het geen trutten of idioten zijn. In mijn hele leven zijn er maar heel weinig foto's van me gemaakt – jij weet waarom, maar als er iets opduikt zal ik het je sturen. Ik krijg een verlegen gevoel wanneer je mensen foto's van mij laat zien.'

Op haar werk liet Mila Mervyns brieven aan iedereen zien. Zij had een man, wat haar volledig tot vrouw maakte. 'Ik wil dat er iemand van me houdt – ik wil dat mensen weten dat ik niet zo'n ongelukkig schepsel ben.' Maar de pijn, en misschien een duister gevoel van schaamte en schuld omdat ze haar geliefde had verloren, zorgde ervoor dat ze tot laat op haar werk bleef zodat ze niet zou hoeven zien hoe andere meisjes werden opgehaald door hun echtgenoten en vriendjes.

Eind september 1965 zag Mervyn een hoopvol verhaal in *The Sun*. De geheime gesprekken over de uitruil van Brooke voor de Krogers waren verder gekomen dan Mervyn had vermoed. Wolfgang Vogel, een geheimzinnige Oost-Duitse jurist, vertegenwoordigde de kant van de Sovjets. Vogel had een goede staat van dienst – hij had in 1962 de uitruil geregeld van de Amerikaanse U2-piloot Gary Powers voor de oudere Sovjetspion 'Rudolph Abel'. Abel, die in werkelijkheid William Fischer heette, was ironisch genoeg de superieur van de Krogers geweest toen ze in de jaren veertig in de VS werkten, waar ze berichten verstuurden voor Moskous atoomspionnen in het Manhattan Project. Het gerucht ging dat Vogel ook de 'aankoop' van Oost-Duitsers door hun verwanten in het Westen had geregeld.

'De Britse regering heeft alle voorstellen voor een uitruil, nu of in de toekomst, scherp afgewezen,' zei *The Sun* op 22 september 1965. 'Ze gaan ervan uit dat er voor Gerald Brooke, die in Moskou gevangenzit wegens subversie, losgeld wordt geëist. Maar deze reactie heeft Herr Vogel blijkbaar niet ontmoedigd... Op maandagavond mocht zijn groen en crèmekleurige Opel zonder de gebruikelijke bestudering van zijn papieren door Checkpoint Charlie passeren voor een ontmoeting met de heer Christopher Lush in het Britse hoofdkwartier in West-Berlijn.'

Vier dagen later zat Mervyn in een trein die oostwaarts door Duitsland rolde. De verwarming in de wagon was uitgezet, en hij passeerde de wachttorens en het prikkeldraad rondom West-Berlijn tegen zonsopgang, rillend van de kou. Hij logeerde zoals altijd in het goedkoopste hotel dat hij kon vinden, het Pension Alcron in de Lietzenburgerstrasse. Mervyn belde Jürgen Stange, Vogels West-Duitse juridische contactpersoon, en maakte een afspraak voor de volgende dag. Hij gebruikte de rest van de dag om rond te kijken in Oost-Berlijn. Er waren overal oorlogsruïnes, en er hing een gespannen en saaie sfeer. Later in de middag bracht hij een bezoek aan de dierentuin en keek naar de apen die hem somber vanuit hun kooien aanstaarden.

Mervyn legde zijn zaak uitvoerig uit aan Stange, die beloofde voor de volgende avond een ontmoeting met Vogel te regelen. Hun rendez-vous zou plaatsvinden in de Baronen Bar, een kleine, dure zaak waar veel zakenlieden kwamen, en waar Vogel vaak een drankje ging halen voordat hij naar het Oosten terugkeerde na de reizen die hij geregeld maakte. Terwijl Mervyn zat te wachten viel het hem op dat de lange barman opvallende manchetknopen droeg, Mervyn dacht met de bedoeling de klanten te verleiden hem grotere fooien te geven.

Vogel had een rond gezicht en een bril en hij deed vriendelijk. Mervyns Duits was niet best, en Vogel sprak geen Engels; Stange had uitgelegd dat zijn kennis van vreemde talen beperkt bleef tot Latijn en Grieks. Maar Vogel was vrolijk gestemd en maakte allerlei optimistische geluiden over de verbetering van de betrekkingen. Hij dacht dat Mila misschien samen met bijvoorbeeld nog één andere persoon kon worden uitgewisseld voor een van de Krogers, iets wat Mervyn hoogstonwaarschijnlijk leek. Maar hij vond de enthousiaste toon van de Duitse jurist moedgevend.

Toen Vogel opstond om weg te gaan, sprong Mervyn op en bood aan een kleine koffer te dragen die Vogel had meegebracht in de bar. De koffer was onmogelijk zwaar, en Mervyn kon hem nauwelijks optillen. Hij wankelde achter Vogel aan en hees de koffer in zijn Opel, en wuifde hem na toen hij in oostelijke richting wegreed. Mervyn is er nooit achter gekomen wat er in de koffer zat, en heeft het nooit durven vragen.

De volgende dag had Mervyn een ontmoeting met Christopher

Lush van het Britse Bureau Buitenlandse Zaken bij het Hoofdkwartier van de Westerse Geallieerden, en vroeg hem contact op te nemen met Londen voor een officiële reactie op het idee van een uitwisseling. Lush hield de zaak af. 'Wij willen geen kanaal worden voor dit soort zaken,' zei hij tegen mijn vader. 'We willen niet dat iedereen naar ons toe komt.'

Vogel nam nooit meer contact op met Mervyn. Het was weer een doodlopende weg.

Kort nadat hij was teruggekeerd van Berlijn, tilde Mervyn zijn Oxfordse hutkoffers in zijn gedeukte Ford en reed noordwaarts naar zijn nieuwe academische onderkomen in Long Eaton, bij Nottingham, waarbij hij ongetwijfeld rechtop achter het stuur zat na Mila's aansporingen 'niet in elkaar te zakken alsof je emmers draagt'.

Mervyn vond Long Eaton een plaats van een diepe treurigheid, een vuil industriestadje dat hem sterk deed denken aan de nare toestanden van zijn jeugd in South Wales. De docenten van de universiteit van Nottingham waren veel minder stijlvol ondergebracht dan hij in Oxford gewend was geweest. Mervyn hield er niet van in het café te drinken, zodat zitten in de wasserette en kijken naar de ronddraaiende kleren overbleef als enig alternatief voor vermaak. Na Moskou en Oxford was Nottingham inderdaad een zondeval, maar nu had hij tenminste wel tijd om aan zijn campagne te wijden. Ondanks het feit dat hij een epileptisch toeval kreeg in de stationscafetaria aan King's Cross – het eerste toeval dat hem ooit had getroffen – besloot Mervyn optimistisch te blijven.

'Vanaf die dag zorgde ik er altijd voor, ongeacht het nieuws vanuit Rusland, dat ik het collegelokaal binnenkwam met een opgewekte glimlach op mijn gezicht,' vertelde hij aan Mila. 'Ik maak me niet de minste zorgen over het afbestellen van mijn boek.' Op een foto uit die herfst is Mervyn te zien aan zijn bureau op de universiteit; voor hem staat een blikken radio die hij, herinner ik me, nog in de jaren zeventig gebruikte, achter hem stapels boeken op doorzakkende boekenplanken. De kamer is klein en hokkerig, en hij zit ernstig een brief te lezen. Hij ziet er vreemd kinderlijk en ontregeld uit, tussen de slordige stapels van zijn bezittingen, maar wel heel tevreden.

Mervyns moeder gaf hem er tijdens een van zijn zeldzame bezoeken aan Swansea flink van langs en drong erop aan dat hij zijn zelfvernietigende obsessie met dit Russische meisje opgaf. 'Vanmorgen heeft mijn moedertijger haar klauwen laten zien – maar luipaarden, om een variant op de metafoor te geven, houden altijd hun vlekken,' schreef Mervyn terwijl hij in zijn Ford zat op de parkeerplaats van de sportclub van Nottingham University, waar hij elke dag ging zwemmen. 'Ze zegt dat ik zo weinig thuis ben en dat ik haar zo laat lijden – ze zei dat de recente gebeurtenissen in Rusland bijna haar dood waren geworden. "En als ik denk aan wat er met je carrière is gebeurd, dat is afgrijselijk," zei ze. "Hou je mond," zei ik, "of ik ga het huis uit – de auto staat voor de deur", en dus hield ze zich daarna stil.'

Mervyn overwoog andere mogelijkheden. Een daarvan was dat Mila moest proberen een bezoek te brengen aan een ander socialistisch land, hem daar treffen en op de een of andere manier ontsnappen. Het probleem was dat Mila een aanbeveling van haar werkgevers moest hebben om te reizen, zelfs naar een bevriende natie, en niemand bij de bibliotheek zou het risico durven nemen haar zo'n bevestiging te geven. Ze kon ook een gefingeerd huwelijk regelen met een Afrikaanse student, die haar vervolgens mee kon nemen naar het buitenland – maar dat idee was niet alleen weerzinwekkend, maar ook onpraktisch omdat daarvoor toestemming van de KGB vereist was, en het als het mislukte een schaduw over hun campagne zou werpen.

Hij dacht aan omkoping. Een nieuwe auto voor een omkoopbare ambassadebeambte misschien? Maar ook hier gold dat dit, nu het geval zo gepolitiseerd was geraakt, nooit zou lukken. Hij ging zelfs na of er een mogelijkheid was papieren te vervalsen; hij zat dagenlang door zijn zwaar bestempelde paspoort te bladeren en de details te bestuderen, verzamelde drukapparatuur en experimenteerde met het maken van vervalste officiële Sovjetstempels. Twee van

Mervyns vriendinnen, keurige, rechtschapen dames van middelbare leeftijd, wilden hem hun paspoort wel geven. Een van hen vroeg er een aan, al was ze helemaal niet van plan om naar het buitenland te gaan, de ander beweerde dat ze het hare verloren had. Maar na een paar dagen begonnen de gevaren van valsheid in geschrifte het enthousiasme van Mervyn te dempen. Er was nog het probleem dat er een kaartje enkele reis vanuit Moskou moest worden aangeschaft, en Mila zou jaren gevangenisstraf riskeren als bij de paspoortcontrole ontdekt werd dat het uitreisvisum dat Mervyn van plan was te maken, vervalst was. Hij zag van het idee af.

In een krantenartikel vond hij een verwijzing naar het verhaal van een Rus die voor de oorlog had besloten om naar China te gaan lopen, maar die de afstand (ernstig) had onderschat en uiteindelijk in Afghanistan terecht was gekomen. Mervyn begon kaarten van het zuidelijke deel van de USSR te bekijken; misschien waren er streken waar geen grensbewaking was? In december 1965 las hij over een andere jonge Rus, Vladimir Kirsanov, die over de Sovjetgrens heen Finland in was gelopen. Kon Mila zoiets ook doen? Mervyn spoorde Kirsanov op en ging hem in maart 1966 opzoeken in Frankfurt am Main. Maar toen hij een paar minuten naar Kirsanovs verhaal had geluisterd, besefte Mervyn dat dit hopeloos was. Kirsanov was jong en fit, en een ervaren wandelaar en klimmer. Voor Mila, met haar invalide heup, zou het onmogelijk zijn door moerassen te sjokken en over prikkeldraadhekken te klimmen. Ook van dit idee werd afgezien.

Er waren twee jaren voorbijgegaan, en het gescheiden zijn vrat aan hem. Nottingham werkte nog deprimerender op Mervyn in dan hij had gevreesd. Tegen de zomer van 1966 besloot hij dat hij dichter bij Londen moest zijn om met zijn campagne door te gaan. Hij nam een baan aan bij Battersea Polytechnic, een hogeschool die zojuist een oorkonde had ontvangen als Universiteit van Surrey, en daartoe gehuisvest was in een ongebruikt pakhuis in Clapham. Hij kocht een kleine flat in Pimlico, en wees andere banen die hem werden aangeboden af omdat de baan bij Battersea hem flink wat vrije tijd gaf om de Sovjetambassade, het ministerie van Buitenlandse

Zaken en Fleet Street lastig te vallen. Hij heeft nooit iets anders dan verachting gehad voor de Universiteit van Surrey, de studenten aldaar en de academische maat ervan, en hij kritiseerde de instelling waar hij uiteindelijk het grootste deel van zijn carrière sleet met een soort verbitterde zelfverachting.

Ook Mila gleed af in morbide depressiviteit. Ze verloor gewicht, zodat haar ribben op haar borstkas uitstaken als bij een 'tuberculeuze baboesjka', en er verschenen grijze haren op haar hoofd. 'Zonder jou is mijn leven stil blijven staan, verhard tot steen – dit is niet zomaar een eerste indruk maar een volkomen ernstige conclusie, onomkeerbaar,' schreef Mila. 'Waarom bouwen we niet gewoon een hut voor onszelf aan het eind van de wereld, ver van alle kwaad en wreedheid en haat? Ik zou me nooit vervelen als jij er was. O God, o God, o God, ons lijden is toch niet vergeefs? Ik zie hoe kort en voorbijgaand het leven is, en hoe stom, hoe pervers het is om die dagen te verliezen.' Mila parafraseerde het klassieke oorlogsgedicht 'Wacht' van Konstantin Simonov, dat zo treffend het lot had weergegeven van miljoenen Sovjetvrouwen die veroordeeld waren tot jaren wachten zonder bericht van hun geliefden. 'Wacht op mij, maar wacht alleen heel hard, wacht tot de sneeuw weg is gegaan, wacht tot alle anderen niet meer wachten, wacht...'

Tijdens een toevallig gesprek met een vriend in Londen kwam Mervyn te weten dat het wellicht mogelijk was zonder visum een eendaags bezoek te brengen aan de Baltische Sovjetstaten. Bij nader onderzoek bij het Finse bureau voor toerisme aan de Haymarket hoorde hij dat een reisbureau in Helsinki, Haleva geheten, eendaagse reisjes naar Tallinn, in Estland, verzorgde, en ook korte reizen naar Leningrad, waarvoor evenmin een visum vereist was. Deze reizen waren bedoeld voor Finnen, zei het meisje achter de balie, maar ze dacht niet dat het problemen zou geven als een Engelsman er een kaartje voor kocht. Estland maakte deel uit van de Sovjet-Unie, en Mila zou daar zonder problemen heen kunnen reizen.

Bij de British Library vond Mervyn een kaart uit 1892 van Revel (tegenwoordig Tallinn) en een vooroorlogse Duitse reisgids. Hij koos de hoogste toren van de stad uit, van de Sint Olafskerk, Oleviste Kirik, omdat dit de meest voor de hand liggende plek was om af te spreken, die niet te ver van de haven af lag. In een reeks brieven begin augustus gaf hij Mila bedekte hints – was ze soms van plan de vakantie aan de Oostzee door te brengen? Tallinn was heel leuk, had hij gehoord. Misschien moest Mervyn op de 26e of de 29e in Scandinavië zijn. Had Mila weleens van de Sint Olafskerk gehoord? Mila pakte de hint op en gaf te kennen dat ze er zou zijn.

Het plan was riskant. Voordat Mervyn op 22 augustus naar Finland vertrok, liet hij een brief achter die bij Buitenlandse Zaken moest worden bezorgd in het geval dat hij niet terugkwam.

'Aan het eind van de maand ga ik een of twee pogingen doen terug te gaan naar de USSR om mijn verloofde te zien,' schreef hij. 'Ik zal bijna zeker proberen om over te steken naar Tallinn. Er bestaat een kans dat ik in een Sovjetgevangenis terecht zal komen... Ik wil duidelijk maken dat als ik door de Sovjets gepakt word, ik geen hulp wens te krijgen van beambten van Buitenlandse Zaken in de USSR, en ik moet u onvoorwaardelijk zeggen dat geen van uw mensen wat voor poging dan ook mag doen om contact te zoeken met mijn verloofde. Ik hoop dat deze verklaring bij u geen onzekerheden achterlaat... Het spijt me dat ik ooit met uw dienst te maken heb gehad, en ik wil dat niet meer.'

Hij verzond de brief naar een vriend, die hem naar Buitenlandse Zaken moest sturen als hij omstreeks half september niet terug was.

Mervyn nam een goedkope vlucht naar Kopenhagen, vervolgens een nachtveer naar Stockholm en een tweede boot naar Helsinki. De volgende ochtend, het was donderdag, liep hij naar het Kaleva Reisbureau en boekte voor zaterdag een kaartje naar Tallinn. De rest van de dag wandelde hij rond in Helsinki, zat hij bij het fort op een oud Russisch kanon en schreef hij een brief aan Mila, waarin hij haar vroeg haar antwoorden poste restante naar Helsinki te sturen.

'Ik kan gewoonweg geen woorden vinden om de schoonheid van deze plaats te beschrijven,' schreef hij. 'De open zee met grote baaien en eilanden, glimlachend in de zon, en mooie witte zeiljachten die over de kalme zee varen.'

Op vrijdag ging hij terug naar het reisbureau en kreeg zonder problemen zijn kleine roze kaartje, ook al was hij geen Fin. Mervyn en zijn medepassagiers verschenen de volgende morgen om negen uur in de zuidelijke haven en gingen aan boord van het SS Vanemuine. Het vertrok op tijd, een uur later.

Het was een zonnige en winderige dag, echt Scandinavisch weer. Kort nadat ze van wal waren gestoken deed een zuur kijkende Rus in een donker pak de ronde om paspoorten te verzamelen in een doos. Toen Mervyn het zijne erin deed, kreeg hij een vragende blik van de grenswacht in burger. De overtocht duurde twee uur, en Mervyn stond op het open gedeelte van de brug en staarde uit over Sovjetwateren terwijl de torenspitsen van Tallinn in beeld kwamen. Terwijl het schip afmeerde, kwam de Rus weer tevoorschijn met zijn doos en begon de namen van de passagiers af te roepen om hun paspoorten terug te geven. Mervyn wachtte, met een angstig gevoel in zijn maag. Maar zijn naam werd afgeroepen, als laatste van de lijst, en de Rus gaf hem zijn paspoort terug met een nietszeggende blik.

Terwijl hij over de loopplank naar beneden liep, hoorde Mervyn een vrouwenstem, niet die van Mila, zijn naam roepen. Het was Nadja, Mila's nichtje, en ze straalde, en kon haar ogen niet geloven. Mila en zij hadden Mervyn pas de volgende dag verwacht, en zij was alleen naar de haven gekomen om een eind te rennen. Mila wachtte in de Oleviste Kirik. Nadia had gekeken of er goons waren, en had er geen gezien.

Ze liepen langs het douanekantoor en het bolwerk de Oude Stad in. Toen ze de kerk naderden, zag Mervyn een vrouw met een omslagdoek op een bank zitten, en riep haar. Tot zijn verlegenheid was het Mila niet. 'Mila is daar,' zei Nadja en ze wees naar een klein, bekend figuurtje bij de ingang van de kerk. Ze omhelsden elkaar.

'Ik kan mijn emoties op dat moment niet beschrijven,' schreef Mervyn later aan Mila. Zelfs na twee jaar van haar gescheiden te zijn geweest, voelde hij een onmiddellijke nabijheid, 'dezelfde lieve ogen, inleving, gedeelde zorgen'.

Gedurende die paar uren in Tallinn leefden mijn ouders in de vreemde vreugde van gestolen tijd. Ze hoorden daar niet te zijn; de heersers van de gewone wereld hadden bepaald, op hun onverbiddelijke manier, dat ze niet bij elkaar dienden te zijn. Toch waren ze daar, zwierven ze gearmd door de Oude Stad, praatten ze over plannen voor de toekomst terwijl Nadja hen op enige afstand volgde, om uit te kijken naar de KGB. Een zwakke plek in de muur had Mervyn doorgelaten, en die kleine overwinning moest hun de hoop geven dat de uren konden veranderen in een heel leven. Ik denk niet dat ze hadden kunnen verdragen wat uiteindelijk zes jaren van gescheiden zijn zouden worden zonder die ogenblikken in Tallinn waarin ze aan elkaar bewezen dat ze werkelijk nog steeds uit vlees en bloed bestonden, dat ze niet alleen woorden op papier waren, en dat de strijd gewonnen kon worden.

Ze gingen bij een vriendin van Mila theedrinken, en zaten op parkbanken in de waterige noordelijke zon. Terwijl ze terugslenterden naar de haven, hoorden ze de scheepshoorn loeien. Mervyn keek op zijn horloge – het was al veel later dan hij had gedacht.

Ze begonnen te rennen; Mila hinkte zo snel ze kon. Het schip gooide juist de trossen los, maar de loopplank lag er nog, en er waren een paar seconden voor een korte knuffel voordat Mervyn aan boord rende. Terwijl het schip afvoer, keek hij naar Nadja en Mila die op de kade stonden te wuiven; haar kleine figuurtje vervaagde terwijl het schip de vaargeul op voer. Mervyn werd overspoeld door verdriet, en door hoop.

Het Lomamatka Toeristenbureau in Helsinki bood ook een reis naar Leningrad aan – twee nachten op zee, en een in Leningrad, aan boord van het schip. Ook hier was een Sovjetvisum niet vereist. Op de avond van 4 september ging Mervyn aan boord van het SS Kastelholm, een klein en eerbiedwaardig stoomschip, en ging op weg naar Leningrad. Hij bewonderde de oude stoomzuigermachine. Een vriendelijke Fin haalde de paspoorten op, en Mervyn sliep rustiger in de wetenschap dat er geen Sovjetofficials aan boord waren.

Toen hij de volgende morgen het dek op kwam, zag hij dat ze al

De jonge don. Mervyn kort nadat hij zijn betrekking als docent aan St Anthony's had gekregen, 1957.

Langs de Isis in Oxford, 1958.

Mervyn tijdens een dagreis naar Koeskovo, bij Moskou, voorjaar 1959.

Smalle revers, gebreide das, Gauloises uit de winkel van de ambassade: Mervyns stadsleven in Moskou, 1959.

'Een fantastisch toeval.' Vadim Popov, Mervyns eerste KGB-'vriend', kebab etend op de markt in Boechara, Oezbekistan, 1959.

'Wat eronder zit, daar moet je bang voor zijn.' Mervyn op het lente-ijs van het Baikalmeer met de directeur van een collectief landbouwbedrijf aldaar tijdens zijn uitstapje met de KGB, maart 1960.

'Matthews, die ondankbare jongen.' Alexej Soentsov, de KGB-agent die met Mervyns zaak was belast, en die hem rondleidde langs de wonderen van het socialisme, maar hem niet wist over te halen zijn vaderland te verraden. Zijn weduwe, Ina Vadimovna, gaf deze foto in 1997 aan Mervyn.

Nog net in functie: Mervyn (*uiterst rechts*) in het jaar 1964 op St Anthony's. Zijn avonturen in Rusland zouden weldra fataal blijken voor zijn carrière in Oxford.

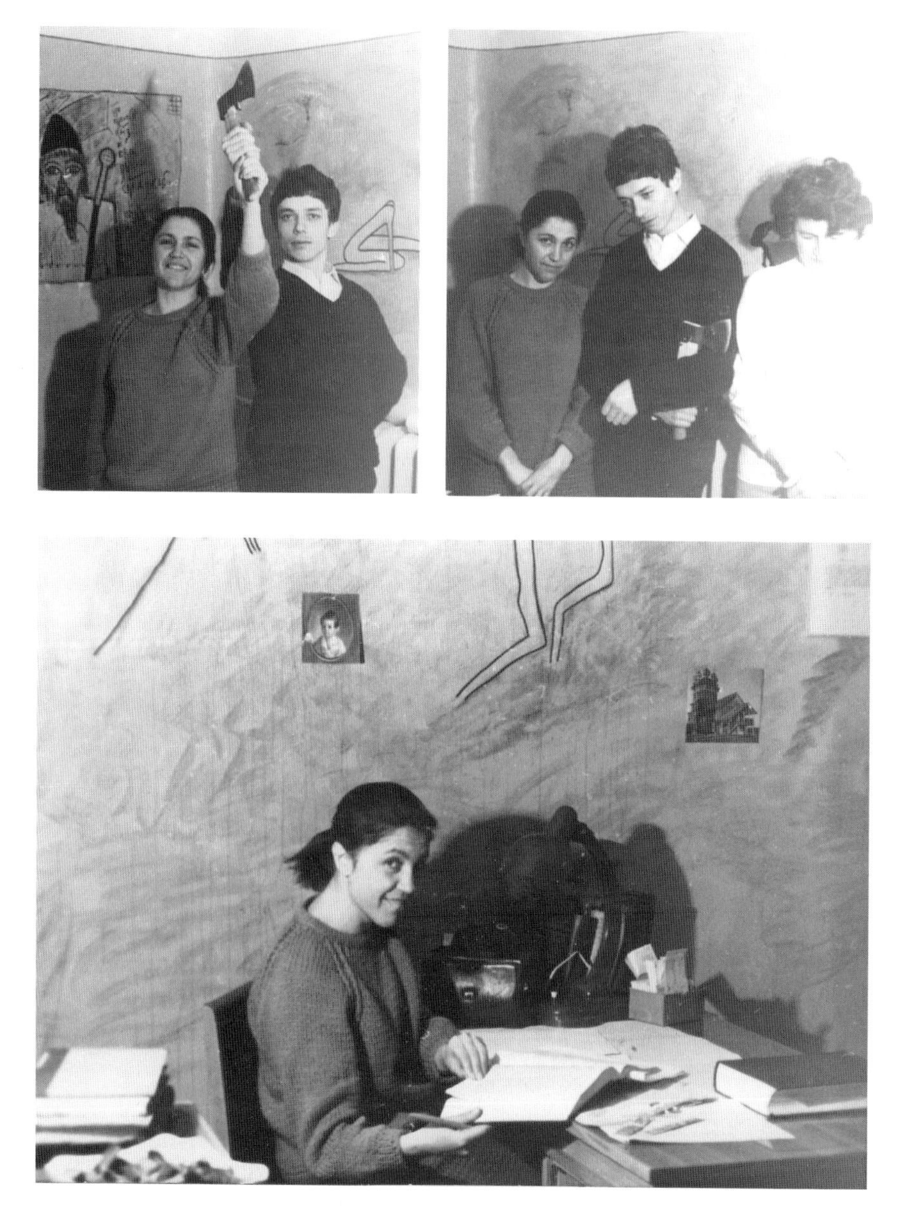

'Het was alsof je een vis in het water gooide.' In de bibliotheek van de Academie van Wetenschappen nadat Ljoedmila ontslagen was bij het Instituut van Marxisme en Leninisme. Ljoedmila en haar collega Erik Zjoek in een quasiheroïsche pose als de Arbeider en de Vrouw van de Collectieve Boerderij, als Rodins 'Burgers van Calais', en aan haar bureau.

26 июля, Воскресенье, 1964 г.
Москва.

Сладкий мой, любимый мальчик!

Вчера так ждала 10 часов, чтобы услышать твой голос, голос моего дорогого именинника. Хотелось, безумно, поздравить тебя лично, крепко-крепко расцеловать, сделать прекрасный обед, испечь тебе пирог с яблоками. Но что поделаешь? Счастье еще, что можем писать и звонить .... немножко

расстроен
Очень я
вчера ту
ца, хорош
вать в т
отгаивать
у тебя
действую
все делае
грустно,
домам,
хорошо.
ты поми
свой дом
хотеть
любимост
щу: см
своею д
вкусам
Но если
немнож
предло
или
случае
за те
что у

London,
Monday, 17th Oct 1966

My most kind, gentle and marvellous Milochka,

I am writing to you in English today, instead of yesterday, for reasons which I explained in yesterday's epistle. My little hot cross bun! (Do you know, incidentally, what a hot cross bun is?) Once again you have delighted me by sending me a couple of letters just when they were needed, nos dated 9th and 10th October). They were rather sad, because you had not received any of my letters when you wrote them, however, I hope to detect a big improvement in your mood when the next lot comes, - and I sincerely hope that will be tomorrow.

I was of course disappointed to learn that N. has not been keeping her word, chto podelaesh. She is a very mature girl, in my opinion, perhaps a little too much so to develop a profound love of learning. But perhaps I am wrong. As you say, education is vitally important in these matters. I also think that O. will do much better at French than at the other thing.

You ask me how comprehensible Chaucer is to the average man. Of course, it must be admitted that the average man would never think of reading him, but apart from that I would say that his (Chaucer's) language is very difficult at first. With a little application, however, one can soon learn to read it. I enjoyed the Canterbury Tales very much at school. There has not been any advance in the question of the landing cupboard. The owner of the house (who is in fact not the owner at all, but a lessee himself) told me that he would think about it and let me know. So far I have not heard from him. I mentioned the matter to my fat friend a few days ago, but he said that it would be wiser not for me to do anything for the time being, I must let the man have a few weeks at least to come to a decision.

I told you in one of my letters that I had sent a cheque for £50 to the former owner of the flat, because she would not reduce her prices on the articles I was buying from her. I thought that she would probably reply in a nasty sort of way, and sure enough I was right. This morning I received from her a politely worded letter thanking me for the cheque and returning three rather dirty pound notes, which she said I certainly did not owe her in any case. (You will remember that she had reduced her demand by the derisory amount of five pounds, and asked me to pay

'Deze brieven zijn geschreven met het bloed van mijn hart.'
Mila aan Mervyn, 1963.

What about our Russian fiancées Mr. Ambassador?

by BRIAN PARK

TWO ENGLISHMEN who have waited four years to marry Russian women had a face-to-face confrontation with the Russian Ambassador, Mr. Mikhail Smirnovsky, in a London street.

Five days ago university lecturer Mr. Mervyn Matthews, 36, and car-worker Mr. Derek Deason, 38, who have become close friends because of their joint problem, were walking down South Audley Street, Mayfair, London, talking about their fiancées still in Russia.

SOUTH WALES —— EVENING POST – 20 JUNE 68

Swansea man's 'surly' reply from Russians

By EVENING POST REPORTER

... was the description given today by Mr. Mervyn ... a man and lecturer in Russian at the University of ... tion he has received from the U.S.S.R. embassy in London.

Mr. Matthews visited the embassy three weeks ago and left a letter pleading with the Ambassador to intercede in Moscow on his behalf so that he can marry Ljudmila Bibikova, whom he began courting when doing research work at Moscow University.

It was shortly after their attempt to marry in 1964 that Mr. Matthews, whose mother lives in Aberdyberthi-street, Hafod, Swansea, was ordered out of Russia.

'POST' CUTTING

Mr. Matthews said today that three days after his visit to the embassy, he received a telephone call to say that he could expect an acknowledgment of his letter. But now he has had the acknowledgment, which was bitterly disappointing.

It came from the consular department of the embassy and in the envelope was his "open" letter delivered on June 4, the envelope in which it had been contained, some press cuttings about the letter which Mr. Matthews had sent a couple of days later, and a short letter in Russian.

Among the cuttings, said Mr. Matthews today, was the 'Post' Man's Diary report in the Evening Post dated June 4, which had had pride of place on top of the other cuttings ...

"I find this negative and surly response of the embassy both puzzling and distressing.

"It is indeed strange that the ...

... Ambassador hedged when he was asked why his Government would not allow the men to marry their sweethearts. He said: "You must not create difficulties."

Mr. Matthews said: "I don't know how he would feel if he'd been kept apart from someone he loved and I told him we would have to see about that."

The doors of the Chaika car—a Russian version of a Rolls-Royce—slammed shut and it drove off.

Mr. Deason—whose fiancée, Elenara Ginsburg, 38, is a Moscow schoolteacher—said: "It was one of the most heartening things that has happened for a very long time. At least it proved the Russians are well aware of our continuing fight to get married."

The fight is a two-capital affair.

'Het "knorrige" antwoord van de Russen aan de man uit Swansea' uit de *South Wales Evening Post*, en 'Hoe zit het met onze Russische verloofdes, meneer de ambassadeur?' uit de *Sunday Express*.

Herenigd in Moskou. Mervyn en Mila kort voor hun tweede trouwdag, oktober 1969.

Getrouwd. Mila, Mervyn en Eleonora Ginzburg poseren voor het Kremlin na een feestelijke borrel op de Britse ambassade op de dag na hun huwelijk, 1 november 1969.

'Ik kwam op bezoek in sprookjesland.' De auteur met Ljoedmila en Martha Bibikova in Londen, zomer 1976. Ze bracht haar eigen lakens mee.

In de datsja van de Vasins, 1978. Babka Simka (*boven links*), Ljoedmila, Lenina, Sasja, de auteur en zijn nichtje Masja.

Mervyn en Ljoedmila, Londen, 2006.

bezig waren de Neva op te stomen in de richting van de havens van Leningrad. Mervyn ging aan wal met de overige passagiers, en zag Mila die op hem wachtte bij een geparkeerde vrachtwagen. Ze omhelsden elkaar niet, teneinde geen aandacht te trekken, en liepen naar het stadscentrum. Mila was dit keer alleen, zonder Nadja om voor hen uit te kijken. Ze besteedden de dag met wandelen door de stad, en een bezoek aan het Russische Museum, waar ze elkaar gedurende een paar angstige minuten kwijt waren in verschillende zalen.

Mila had een kamer geboekt in een studentenhotel en wist Mervyn daar een paar uur in de vooravond binnen te smokkelen, met medewerking van haar medestudenten. Ze schrokken toen er op de deur werd gebonsd, maar het was vals alarm. Het was iemand die per ongeluk de verkeerde kamer in wilde, niet de KGB die Mervyn kwam wegsleuren naar de gevangenis. Die avond moest Mervyn, na het eten van een vette eend in een restaurant, terug om op het schip te overnachten.

De volgende dag was grotendeels hetzelfde – zonder gezellige plek om te zitten en te praten zwierven ze maar over pleinen en straten, elkaar omklemmend. Dit keer waren ze ruim op tijd terug bij de havens. Ze namen snel afscheid tussen de geparkeerde vrachtwagens, en Mervyn liep alleen naar het schip. Het uiteengaan was minder droevig dan in Tallinn, maar toch had het korte samenzijn de leegte die volgde des te scherper gemaakt.

'Nou, nu ben ik op de terugweg naar Helsinki, over de donker wordende Baltische wateren,' schreef Mervyn aan boord van het schip terwijl hij westwaarts de Neva af voer. 'Ik heb de gelukkigste twee dagen beleefd van onze twee jaren van gescheiden zijn. Het was heerlijk, geestelijk en lichamelijk. Ik hoop dat ik terwijl we samen waren niets kwetsends heb gezegd. Ik heb omgekeken terwijl ik aan boord ging, en ik zag je slanke figuurtje en benen weggaan. Ik had een treurig gevoel, heel treurig. Ik hou nog steeds van je en we zullen ons gevecht om geluk voortzetten. Nu heb ik de indruk dat alles sneller zal gaan. Je zult het wel zien.'

Op 8 september schreef hij vanuit Stockholm: 'Na onze ontmoetingen in deze noordelijke steden is mijn leven begonnen opnieuw een betekenis te krijgen... Ik denk dat het nooit meer zo erg zal worden als het was.' Mila vermeed het in haar brieven rechtstreeks over de ontmoetingen te spreken. Ze was erg geschrokken toen ze las dat er een Noorse veerpont was gezonken in het Skagerrak, maar toen keek ze in een atlas en kon zichzelf overtuigen dat Mervyn daar niet op gezeten kon hebben.

Mijn vader besloot terug te gaan naar zijn oude idee, in een ander land een Sovjetvisum aan te vragen, in de hoop dat er per vergissing een zou worden uitgegeven. Op 12 december 1966 nam hij een nachtveer van Southend naar Oostende en vervolgens een trein naar Brussel. De eerste nacht logeerde hij in een goedkoop maar schoon hotel bij het Gare du Nord, dat een drukbezocht bordeel bleek te zijn. Een dikke Afrikaanse gast in de kamer naast hem hield hem met zijn gesnurk uit de slaap. Mervyn vond een bureau dat reizen naar Moskou verkocht – Belgatourist aan de rue des Paroissiens – en boekte een vijfdaagse reis. Bij het invullen van het aanvraagformulier gebruikte Mervyn een andere spelling van zijn achternaam dan gewoonlijk; hij deed zijn voordeel met het feit dat 'Matthews' op meer dan tien verschillende manieren kan worden omgezet in cyrillische tekens. Zoals hij had gehoopt kwamen het paspoort en het visum een dag later terug; zijn naam was onopgemerkt gebleven toen de Sovjetambassade hem vergeleek met de zwarte lijsten.

Twee dagen later was hij in Moskou, waar hij weer in het Nationale Hotel logeerde. Het was vreemd om terug te zijn, en zenuwslopend om in de buurt te zijn van al die goons die de buitenlanders in het hotel in het oog hielden. Omdat mijn vader er niet zeker van was geweest dat het plan zou werken, had hij Mila niet gewaarschuwd. Hij belde haar op de avond van zijn aankomst vanuit een telefooncel in de Mochovaja-straat. Ze was verbaasd te horen dat hij in Moskou was. Omdat hij in elk geval onder routineuze bewaking stond, besloot hij geen trucs te gebruiken. De volgende morgen kwam Mila de Mochovaja-straat in rennen terwijl hij buiten het Nationale Hotel stond te wachten. Ze gingen terug naar Mila's kamer bij de Arbat, die nog onveranderd was. Daarna belden ze het Paleis voor Huwelijken, en kregen te horen dat Efremova, de directeur, maandag aanwezig zou zijn. De volgende dag was het Kerstmis, die Mila en Mervyn achter slot in Mila's kamer doorbrachten. In de middag liepen ze naar het Centraal Telegraafkantoor om een telegram met kerstwensen aan Mervyns moeder te sturen.

Op maandag gingen ze in het Paleis voor Huwelijken naar Efremova toe, die duidelijk schrok toen ze Mervyn zag zonder dat dit officieel gemeld was. Ze mompelde iets over de 'normale gang van zaken' en wees hun de deur. Maar ze had hen in elk geval ontvangen. Mervyn belde de ambassade, en de dienstdoende vice-consul leek verrassend graag bereid hen te helpen toen de ambassade de volgende dag weer openging.

De volgende ochtend echter voelde Mervyn, toen hij uit het Nationale Hotel kwam, geluidloze alarmbellen rinkelen als een dissonante toon in een horrorfilm – de goons waren in volle sterkte aangetreden en hielden hem nauwlettend in het oog. Het was nu alleen een kwestie van tijd. Die middag lag er bij de balie een bericht voor hem, of hij onmiddellijk contact wilde opnemen met Intourist. Op het kantoor van Intourist kreeg hij te horen dat zijn visum was ingetrokken en dat hij onmiddellijk moest vertrekken. Mila was radeloos toen ze het nieuws hoorde. 'Maar, Mervoesja, nu kunnen we niets meer doen,' snikte ze.

Om vier uur die middag werd Mervyn weer ontboden naar het sombere kantoor van de OVIR. Het plaatsvervangend hoofd wachtte hem op en sprak slechts één zin uit, tweemaal: 'U moet zo gauw mogelijk uit Rusland vertrekken, vandaag of morgen, met het eerste vliegtuig dat beschikbaar is.'

Hij had geen andere keus dan te gaan. Als de KGB vervelend ging doen, zou Mervyn heel goed net als Brooke in de gevangenis kunnen belanden, als nog een bruikbaar onderhandelingsobject om afgewogen te worden tegen de Krogers. Voor de derde keer in vijf maanden zag Mila hem vertrekken van Russisch grondgebied –

alleen moest het deze keer werkelijk hebben geleken alsof het de laatste keer was. Nog eens in Rusland gepakt worden zou zeker betekenen dat hij in de gevangenis terechtkwam.

Er werd in de pers enige aandacht besteed aan de tweede keer dat Mervyn het land uit werd gezet. Het ministerie van Buitenlandse Zaken had een officiële protestbrief ontvangen van het Russische ministerie van Buitenlandse Zaken, alleen wist noch Mervyn noch de pers dat toen. Des Zwar zocht contact met Mervyn om te vragen of hij wilde meewerken aan een groot artikel voor de *People* over de manier om illegaal Rusland binnen te komen, wat Mervyn heel beslist weigerde.

De berichten in de pers hadden één onverwacht gevolg. Mervyn kreeg een telefoontje van Derek Deason, die zelf in oktober 1964 uit de Sovjet-Unie was gezet, en die ook een verloofde had achtergelaten. Mervyn stelde voor af te spreken in een café bij het Victoria Station, café Albert – een groezelige tent dicht bij mijn school waar ik, dertig jaar later, vaak kon worden aangetroffen terwijl ik clandestien alcohol dronk met mijn medezesdeklassers. Derek was even oud als Mervyn en werkte bij de autofabriek Dagenham Ford, waar hij meetapparatuur controleerde. Hij had een breed, oprecht gezicht en Mervyn vond hem meteen sympathiek. Toen hij in de zomer van 1964 met vakantie was aan de kust van de Zwarte Zee, had Derek Eleonora Ginzburg leren kennen, een Russisch-Joodse lerares Engels uit Moskou. Ze waren verliefd geworden, en hij had haar ten huwelijk gevraagd. Het huwelijk zou in oktober plaatsvinden. Derek kwam een paar dagen eerder in Moskou aan, en omdat Eleonora samen met haar zuster in een krap flatje woonde, besloot hij voor het huwelijk een paar dagen naar Sotsji te gaan. In Sotsji kwam hij een paar Russen tegen die een vrijgezellenavond voor hem organiseerden. Derek, die niet aan wodka gewend was, werd dronken en luidruchtig, en de politie werd erbij geroepen. Ze stopten hem in een vliegtuig naar Moskou, en daar werd hij op een volgend vliegtuig naar Londen gezet zonder dat hij een kans kreeg om Eleonora op te bellen. Ze hoorde pas van hem toen hij, in tranen, belde vanuit Londen. Derek had sindsdien negen keer een inreisvisum aangevraagd, en dat was steeds geweigerd.

Mervyn vond Derek een levendige en intelligente medestrijder, en ze zochten elkaar geregeld op in de cafés Albert en Audley aan South Audley Street om hun plannen te smeden. In tegenstelling tot Mervyn was Derek niet in aanvaring gekomen met de Sovjetautoriteiten, en hij had door zijn omgang met Mervyn meer te verliezen dan andersom. Toch was het voor beiden een grote bron van troost dat ze ten minste één bondgenoot hadden. Ze wisselden de adressen van Mila en Eleonora uit zodat die twee elkaar in Moskou konden ontmoeten.

Teruggaan naar de Sovjet-Unie was nu te riskant; zelfs Mervyn besefte dat hij geen risico's meer kon nemen. Maar Alexej Kosygin, de premier van de Sovjet-Unie, zou in Londen op staatsbezoek komen, en hij zou een uitstekend doelwit vormen voor Mervyns inmiddels beproefde methode om druk uit te oefenen. Mervyn besloot hem, traditiegetrouw, een brief aan te reiken. Eerst schreef hij een brief aan de koningin, die Kosygin zou ontvangen, om haar te vragen de kwestie aan te roeren, maar hij kreeg alleen een formeel antwoord met de mededeling dat zijn brief door Hare Majesteit gezien was. Hij nam contact op met de veiligheidspolitie om te proberen een tijd en plaats af te spreken om zijn brief aan Kosygin te geven zonder dat dit problemen zou oproepen. De politieman die hij te spreken kreeg, hield zich op de vlakte, en toen Mervyn daarna merkte dat hij in de straten van Londen door de veiligheidspolitie werd gevolgd, vond hij dat eerder wrang-geestig dan iets anders. Hij ging naar Downing Street en wachtte tegenover nummer 10, maar KGB-agenten die Kosygin bewaakten, gaven hem te kennen dat hij weg moest gaan. In het parlementsgebouw ging hij tussen het publiek staan en zei tegen een politie-inspecteur in burger dat hij van plan was een brief uit te reiken.

'Dat mag u niet doen,' zei de politieman.

'Maar ik overtreed geen enkele wet.'

'Als u tussen het publiek uit komt,' zei de inspecteur, die hiermee Mervyns levenslange vertrouwen in de Britse politie vernietigde, 'nemen we u mee naar het bureau en beschuldigen we u ergens van.'

De derde en laatste poging om Kosygin te benaderen was in het Victoria & Albert Museum, waar deze samen met Harold Wilson een tentoonstelling bezocht die gewijd was aan de samenwerking tussen Engelsen en Sovjets. Weer kon hij in de verste verte niet bij Kosygin in de buurt komen. Maar terwijl de Sovjetpremier in een auto werd weggereden, bleef Wilson nog enkele ogenblikken op het trottoir staan, in afwachting van zijn eigen wagen. Mervyn drong zich naar voren en zei: 'Hoe moet het nu met onze verloofdes, meneer Wilson?' Wilson draaide zich om, met een flits van herkenning in zijn ogen.

'Ik ken u!' zei de Eerste Minister, en hij stapte in zijn auto. De brief bleef in Mervyns zak zitten, niet afgeleverd.

Mervyn kwam op een nieuw idee. Misschien kon hij iets in handen krijgen wat van waarde was voor de Sovjets, en wat hij kon inruilen voor Mila's vrijheid? Misschien een paar nog niet ontdekte manuscripten van Vladimir Lenin – in het vak bekend als Leniniana – van het soort dat Mila's collega's bij het Instituut van Marxisme en Leninisme vertaalden en probeerden te verwerven, en waar ze een groot deel van hun werktijd aan besteedden? De Russen hadden een onverzadigbare honger naar de geschriften van Lenin uit de perioden die hij van 1907 tot 1917 in West-Europa had doorgebracht, terwijl hij revolutie predikte en dwars kibbelde met zijn medecommunisten. Misschien konden dode papieren, voor deze ene keer in Mila's leven, iets worden wat leven gaf.

Mervyns fantasie was op gang gekomen. Hij haastte zich naar de British Library om een paar voorbeelden van Lenins handschrift te krijgen. Hij vroeg Lenins aanvraag van een bibliotheekkaart, op naam van 'Jacob Richter', te zien te krijgen, en bestudeerde de vormgeving van de Latijnse letters, en maakte aantekeningen voor later gebruik in het geval dat hij ooit Leniniana in handen zou krijgen die te koop waren. Toen hij de papieren teruggaf bij het bureau van de bibliotheek, viel hem de gedachte in dat hij hier mogelijk de sleutels tot Mila's vrijheid in handen hield.

Mervyn ging bij de emigranten die hij kende na of er wellicht onontdekt archiefmateriaal was. In Parijs spoorde hij Grigory Aleksinsky op, die een socialistische afgevaardigde voor Sint-Petersburg was geweest in de Tweede Doema van voorjaar 1907. Hij had Lenin gekend en correspondeerde met de Russische marxistische econoom Georgy Plechanov. Aleksinsky's zoon, die ook Grigory heette, of Grégoire, was heel welwillend, halverwege de veertig, en werkte als een soort ongeüniformeerde functionaris van de Franse politie of veiligheidsdienst. Mervyn ging met hem uit eten.

'Eerst dronken we samen een aperitief,' schreef Mervyn aan Mila, zonder haar het eigenlijke doel van de ontmoeting te vertellen. 'Daarna gingen we eten bij een "goedkoop" restaurant. (Maar de rekening voor ons tweeën bedroeg bijna drie pond!) Dat was met wijn erbij, zodat mijn hoofd tolde. Daarna nam hij me mee naar zijn woning, waar zijn vrouw wachtte met thee en *gâteaux*. Hun flat was luxueus ingericht, en ze hadden drie schitterende samowars. Er werd gezellig gepraat, maar mijn gastheer gebruikte in elke zin afwisselend Russisch en Frans, zodat ik op het laatst niet wist welke taal ik eigenlijk diende te spreken!'

Aleksinsky senior verscheen ook, een broze oude man die hem mompelend begroette. Ze lieten Mervyn het archief zien, in dozen, maar vonden het niet goed dat hij iets opensloeg. De Sovjets hadden veel belangstelling getoond, maar de oude man was hartstochtelijk anti-Sovjet, en weigerde het archief te verkopen. Maar aan Mervyn waren ze misschien bereid het archief te verkopen voor slechts 50.000 francs – 3700 pond, of ongeveer anderhalf jaarsalaris van Mervyn.

Ondanks de enorm hoge prijs was Mervyn opgewonden. Hij schreef aan Mila's vroegere baas bij het Instituut van Marxisme en Leninisme, Pjotr Nikolajevitsj Pospelov, zonder iets te zeggen over de reden waarom hij in Leniniana geïnteresseerd was.

'Ik weet dat Sovjetgeschiedkundigen veel moeite doen om manuscripten van Lenin in West-Europa op te sporen en ze terug te halen naar het vaderland van de Grote Leider van de Grote Oktoberrevolutie,' schreef Mervyn in zijn beste Marxistisch. 'Ik heb kortgeleden ontdekt dat de waardevolle archieven van Grigory A. Aleksinsky, lid van de Staatsdoema en een goede bekende van Lenin, in Parijs zijn. De zoon van de heer Aleksinsky, die ik goed ken, biedt mij op dit moment de gelegenheid de archieven van zijn vader te kopen. Ik ben persoonlijk van mening dat Moskou de plaats is waar Lenins documenten thuishoren, en ik zou er graag aan meewerken deze door te geven aan Sovjetgeschiedkundigen.'

De Russen waren enthousiast. De opvolger van Pospelov, Pjotr Fedosejev, vroeg om meer informatie. Het was een straaltje hoop.

Mila maakte een vakantiereis naar Michailovskoje, het landgoed van Poesjkin, en keek er vol bewondering naar het Engelse meubilair. De lucht was koud en het sneeuwde een beetje, en ze kocht Antonovka-appels bij Poesjkins graf in Svjatogorsk. Ze liep in haar eentje door het beroemde park van het landgoed. 'Moet ik zeggen hoe dolgraag ik wilde dat jij in de buurt was?' schreef ze. 'Ik vroeg de oude bomen, het bos en de vogels en de lucht om deze wens te vervullen; toen begon ik hardop met je te praten, en heel, heel zacht reciteerde ik Poesjkins gedichten. Mervyn, lieveling, er heeft zich zoveel liefde en tederheid in me opgehoopt, hoe kan ik dat aan je geven? Ik hou met de dag meer van je.'

Na haar terugkeer in Moskou sprak ze met Mervyn bij het Centrale Telegraafkantoor. Hij wilde geen valse hoop wekken, dus hij zei niets over zijn plannen. Toch moet ze een zeker optimisme in zijn stem hebben gevoeld; terwijl ze na haar 'telefoongesprek van leven' naar huis liep, zong Mila: 'Liefje, bedenk wanneer de nachten lijken lang; het is altijd het donkerst voor zonsopgang.'

'Wij zijn twee slingers die in hetzelfde ritme heen en weer zwaaien,' schreef ze die avond. 'Ik kus het lieve uiteinde van jouw slinger.' Ze tekende twee stokjesfiguren met enorme harten op de brief.

Mervyn begon vrienden en kennissen te schrijven om geld te vragen. Isaiah Berlin antwoordde dat hij in Oxford niemand kende 'met een forse bankrekening en een gul hart'. Rauf Khahil, een oude vriend uit Oxford wiens familie zoveel van Egypte bezat dat Rauf altijd zei dat hij 'er niet tegen kon daaraan te denken', was helaas een paar jaar eerder dood neergevallen achter zijn lessenaar terwijl hij college gaf in Afrika. Een vriendin, Priscilla Johnson, die aan Harvard werkte, liet zich overhalen om aan Stalins dochter Svetlana Alliloejeva, die in 1967 naar het Westen was overgelopen, te vragen of ze wat van de aanzienlijke royalty's die ze voor haar boeken ontving wilde afstaan ten behoeve van Mila's bevrijding, maar dit leverde niets op. Lord Thompson van Fleet Street, de persbaron met wie Mervyn een gesprekje van twee minuten had weten los te krijgen, gaf geen geld, maar had wel goede raad voor hem. Vraag de verkopers je een optie te geven, zei Thompson terwijl hij Mervyn een lift gaf in zijn grote grijze Rolls-Royce, 'dat kost niet veel en dan heb je je handen vrij'.

Maar zonder geld kon er van Mervyns plan niets terechtkomen. Erger nog: toen Mervyn in Parijs naar het Maurice Thorez Instituut voor Marxisme ging om hun Lenin-kenner, de heer Lejeune, te spreken, gaf deze duidelijk te kennen dat het handschrift van de aantekeningen in het Aleksinsky-archief niet van Lenin was.

Het werd herfst in Londen, en de grote jacht op papieren leek als een nachtkaars uit te doven. Mervyns ontmoetingen met Derek werden zwaarmoediger. De Finnen waren ermee opgehouden reizen naar de Oostzeekust te organiseren, en het was uitgesloten naar Rusland te gaan. De Lenin-papieren waren een flop gebleken, en bij de KGB waren zijn bruggen verbrand. Hij had geen geld, en het einde van de vijf jaren die mijn vader zichzelf had gegeven om Mila uit de Sovjet-Unie te krijgen naderde. De scherpe wanhoop van hun vroege liefdesbrieven was vervaagd tot een doffe pijn; Mervyns optimisme werd steeds geforceerder. Het leek er werkelijk op alsof het eind van de relatie eraan kwam.

Er was nog een mogelijkheid – en hoewel mijn vader weigerde dit aan zichzelf toe te geven, was het een laatste wanhoopspoging.

Een vriend bracht hem in contact met Pavel Ivanovitsj Veselov, een in Stockholm woonachtige Russische emigrant die zichzelf een 'juridisch consulent' noemde. Hij was erin gespecialiseerd mensen uit de Sovjet-Unie te krijgen en had tot dan toe elf keer succes geboekt. Zijn methoden waren weinig spectaculair – zorgvuldige documentatie, campagnes in de Zweedse pers, het gebruik van kruiwagens, grotendeels hetzelfde als wat Mervyn al deed. Het was een flauwe hoop, maar Mervyn had weinig andere mogelijkheden.

Veselov schreef hem een brief vanuit Stockholm. 'Ik ben meer een jager dan een vechter, meer een wurger dan een bokser,' deelde hij zijn toekomstige cliënt mee. Mervyn was onder de indruk. Hij was ook arm. Na afloop van het semester nam hij een boot van Tilbury naar Stockholm. De maaltijd smörgåsbord kostte dertig shilling, en Mervyn leed liever honger dan zoveel geld te betalen. In zijn derdeklas hut waren vier kooien en het was er lawaaiig en krap. Hij bleef aan Mila schrijven, maar deed dat via zijn vriend Jean-Michel in Brussel om zijn verblijfplaats voor de KGB-censoren verborgen te houden. In Stockholm liet hij zich inschrijven bij het hotel van het Leger des Heils. Mervyns grote kruistocht begon een armoedige zaak te worden.

Veselov bleek een onverzorgde man van vijftig te zijn met hoge Slavische jukbeenderen die in een klein flatje woonde aan een onbeduidende straat in een arbeiderswijk van de stad. Hij stelde zijn jonge Zweedse echtgenote voor, die geen Russisch sprak, en vervolgens, met meer enthousiasme, zijn zwarte kat, Misja. Ze gingen zitten om te praten in de enige kamer van het flatje, stoffig en volgepakt met meubilair, op zijn Russisch.

Hij gaf een levendige beschrijving van zijn overwinningen tot dan toe; een van zijn grootste successen was zelfs vrijgelaten uit een gevangenkamp. Veselov haalde een rol behang tevoorschijn, zo leek het, en liep ermee naar de andere kant van de kamer. Met een dramatisch gebaar rolde hij het behang uit. Het was bedekt met krantenknipsels over een van zijn zaken. Mervyn bewonderde zijn kundigheid, zowel in het plakken als in het mensen Rusland uit krijgen.

Veselov zei niet veel over zichzelf, maar hij vertelde Mervyn wel dat hij een Oude Gelovige was, een van de Russisch-orthodoxe Kerk afgescheiden sekte die befaamd was om zijn traditionalisme, en die in Rusland al eeuwen vervolgd werd. Hij zei ook dat hij in de oorlog als kolonel had gediend in de Finse geheime dienst. Mervyn vermoedde dat Veselov uit het Rode Leger was gedeserteerd tijdens de Russisch-Finse oorlog van 1939-40. Hij had een sterk Wolga-accent, rookte zware sigaretten, hield van mensen om zich heen en vond het absoluut noodzakelijk eerlijk te zijn. Als de pers ooit zou horen dat hij had gelogen, zei Veselov, zouden ze nooit meer een verhaal van hem accepteren. Hij was ook een enthousiast amateur-romanschrijver, en werkte aan een epos over het antieke Rome. Zijn heldin was een wellustige Romeinse courtisane, die naar Mervyns mening veel weg had van een Russische hoer. Laat in de avond trakteerde Veselov Mervyn op een langdurige en hartstochtelijke voorlezing van zijn manuscript. Telkens hield de schepper van het werk even op en zei: 'Oi, Mervyn! Wat een meisje, wat een meisje!' Toen Mervyn eindelijk genoeg moed had verzameld om hem te onderbreken en weg te gaan, leek Veselov zich zwaar beledigd te voelen. 'Zo, is het al genoeg?' snoof hij.

In juli, na een lange periode van stilte, werd de geest vaardig over Veselov om contact op te nemen met Mervyn, of eigenlijk werd hij daartoe aangezet door het nieuws dat Alexej Kosygin in Stockholm zou komen voor een officieel bezoek. De pers zou geïnteresseerd zijn, en Mervyn moest dus nogmaals proberen om bij de Sovjetpremier te komen en hem een brief te geven. Mervyn had zijn twijfels. Nog eens een brief, na alle andere die ongetwijfeld ongelezen waren gebleven, zou waarschijnlijk niets uithalen. Maar de publiciteit kon nuttig zijn.

Expressen, het Zweedse dagblad, was erg verheugd toen Mervyn belde. Een liefdesprobleem was precies wat nodig was om het tamelijk saaie verhaal van Kosygins bezoek op te peppen. De krant wilde wel een deel van Mervyns reiskosten betalen. De uitgaven van mijn vader aan zijn vele reizen lagen inmiddels zo ver vooruit op zijn inkomen dat hij overwoog de flat in Pimlico te verkopen en iets goedkopers te zoeken in de voorsteden.

Mervyn kwam op de vooravond van Kosygins bezoek in Stockholm aan en nam zijn intrek in het Apolonia Hotel. De volgende morgen werd hij voor het hotel opgewacht door een auto van *Expressen*, een journalist en twee fotografen, gewapend met een gedetailleerd overzicht van de voorgenomen reizen van Kosygin. Het plan was Kosygin een brief te overhandigen wanneer hij naar het Haga Paleis reed, waar de regering zetelde. Terwijl Mervyn in het park zat, had hij tijd om een brief aan Mila te schrijven.

'Zoals je waarschijnlijk geraden hebt, ben ik naar Stockholm gekomen om Alexej Nikolajevitsj te zien en hem zo mogelijk een brief te geven... Op dit moment zit ik in het stille park dat om het regeringsgebouw ligt. Als alles goed gaat, moet hij over een uur hier zijn. Het paleis is heel groot, met een mooi meer ervoor. Daar ligt op dit moment een politieboot op. Een typische hoek van Scandinavië, tamelijk treurig. Ik ben blij dat ze je niet laten betalen om op de bankjes in het park te zitten, maar ik ben ervan overtuigd dat de dag zal komen dat ze hier meters plaatsen.'

Toen het zover was, hield de massieve politiebewaking Mervyn en de ploeg van de *Expressen* ver uit de buurt van Kosygins snel rijdende auto. De mannen van de *Expressen* vertrokken onmiddellijk daarna, en Mervyn zwierf zinloos rond in het spoor van Kosygin, en besloot tegen het eind van de middag de Zweedse politie te vragen of zij hem konden helpen zijn brief af te leveren bij Kosygin en zijn dochter, maar hij werd gearresteerd en tot de avond in een cel gezet. Uiteindelijk werd hij zonder verder commentaar vrijgelaten, en zocht zijn weg terug naar Veselovs woning, moe en verontwaardigd. Veselov was vol van vreugdevolle verontwaardiging.

'Vreselijk! En dit noemt zich een beschaafd land! Maar het is precies wat we nodig hadden. Hierdoor zouden we de zaak kunnen winnen! Kom mee, we moeten naar het kantoor van de *Expressen*, misschien kunnen ze nog iets in de krant van morgen zetten.' Veselov had zijn kiezen op elkaar geklemd, uit op een gevecht. 'De politieagent moet gestraft worden, en we zullen erover schrijven aan de minister van Binnenlandse Zaken.'

De volgende dag verscheen het verhaal over Mervyns arrestatie in de *Expressen*, en ook in de *Aftonbladet* en de *Dagens Nyheter*, met een foto van een gekwelde Mervyn aan de telefoon. Ergens stond dat Mervyn had gezegd dat Zweden wel een politiestaat leek, hetgeen leidde tot een ingezonden brief van een verontwaardigde Zweedse lezer die Mervyn voorhield dat hij meer respect diende te hebben voor de wetten in een vreemd land.

Maar uiteindelijk had hij niets bereikt, en gooide hij zijn twee brieven maar in een brievenbus. Er waren ongeveer twaalf kleine artikelen verschenen in de Britse pers, en een dubbele pagina in het Duitse *Bild*, maar in feite besefte Mervyn dat hij er na vier jaar nog niet dichterbij was gekomen Mila het land uit te krijgen.

In december 1968 kwamen Derek en Mervyn uit het café Audley in Mayfair en zagen een Russische auto van de diplomatieke dienst, met registratieletters SUI, geparkeerd staan buiten de ambassade van de Verenigde Arabische Emiraten. Ze gingen een praatje maken met de chauffeur, die hun vertelde dat de Russische ambassadeur Michail Smirnovsky en zijn echtgenote spoedig naar buiten zouden komen. Mervyn en Derek wachtten op het trottoir tot ze naar buiten kwamen, en Mervyn hield hen staande. Beiden herkenden Mervyn meteen, en de vrouw van Smirnovsky keek verschrikt.

'Meneer Smirnovsky, waarom kunnen wij niet trouwen?' wilde Mervyn weten.

'Wij zijn ons terdege bewust van de zaak,' zei Smirnovsky, geagiteerd, terwijl hij zich langs Mervyn drong om in zijn wachtende auto te stappen. 'U moet geen problemen creëren.'

Derek vertelde aan de *Evening Post* dat deze ontmoeting 'een van de meest bemoedigende dingen [was] die in lange tijd zijn gebeurd. Er bleek in elk geval uit dat de Russen zich wel bewust zijn van onze voortgaande strijd om te kunnen trouwen.'

Mervyn bleef bezig. Eén project, geïnspireerd door het incident met Smirnovsky, bestond erin aan alle 110 hoofden van diplomatieke diensten in Londen te schrijven om zijn zaak te bepleiten. Hij kocht een tweedehands stencilapparaat om blaadjes en folders te produceren die hij in Londen wilde rondbrengen, maar het apparaat zorgde alleen voor rommel in zijn kleine slaapkamer, en zijn lakens kwamen onder de drukinkt te zitten. Begin april ontwierp Mervyn een folder met daarin naast elkaar foto's van Mila, Eleonora en mevrouw Smirnovsky, met het onderschrift 'Drie Sovjetvrouwen' en op de achterkant een korte samenvatting van het verhaal. Deze liet hij door een echte drukker drukken, ondanks de kosten. Mervyn en Derek werden met arrestatie bedreigd toen ze de folders op de parkeerplaats van Kensington Palace onder de ruitenwissers van diplomatieke auto's stopten.

In Moskou begon Mila ook te voelen dat haar energie en optimisme wegzakten. Eind december schreef ze een vertwijfelde brief. Op Nieuwjaarsdag 1969 antwoordde Mervyn op verontwaardigde toon: 'De situatie lijkt jou misschien hopeloos; als je dat echt denkt moet je óf het gewoon zeggen, óf nog meer in mij geloven... In de loop van de laatste negen maanden van 1968 zijn er in de kranten van verscheidene landen zowat vijftig artikelen verschenen over mijn pogingen een oplossing te vinden. Afgezien daarvan moet je alsjeblieft geen kritiek hebben op wat je niet begrijpt; het punt is dat je nauwelijks over feiten beschikt op grond waarvan je mijn activiteiten kunt beoordelen. En bedenk dat er op dit moment niets is dat me meer pijn doet dan opmerkingen dat mijn pogingen tevergeefs zijn. Vandaag ben ik druk bezig met onze zaak, maar ik ben me ook weer aan het voorbereiden op de colleges.'

Op 2 januari stuurde Mila, weer wat opgewekter, een telegram: 'Beste Nieuwjaarsgroeten aan mijn lieve Kelt, ik houd getrouw van hem, geloof in en wacht op ons geluk, verlang naar je, kusjes, Mila.'

Mervyn besloot dat hij het kon wagen een nieuw boek over de Sovjetmaatschappij te schrijven, omdat Mila blijkbaar veilig was en geen last meer had gehad van vergeldingsmaatregelen sinds ze vier jaar eerder bij het Instituut was ontslagen. Het project zou zelfs de teloorgang van Mervyns academische carrière kunnen keren. In elk geval gaf het vooruitzicht onderzoek te gaan doen voor een volgend boek hem weer energie, en hij begon op zoek te gaan naar mogelijke financiers. Hij nam korte vakanties in Marokko, Turkije en de Balkanlanden.

Natuurlijk waren Mervyn en Derek ook bezig te lobbyen voor een motie van steun in het Lagerhuis; er werd een wetsontwerp ingediend waarin het Huis werd gevraagd er bij de minister van Buitenlandse en Gemenebest-zaken 'op aan te dringen opnieuw in te gaan op de zaken van Derek Deason en Mervyn Matthews, die beiden een meisje willen huwen dat geen visum kan krijgen om de Sovjet-Unie te verlaten, dit zowel op humanitaire gronden als om iets weg te nemen wat steeds meer een obstakel wordt dat betere betrekkingen tussen Engeland en de Sovjet-Unie in de weg staat'.

Het idee van een boek leverde algauw resultaat op. De Colombia Universiteit in New York bood mijn vader een gastdocentschap voor drie maanden aan. Mervyn was dolblij. Het zou een welkome verandering zijn na de teleurstellingen in Londen, en aangezien de Verenigde Naties hun basis hadden in Manhattan, opende dit een heel nieuw terrein om campagne te voeren.

13 Ontsnapping

Zjit ne po lzji! – Leef niet door leugens!
Alexander Solzjenitsyn

Mervyn kwam op 20 april 1969 in New York aan. Hij nam een gele taxi naar Hotel Master aan Riverside Drive, waar hij zijn intrek nam in een grote maar groezelige kamer. Mervyn had meer belangstelling voor de telefoonverbindingen, en ging meteen naar beneden om met de bejaarde vrouw te praten die aan het schakelbord zat. Zij verzekerde hem dat hij waarschijnlijk wel verbinding zou kunnen krijgen met Moskou. Tevreden over de communicatiemogelijkheden ging Mervyn naar buiten om voor negenennegentig cent te ontbijten in een eettent.

De week erna bracht belangrijk nieuws mee. Derek stuurde hem een klein knipsel uit de *Guardian*: 'Het ministerie van BGZ heeft gisteren aan de ambassadeur van de Sovjet-Unie, de heer Smirnovsky, gevraagd of hij het bericht kon bevestigen dat Gerald Brooke, dertig jaar oud, een docent, die in Rusland een gevangenisstraf van vijf jaar uitzit wegens subversieve activiteiten, waarschijnlijk opnieuw berecht gaat worden wegens spionage...' Brooke had in april 1970 vrij zullen komen; de Krogers zouden nog meer dan tien jaar van hun straffen moeten uitzitten. De *Izvestia* had al in 1967 gesuggereerd dat Brooke opnieuw berecht zou kunnen worden vanwege zijn beweerde betrokkenheid bij spionage. Nu betekende het aanmanen van de Russische ambassadeur dat de geruchten gefundeerd waren. Maar hoe Wilsons regering op de hernieuwde chantagepoging van Moskou zou reageren was nog onduidelijk.

Mervyn schreef aan Oe Thant, secretaris-generaal van de Verenigde Naties, en schreef twee verontwaardigde artikelen voor de krant van Russische emigranten, de *Novoje Roesskoje Slovo*. Zoals afgesproken wisselde hij wekelijks lange brieven en geluidsbanden uit met Derek, omdat de telefoon te duur was, behalve voor belangrijk nieuws.

In *The Times* van 16 juni verscheen meer nieuws over Brooke: 'Een woordvoerder van Buitenlandse Zaken heeft gezegd dat er onderhandelingen zijn gevoerd over de zaak van de heer Brooke (niet noodzakelijkerwijs een uitruil met de Krogers betreffende). Daarbij is het tot nu toe gebleven. Een woordvoerder heeft echter gisteren berichten tegengesproken dat een bezoek aan Groot-Brittannië van Herr Wolfgang Vogel, een Oost-Duitse advocaat, deel zou uitmaken van de onderhandelingen over uitruil.' Als Vogel erbij betrokken was, redeneerde Mervyn, moest er beslist iets gaande zijn.

Mijn vader verstuurde meteen bondige telegrammen aan Buitenlandse Zaken: 'Uitruil Brooke-Kroger Moet Ook Russische Verloofdes Bibikova, Ginzburg Betreffen. Volg Ontwikkelingen Nauwgezet. Overweeg Publieke Actie,' schreef hij aan Michael Stewart, die nu bezig was aan een tweede termijn als minister van Buitenlandse Zaken. 'Onderhandelingen Brooke Moeten Ook Bibikova En Ginzburg Betreffen, Geen Andere Weg Mogelijk,' luidde zijn telegram aan Sir Thomas Brimelow, plaatsvervangend staatssecretaris bij Buitenlandse Zaken en een van de mandarijnen aldaar die Mervyn het meest haatte.

Op 18 juni liet hij hier brieven op volgen. 'Beste Brimelow [sic], Ik heb onlangs vernomen dat je misschien een uitruil van Brooke tegen Krogers overweegt. Zowel Derek Deason als ik zal verwachten dat onze al zo lang lijdende verloofdes daar ook bij betrokken zullen zijn. De rampzalige gebeurtenissen van 1964 liggen mij nog vers in het geheugen, en ik ben niet van plan toe te laten dat BZ nog meer blunders maakt ten koste van mij. Een uitruil Brooke-Kroger [zonder de verloofdes] zou voor jullie weer een mislukking zijn... Eerlijk gezegd zullen wij een garantie verlangen dat verdere onderhandelingen over uitruil ook onze verloofdes zullen betreffen. Anders zullen wij geen ander alternatief hebben dan alle mogelijke stappen, openbaar en privé, te ondernemen om te voorkomen dat er na zoveel verdrietige jaren geen aandacht wordt besteed aan onze belangen. Kopieën naar de Eerste Minister en naar de Directeur van de Inlichtingendienst.'

Op 20 juni 1969 werd er in het kabinet fel geruzied over de voorgestelde uitruil. De argumenten die ervoor pleitten Brooke uit Rusland weg te krijgen, werden versterkt door de getuigenverklaring van een Britse zeeman, John Weatherby, die korte tijd in Rusland geïnterneerd was geweest; hij had Brooke in de gevangenis ontmoet en bevestigde dat zijn gezondheid achteruitging. Harold Wilson was een tegenstander geweest van de uitruil sinds die in 1965 voor het eerst aan de orde was gekomen, maar stond zichzelf nu eindelijk toe overstag te gaan. Misschien herinnerde hij zich de hardnekkige jonge Welshman die hem in Moskou en Londen had aangeklampt. Waarschijnlijker was dat hij wilde dat er een eind kwam aan het kennelijk oneindige verhaal over Brooke, en het toevoegen van de Sovjetbruidjes aan de overeenkomst zou helpen de slechte publiciteit en de beschuldigingen dat er werd toegegeven aan chantage die zeker zouden volgen te verzachten. Met een beroep op humanitaire gronden stemde het kabinet formeel toe in de uitruil. Er zou meteen begonnen worden met de Sovjets te onderhandelen over de praktische uitvoering ervan. Eindelijk was de 'moloch van de geschiedenis' waarover Mila zo verbitterd had geschreven een andere richting ingeslagen.

Terwijl Mervyn op 20 juli terugreisde vanuit New York, klauterde de Amerikaanse astronaut Neil Armstrong uit de Apollo 11 naar beneden op het oppervlak van de maan. 'Wij bevinden ons op verschillende planeten,' had Mila in 1964 aan Mervyn geschreven, tijdens de eerste dagen van hun gescheiden zijn. 'Het is voor mij even moeilijk om naar jou toe te vliegen als het is om naar de maan te vliegen.' Maar nu was er iemand naar de maan gevlogen – en even onverwacht had het er alle schijn van dat Mila's droom uit de Sovjet-Unie weg te komen, toch niet zo onmogelijk was.

Mervyn werd opgeroepen naar Buitenlandse Zaken. Sir Thomas Brimelow aarzelde aanvankelijk om toe te geven dat Mervyn eindelijk succes had gehad. De zaak van mijn ouders had de meeste problemen gegeven bij de onderhandelingen, vertelde Brimelow aan mijn vader, en de Russen hadden hem uit de overeenkomst willen schrappen. Het feit dat Mervyn aanhoudend campagne had gevoerd, had zijn zaak zeker nadelig beïnvloed, en het had de grootste moeite gekost de Sovjets over te halen hun afkeer van de horzel Matthews te overwinnen. Niettemin hadden ze hun toestemming gegeven, en Mervyn kon eindelijk een inreisvisum voor de Sovjet-Unie verwachten zodra de Krogers vrij waren. Mervyn reed naar zijn huis in Pimlico, maar durfde het nieuws niet te geloven. Hij besloot Mila niets te laten weten, uit angst valse hoop te wekken.

Brooke kwam vier dagen later terug in Engeland. Zijn vrijlating stond op de voorpagina's van de avondbladen, en er werd kort melding gemaakt van Mervyn en Mila. Diezelfde middag legde Michael Stewart een verklaring af in het Lagerhuis. Mervyn kreeg een plaats op de diplomatieke tribune; Derek zat op de buitenlanderstribune. Stewart kondigde aan dat men overeengekomen was de Krogers op 24 oktober vrij te laten. 'Tevens is, los hiervan, overeengekomen dat drie Britse onderdanen die al enkele jaren zonder succes hebben gepoogd Sovjetburgers te huwen, elk een inreisvisum voor de Sovjet-Unie zullen krijgen om hun huwelijk te laten voltrekken...' Derek en Mervyn, elk aan een andere kant van het Huis gezeten, gaven een korte juichkreet.

In *The Times* van de volgende dag stonden alle bijzonderheden. Behalve Derek en Mervyn zou een derde persoon, Camilla Grey, een kunsthistorica, toestemming krijgen om te trouwen met haar verloofde Oleg Prokofjev, een zoon van de componist. Camilla had niets te maken willen hebben met Mervyns campagne. Hiernaast waren er nog een paar andere, schimmiger, overeenkomsten gesloten. Bill Houghton en Ethel Gee, twee beambten van het ministerie van Defensie die door Peter en Helen Kroger waren aangeworven als KGB-agenten, zouden vervroegd voorwaardelijk worden vrijgelaten.

De meeste kranten keurden de gang van zaken af. 'Hoe hoger de waarde die je aan een mensenleven geeft, hoe kwetsbaarder je bent voor onmenselijke chantage,' zei het hoofdartikel van de *Daily Sketch*. 'Er is niets dan verachting en een grote bezorgdheid over toekomstige betrekkingen na dit voorbeeld van chantage, toegepast op een man die duidelijk geen misdaad had gepleegd die in een democratische maatschappij als misdaad zou worden beschouwd.

Aan de heer Stewart werd in het Lagerhuis gevraagd: wat zal voorkomen dat een onschuldige Britse toerist in Moskou wordt opgepakt om een sinistere ruiltransactie voor een Russische spion te organiseren? Het antwoord van de heer Stewart: "Ik denk dat je met redelijk vertrouwen kunt zeggen dat een Brits burger die naar de Sovjet-Unie gaat en zich zorgvuldig aan hun wetten houdt, geen gevaar loopt." Dit is natuurlijk waar zolang de Rode spionnen Peter en Helen Kroger nog vastzitten in Engeland. Maar wanneer ze in oktober zijn vrijgelaten?'

Hoewel Mervyn baat had gehad bij Wilsons transactie, voelde hij zich aangetast in zijn vaderlandsliefde. Groot-Brittannië was inderdaad een vreselijke overeenkomst aangegaan.

Nu het nieuws officieel was, vroeg mijn vader een telefoongesprek aan met Mila in haar Moskouse woning, en kreeg haar nog net aan de lijn terwijl ze bezig was zich voor te bereiden op een autovakantie met vrienden in noordelijk Rusland. Hij deelde haar het nieuws mee dat de uitwisseling van spionnen begonnen was, en dat zij er deel van uitmaakten. Toch leek het vooruitzicht van een spoedig einde van hun epische strijd hun geen van beiden veel vreugde te geven.

'Ik had geen kreten van blijdschap verwacht, en ook geen tranen van vreugde,' schreef mijn vader later. 'We hadden allebei te veel doorgemaakt, en waren te vaak teleurgesteld.'

Er leek een spoor van afstandelijkheid, en van droefheid, in Mila's stem door te klinken. Afgezien van alle bureaucratische hindernissen die nog genomen moesten worden, zou zij moeten aanvaarden dat ze haar familie, vrienden en vaderland zou achterlaten. Er leek weinig kans te bestaan dat ze ooit toestemming zou krijgen om terug te gaan en hen op te zoeken. Ze zou spoedig onherroepelijk gescheiden zijn van alles wat ze kende en liefhad – behalve Mervyn, die voor haar intussen een bijna mythisch wezen was geworden.

'Mervoesik, liefste,' schreef Mila de volgende dag, toen het nieuws van Brookes vrijlating in de nationale kranten verscheen. 'Vandaag, de 25^e, is het je verjaardag, van harte gefeliciteerd, ik wens je een goede gezondheid, succes met je werk, persoonlijk geluk. En ik hou heel veel van je. Ik ben helemaal panisch. Victor Louis is me vanaf vanmorgen begonnen te zoeken. Ik heb niets gezegd, maar ze zullen toch wel van alles verzinnen. Hij wilde dat ik iets zei voor zijn lezers. Dat had ik misschien moeten doen, maar ik heb geweigerd. Hij kwam met een paar banaliteiten, van dat wij moedig waren, helden, en dat we geluk hadden gehad. Daarna belde Lena, die met vakantie is aan de Oostzee. Valery [Golovitser] en mijn vriendin Rima belden. Er belden journalisten van de *Daily Express*, maar die heb ik ook afgehouden. Er belden vrienden om me te feliciteren, ze zijn allemaal buiten zichzelf... Ik kan nauwelijks meer op mijn benen staan.'

Mervyns moeder schreef om te feliciteren, de telefoon in de flat in Pimlico begon onophoudelijk te rinkelen. Verslaggevers begonnen te verschijnen op de stoep voor het huis. Des Zwar stuurde een telegram. Een paar dagen later ontving Mervyn een brief van de belastingdienst, waarin een onbekende hand had geschreven: 'Blij gisteren het goede nieuws te horen.'

Derek en Mervyn kwamen in de Albert bijeen om de details te bespreken. Het Russische consulaat was tot op het laatst weinig behulpzaam gebleven; er werd gezegd dat hun visums pas in oktober zouden worden uitgereikt, en dan zouden ze hun verloofdes kunnen opzoeken en zich laten inschrijven voor een datum in het Huwelijkspaleis. Daarna zouden ze weer weg moeten gaan, beweerde de beambte, en een maand later naar Rusland terugkeren wanneer de voorgeschreven wachtperiode voorbij was en de plechtigheid kon plaatsvinden. In feite bleek dat niet waar te zijn – de norse viceconsul oefende alleen zijn eigen stukje wraak uit op de jonge mannen die er op de een of andere manier in geslaagd waren het systeem te kloppen.

Derek ondertekende een overeenkomst met de *Daily Express*. De krant betaalde voor zijn vliegtickets en hotel in ruil voor een exclusief interview. Mijn vader vond het beter zelf te betalen en publiciteit te mijden nu die niet langer nodig was. 'Iedereen vindt het fijn om beroemd te zijn, maar mijn eigen publieke beeld, voor zover ik dat had, was te veel gekleurd door tegenslag en mislukking. Ik had meer weg van een slachtoffer dan van een held,' schreef hij in zijn memoires. Mervyn hoopte ook zijn academische carrière weer op te starten met zijn boek, en misschien zelfs terug te komen bij 'een van de twee eerbiedwaardige universiteiten [in Engeland]', iets wat door algemene bekendheid in de pers geschaad zou kunnen worden.

De Krogers zouden op 28 oktober 1969 om 11.15 uur vanaf Heathrow vertrekken naar de Sovjet-Unie. Mervyn hoorde later dat hun vrijlating aanleiding was geweest voor een patriottische demonstratie in de Parkhurst-gevangenis, waarbij de gevangenen ritmisch op hun tinnen borden sloegen als protest tegen de vroegtijdige vrijlating van de spionnen.

Derek en mijn vader gingen diezelfde morgen naar het Sovjetconsulaat om hun visums op te halen. De Russische viceconsul liet een brede, ambtelijke glimlach zien, zei dat ze moesten wachten, en verdween. Terwijl ze daar zenuwachtig zaten, bedacht Mervyn een verklaring voor dit uitstel – de beambten wachtten waarschijnlijk tot het vliegtuig van de Krogers het Britse luchtruim verlaten zou hebben.

Na verloop van tijd kwam de consul terug met de bekende blauwe visums. Ze waren maar tien dagen geldig, en Derek protesteerde dat dit te kort was. 'Tien dagen is genoeg tijd om te trouwen en te scheiden,' zei de consul, en lachte.

Ze kwamen een eind na middernacht aan op de zo goed als verlaten Vnoekovo-luchthaven in Moskou, en namen een taxi naar de stad. Ze hielden stil voor de dubbele poort van Mila's woningblok aan de Starokoesjenny Pereoelok. Het was bitter koud, hoewel het nog niet sneeuwde. Mervyn liep de vertrouwde vier treden op naar de overloop van de begane grond en belde aan. Er werd niet gereageerd. Hij belde nog eens, en nog eens, steeds zenuwachtiger. Hij had Mila vanuit Londen gebeld om haar te zeggen dat ze die nacht zouden aankomen. Ze zou toch niet zijn weggehaald, als een verraderlijke tegenzet van de KGB?

Hij besloot eerst te proberen haar op te bellen, voordat hij zich aan duistere veronderstellingen waagde. Hij liet Derek achter in de taxi en liep naar een telefooncel op de hoek van de Arbat. Wonderlijk genoeg bleek hij een muntje van twee kopeken bij zich te hebben, de enige munt die de Moskouse telefooncellen accepteerden. De telefoon deed het, slikte zijn munt niet in zonder de verbinding tot stand te brengen, en Mila nam op, weer een reeks kleine wonderen. Ze klonk niet dichterbij dan ze in Londen had geklonken. Mervyn gaf het gesprek weer in zijn memoires.

'Hallo, Mila?'

'Ja, ja? Mervoesja? Ben jij dat?'

'Is alles goed met je?'

'Ja?'

'Waarom deed je dan niet open toen ik aanbelde?'

'Ik heb de bel niet gehoord. Ik was bang dat ik niet zou kunnen slapen, dus ik heb een slaaptablet genomen.'

'O, mijn god. Een slaaptablet? Uitgerekend in deze nacht? Maar goed, Derek en ik zijn hier, op de Arbat. We zijn over twee minuten bij je.'

Mila wachtte hen op bij de deur, 'een klein figuurtje in een kleurige Russische kamerjas, slaperig, maar met een verwachtingsvolle uitdrukking op haar gezicht'. Ze omhelsden elkaar 'hartelijk', schreef mijn vader later; hij herinnerde zich dat hij 'geen grote romantische gevoelens voelde opwellen, alleen een diepe tevredenheid dat we eindelijk bij elkaar waren'.

In de boeken die mijn moeder als kind las, of in een toneelstuk van haar geliefde Racine of Molière, zou het verhaal hier eindigen. Een grote liefde wordt tegengewerkt; de geliefden vechten terug tegen de krachten van het kwaad, en behalen uiteindelijk de overwinning op de tegenspoed. In het laatste bedrijf worden de twee zielsverwanten herenigd. De slaappil zou een tragikomisch accent zijn, waarna de twee geliefden zich hand in hand naar het publiek wenden en buigen voordat het doek valt. Wilde mijn moeder in haar onderbewuste niet dat de romance eindigde? Nam ze pillen in om daar niet over te dromen, in de laatste nacht van haar oude leven, het leven van onschuldige hartstochten en van hopen op een denkbeeldige toekomst? Nu was die toekomst, eindelijk, gekomen, en belde bij haar aan de deur. Het was tijd om die te openen voor een nieuw leven.

De ochtend van donderdag 30 oktober 1969 werden Mervyn en Mila vroeg wakker. Dit was hun tweede poging om getrouwd te raken, die hopelijk vreugdevoller zou aflopen dan de vorige. Maar bij het ontbijt besloten ze, in een opwelling van rebellie, of misschien van berusting, dat alle ellende van de laatste vijf jaren niet rechtvaardigde dat ze zich mooi kleedden. Dus in plaats van zijn pak aan te trekken, trok Mervyn een oud tweedjasje aan en een broek, kleren die hij gewoonlijk in de collegezaal droeg. Mila legde de jurk die mijn vader uit Engeland had meegebracht weg en trok een alledaagse rok en blouse aan. Ze pakten de gouden ring die vijf jaar eerder gekocht was en vonden een taxi om hen naar het bureau van de burgerlijke stand te brengen. Ze hadden al besloten de gebruikelijke viering met champagne over te slaan.

Het bruiloftsgezelschap kwam even voor tienen bijeen in de Gribojedov-straat – Mila, Mervyn, Mila's nichtje Nadja, Nadja's echtgenoot Joeri, een paar vriendinnen van Mila, en Derek, Eleonora en de zus van Eleonora. Lenina en Sasja kwamen niet – het zou te riskant zijn geweest voor Sasja, gezien zijn positie bij het ministerie van Justitie. Er was ook een grote menigte verslaggevers bijeengekomen, onder wie Victor Louis. In het paleis werden de formaliteiten soepel afgehandeld. Mila en Mervyn gaven hun paspoorten af en gingen vervolgens een grote, met rode gordijnen behangen zaal in met een wit borstbeeld van Lenin, waar een gezette dame de Russische huwelijksbeloften voorlas. Na vijf jaren en vijf maanden van niet-aflatende inspanningen schoof Mervyn eindelijk de ring aan Mila's vinger.

'En u bent onze minst aantrekkelijke bruid!' zei de vrouw die het stempel in hun paspoorten zette tegen Ljoedmila met klassiek Sovjetsarcasme. Mervyn was blij dat 'ons gebaar van protest was opgemerkt'. Ze lieten een paar foto's maken in de gang, waarbij de ingang van het herentoilet onbedoeld als achtergrond diende.

Buiten werden ze bestookt met vragen, maar niemand van het gezelschap was in de stemming om iets te zeggen. Mila en Mervyn waren moe van alle drukte en Derek en Eleonora moesten er het zwijgen toe doen vanwege hun overeenkomst met de *Daily Express*. De pers volgde hen door de straat terwijl ze wegliepen, en Joeri zwaaide zijn vuist naar een van de fotografen en riep 'Rotzakken!' naar hen.

In zijn verhaal dat de volgende dag in de *Evening News* verscheen, schreef Victor Louis, gepikeerd omdat hem het suikerzoete einde werd onthouden dat hij meende te verdienen nadat hij het verhaal al die jaren zo trouw had bijgehouden, Joeri's opmerkingen aan Mervyn toe. 'Na de plechtigheid, die verrassend kort duurde, namelijk ongeveer vijf minuten, beseften ze dat het onverstandig was geweest de taxi waarin ze waren gekomen weg te sturen,' schreef Louis. 'Terwijl ze op een andere taxi wachtten, werden dr. Matthews en zijn bruid gefotografeerd door een journalist. Het paar had juist zijn best gedaan om de pers te vermijden, en probeerde hun gezicht te verbergen achter het boeket witte chrysanten van de bruid. De bruidegom probeerde de fotograaf te ontmoedigen door "Schoft" tegen hem te roepen.'

De volgende dag werden ze op de Britse ambassade uitgenodigd voor een snel glas wijn en de beste wensen. Ze namen foto's van elkaar buiten de ambassade op de Sofiskaja Naberezjnaja, tegenover het Kremlin. Op de foto's valt er een lichte motregen, en de hemel is van een treurig grijs, maar mijn vader heeft een bijna kinderlijke grijns op zijn gezicht wanneer hij poseert met mijn moeder, met zijn armen om haar schouders terwijl zij haar handen diep in de zakken van haar regenjas heeft gestoken en haar hoofd tegen zijn schouder laat rusten.

Mervyn had gehoopt na het huwelijk een paar dagen te kunnen blijven om in de bibliotheek te werken en boeken te kopen, maar het OVIR deelde hun mee dat ze zo snel mogelijk uit Rusland weg moesten. Een zuur kijkende beambte van het OVIR nam Mila's binnenlandse paspoort af en gaf haar een paspoort voor buitenlandse reizen; dat alles zonder een woord te zeggen tegen de vrouw die het Moederland de rug toekeerde.

De laatste avond in Moskou was een van de treurigste avonden van Mila's leven. Tientallen vrienden en vriendinnen van Mila kwamen naar haar kleine kamertje om afscheid te nemen; ze zaten op lage krukken en samengepakt op het bed terwijl ze achter elkaar binnenkwamen en weer weggingen. Valery Golovitser bleef de hele avond, stil en bedroefd, piekerend over het vertrek van zijn hartsvriendin, die werd weggehaald door een Brit met wie hij ooit vriendschap had gesloten. De meeste vriendinnen van Mila waren dolblij. Maar mijn moeder was bang, en vond het vooruitzicht weggerukt te worden van haar dissidente vrienden en vriendinnen vreselijk treurig. 'Ik had iets weg van een oude gevangene die is vrijgelaten,' vertelde ze me een keer. 'Ik wilde mijn cel niet verlaten.' De drukte werd te erg en Mervyn ging weg om midden in de nacht in zijn eentje over de Arbat te lopen. De straat was stil en verlaten.

Op 3 november vertrokken Derek en Eleonora uit Moskou naar Londen voor een triomfantelijke thuiskomst, dank zij de *Daily Express*. Mila en Mervyn namen een vliegtuig naar Wenen, om de publiciteit te vermijden. Toen ze de aankomsthal in liepen voelde Mervyn, met een grote golf van opluchting, dat het nu eindelijk echt allemaal voorbij was. Mila keek haar ogen uit naar het keurig geüniformeerde personeel dat de bagage uitreikte. In Wenen brachten ze een middag en een wittebroodsavond door, voordat ze de volgende morgen doorreisden naar Londen.

Op Heathrow was er even vertraging omdat ze niet uit Moskou maar uit Wenen waren gekomen; de beambten moesten de papieren uitzoeken. Mila en Mervyn stonden korte tijd aan verschillende kanten van de slagboom. Maar niet lang daarna konden ze gaan; ze haalden hun bagage op en duwden hun karretje tegelijk met de andere reizigers door de aankomsthal.

Mila en Mervyn hadden meer dan een half decennium besteed aan het leven voor een toekomst waarvan ze maar half geloofden dat die ooit zou komen. Nu ze eindelijk herenigd waren, was het tijd om een andere uitdaging onder ogen te zien – de weinig heroïsche uitdaging om met het heden om te gaan, en om met elkaar te leven als echte menselijke wezens.

Maar dat was allemaal nog toekomstmuziek. Mervyn en Mila, mijn ouders, hadden hun strijd om samen te zijn gewonnen, tegen alle waarschijnlijkheid in. Dit was hun ogenblik. Het ogenblik dat ik me probeer voor te stellen wanneer ik aan mijn ouders denk op hun best, op hun stoutmoedigst; twee jonge mensen *contra mundi*, wier liefde alles overwon, eindelijk alleen en samen na alles wat de wereld in het werk had gesteld om hen uit elkaar te houden.

14 Crisis

Hij is geboren uit dit land waar
alles wordt gegeven om afgenomen te worden.
Albert Camus

Wanneer ik er nu aan denk, als iemand erover spreekt op de radio of als ik een kop in een krant zie, roept Moskou een gevoel op van verwildering, van de ondergang van gebruikte energie. Ik ben er weggegaan nadat de grote zeepbel van de jaren negentig geïmplodeerd was, toen de kater op zijn ergst was, en de slinger weer in het laagste punt in het midden hing, tussen een waanzinnige verliefdheid op wild kapitalisme en wat later een dieper verlangen naar gezag en orde bleek te zijn.

Het weerspannige maar vrije Rusland dat Boris Jeltsin had gecreeerd begon in de zomer van 1998 om te vallen. Ik was toen inmiddels correspondent voor het tijdschrift *Newsweek*, waar ik heel ander werk deed dan ik bij de *Moscow Times* had gedaan. In plaats van in de stad op zoek te gaan naar verhalen uit de onderwereld, werd ik in een blauwe Volvo van Doema naar ministerie gereden, en schreef ik verstandige en buitengewoon gepolijste artikelen over hoge politiek.

In mijn nieuwe functie had ik een uitstekend zicht op de teloorgang van de oude orde. De zenuwen speelden een steeds grotere rol in de onberispelijk met tapijt belegde gangen van het Witte Huis, waar de regering van Rusland zetelde. De waarnemend premier

Boris Nemtsov, de voornaamste hervormer van Rusland, hield vol dat alles in orde zou komen en kriebelde spinachtige grafiekjes op mijn schrijfblok om dat te bewijzen. Boris Fjodorov, de krachtpatser van de hervormers, die over de belastingen ging, kletste met manische energie over de onomkeerbaarheid van de hervormingen in Rusland. Maar in alle regeringskantoren die ik bezocht werd met een strak gezicht geglimlacht, was het zelfvertrouwen geforceerd. Iedereen was bang, diep vanbinnen, dat ooit, binnenkort, het hele vermolmde gebouw in elkaar zou storten. Het was tijd voor een afrekening na al die jaren van het winst opstrijken, de verduistering en diefstal die de nieuwe meesters van het land hadden ontketend – en wanneer die kwam, zou het een cataclysme worden.

De eerste tekenen dat het einde nabij was, verschenen in Moskou toen mijnwerkers uit het hele land een demonstratie hielden bij het Witte Huis en de Doema binnendrongen, waarbij ze met hun helmen op het plaveisel van de hoofdstad en op de marmeren trapleuningen van het parlement bonkten. Vanuit het Witte Huis kon je elk uur de taptoe van dof gedreun horen. Het klonk als een verre donderslag van buiten de getinte ramen van Zwitserse makelij.

In Sint-Petersburg kwam Jeltsin uit het ziekenhuis om de stoffelijke resten te begraven van de laatste tsaar en zijn gezin, die in 1918 waren vermoord door bolsjewistische revolutionairen. Ik wist samen met een groep mensen die om Romanov rouwden binnen te dringen in de Petrus en Paulus-kathedraal; ik werd toegelaten omdat ik er als enige van de aanwezige journalisten aan had gedacht een zwart pak met zwarte das aan te trekken. Er was een zeer aandoenlijk moment toen de kleine doodskisten die de beenderen van de familieleden bevatten naar het altaar werden gedragen. Jeltsin, houterig en lichtelijk zwaaiend op zijn benen, hield een rede waarin beweerd werd dat Rusland zijn verleden nu onder ogen durfde te zien. Ik was altijd een vurig bewonderaar van Jeltsin geweest, maar nu leek hij eerder een tragische figuur, een wankelende beer van een man die verdwaald was in een doolhof van corruptie, die net zo in de war was gebracht als zijn volk door de bovenmenselijke krachten van het kapitalisme die hij had losgemaakt. De overeenkomsten tussen de fouten die Ruslands laatste monarch naar zijn verachtelijke dood hadden gebracht en de seismische trillingen die zich onder het regime van Jeltsin zelf ophoopten waren pijnlijk duidelijk.

Het Moskouse nachtleven kreeg een vreemde intensiteit. Als ratelslangen die diep in de ingewanden van de aarde aardbevingen voelen opkomen, werden de feestgangers gegrepen door razernij. Overal waar de ten ondergang gedoemde rijken bijeenkwamen, in Galereja, het Jazz Café, Titanic, kon je vanuit je ooghoek, door het droogijs en het stroboscooplicht heen, een glimp opvangen van een spookachtige hand die op de muur schreef – 'Jullie zijn gewogen en te licht bevonden.'

Bovennatuurlijke waarschuwingen van een apocalyps kwamen op Bijbelse wijze, in de vorm van een plantenziekte die een groot deel van de Russische aardappeloogst vernietigde en onophoudelijke regenbuien in augustus die de tarwevelden platlegden, hetgeen een ramp betekende voor de grote aantallen Russen die voor hun levensonderhoud afhankelijk waren van de akkerbouw, omdat de regering hun loon inhield. Een hevige storm blies de gouden kruisen van de koepels van het Novodevitsji-klooster en brak de kantelen van de muur van het Kremlin. De Russische vlag die op het dak van het Senaatspaleis van het Kremlin wapperde, werd door de bliksem getroffen. Zelfs de NTV-televisiezender werd onbedoeld een spreekbuis van het Armageddon, doordat die *The Omen* en de vervolgfilms in achtereenvolgende weekends op het scherm bracht. De baboesjka's van Rusland, die gewoon waren tekenen en voorbodes met pathologisch pessimisme te duiden, grinnikten veelbetekenend.

Toen kwam de zondvloed met de woeste kracht van een natuurramp. Na een panische bijeenkomst op de avond van 16 augustus 1998 devalueerde de regering de roebel en weigerde alle binnenlandse en internationale schulden te betalen, ruïneerde zodoende de effectenmarkt en verminderde de waarde van de roebel met twee derde in één rampzalige week.

De nieuwe bourgeoisie, die voor de crisis van plan was een wintervakantie in Antalya te nemen, stond en masse voor instortende banken om te proberen haar spaargeld terug te krijgen. Alle oude, wilde reflexen van zelfbehoud kwamen weer aan de oppervlakte. De Moskouse huisvrouwen die dachten dat ze eindelijk 'als mensen konden leven' (zoals het Russische gezegde luidt) graaiden dure macaroni van de schappen van westerse supermarkten in een wanhopige poging hun snel minder waard wordende roebels uit te geven. Hun armere tegenhangers ontdeden de markten van de stad van langdurig bruikbare spullen zoals lucifers, meel, zout en rijst.

Het halfvergeten geestelijke meubilair van boeren-*nachodtsjivost*, of vindingrijkheid, werd afgestoft en te hulp geroepen. Kranten begonnen tips voor zuinig huishouden te publiceren met koppen als 'Welke levensmiddelen zijn het langst houdbaar?', waarbij lezers werd aangeraden geen diepvriesvlees in te slaan, want de stroom zou kunnen uitvallen. Gekweld winkelpersoneel in de Moskouse vestiging van British Home Stores keek niet meer naar de prijskaartjes en telde de snel stijgende prijzen in roebels met rekenmachines op. De luxueuze boutiques in de vulgair rijke winkelstraat Manezj leken wel een museum van het oude regime.

Binnen twee maanden was de verwoesting totaal. Misschien was het mijn verbeelding, maar ik had het gevoel dat Moskou donkerder was geworden toen de herfst van 1998 begon, fysiek donkerder, onderverlicht, alsof het flitsende neonhart van de stad bezig was uit te doven. Ik belde mijn huisbazin om te zeggen dat ik eenzijdig de huur van mijn appartement ging halveren; tot dan toe betaalde ik 1500 dollar per maand. Ze slaakte een zucht van opluchting dat ik niet wegging, en bedankte me.

Ik bezocht veel afscheidsfeestjes die gegeven werden door mijn expatvrienden, die plotseling ontdekten dat hun aandelenpakketten verdampt en hun bedrijven in elkaar gestort waren. Een ervan werd gegeven in de Starlite Diner door een aantrekkelijk Californisch meisje met siliconenborsten dat overal in de Russische provincie Herbalife aan de man had gebracht. Ze had een troep tragikomisch onhandige Russische circusartiesten ingehuurd, die om ons te vermaken op glasscherven dansten en vleespennen door hun wangen staken. Iemand speelde 'Get Back' van de Beatles en 'Money' van Abba op de jukebox.

Bij de jaarwisseling, het begin van het laatste jaar van de twintigste eeuw, bereikte ik een dood punt in mezelf. Ik voelde een grote vermoeidheid, maar de slaap wilde vaak niet komen en bracht geen verlichting. De zwarte hond van de depressie die me mijn leven lang van tijd tot tijd had achtervolgd, had me nu te pakken. Ik dacht vaak aan de dode Jana en voelde me middelmatig en uitgerangeerd. Ik zat lange, lege avonden uit het raam van mijn flat naar de vallende sneeuw te kijken, en luisterde naar het gedempte geluid van het voorbijkomende verkeer.

Ik leerde Xenia Kravtsjenko kennen bij een diner dat gegeven werd door een Belgische vriendin in haar flat in een van de achterstraatjes bij de Arbat. Xenia was lang en slank, met jongensachtig kort haar en een sleetse spijkerbroek. Wat ik me vooral herinner van onze eerste ontmoeting was niet haar uiterlijk of iets wat we zeiden, maar een overweldigend, bijna bovennatuurlijk besef dat Xenia de vrouw was met wie ik zou trouwen. Dat klinkt idioot, maar ik voelde het, heel duidelijk. 'Plotseling besefte hij dat hij zijn hele leven van juist deze vrouw had gehouden' – die regel uit Boelgakovs *De Meester en Margarita* citeerde ik nog diezelfde avond tegenover een wederzijdse vriend. Een paar dagen later kusten Xenia en ik elkaar voor het eerst op een parkbank aan de Patriarchenvijver, niet ver van de plaats waar Woland, Boelgakovs baarlijke duivel, voor het eerst in Moskou verscheen.

Xenia was intelligent en mooi. Die twee woorden gaan heel goed samen. Maar in feite beseffen de werkelijk intelligente vrouwen, zij die zich bewust zijn van hun eigen macht over mannen, dat ze iets van de Medusa in zich hebben. Xenia bezat een grote cathartische kracht die achter haar kalmte verscholen lag, een bijna griezelig vermogen mensen uit hun oude zelf te verdrijven. Na mijn eerste weken met Xenia voelde ik dat ik gepurgeerd was door haar Gorgoonse aanwezigheid, dat ik een ingrijpende verandering had ondergaan. Het was soms hard, maar het had iets van een goddelijke openbaring.

Er kwam geen grote crisis, geen groot drama aan te pas. Integendeel, ik vond Xenia vaak ergerlijk onverschillig met betrekking tot het leven in het algemeen, en tegenover mij in het bijzonder. Ze leek te zweven in een wolk van onoverwinnelijke onschuld, ze weigerde de wereld om haar heen serieus te nemen. Toch werd ze een spiegel waarop mijn leven krachtdadig werd ontleed. Mijn verslaving aan de fantasmagorie van Moskou, het voyeuristische trekje dat mij ertoe bracht op zoek te gaan naar alles wat walgelijk en smerig en corrupt was – dit leek plotseling kinderachtig, en onzinnig, en vals. Hoewel ik het me zelf niet realiseerde terwijl het gebeurde, trok Xenia me weg van mijn oude, corrupte ik, en dwong ze me mezelf te zien als iemand die normaal en compleet was. Zelfs een potentiële echtgenoot en vader.

Xenia's uiterlijk en zelfvertrouwen beschermden haar tegen de hardheid van de werkelijkheid die haar omringde. Het was haar op de een of andere manier gelukt afstand te houden tot het beestachtige, gore leven van Moskou. Het was alsof zij en haar familie overlevenden waren uit een andere, zachtere tijd in Rusland. Ze stamde uit een oud geslacht van kunstenaars, en woonde in een schitterend appartement dat sinds 1914 in de familie was geweest. De oude woning was volgepakt met stoffige antieke meubels en schilderijen; er heersten een rust en een duurzaamheid die ik tot dan toe alleen in oude Engelse landhuizen had gezien. Ook de datsja van de familie, waar ik deze woorden schrijf, stond op een hoge oever van de Moskwa bij Nikolina Gora tussen de buitenhuizen van Stalins culturele elite; aan de overkant van de weg hadden de Prokofjevs, familieleden van de componist, een huis, en de Michailovs en de Kontsjalovsky's, families van schrijvers, schilders en cineasten. Haar familie kende deze buren al sinds drie generaties, en ze leken allemaal even charmant onhandig te zijn geworden als de weerloze landadel in *De kersentuin*. Hun charme en verstrooidheid hadden niets gemeen met de stalen wil van de Sovjetgeneratie waaruit mijn moeder stamde. Zij hadden geboft;

hun levens droegen, dankzij een gelukkig lot, geen littekens van de Sovjeteeuw.

Xenia trok bij mij in. We aten onze maaltijden in mijn slaapkamer, met zijn bloedrode muren, terwijl mijn kat zich bij het raam in een plas zonlicht wentelde. Xenia bleef binnen wanneer ik naar mijn werk ging, ze tekende en schilderde, en wanneer ik weer thuiskwam, kookten we grote maaltijden met kerrie en dronken we goedkope rode wijn. Ik was gelukkiger dan ooit tevoren.

In de herfst van 1999 begon er in Rusland een nieuwe oorlog. De eerste schoten waren geen kogels maar zware bommen die in de kelders van flatgebouwen in de buitenwijken van Moskou en in Volgodonsk, in het zuiden van Rusland, werden geplaatst. Ik stond tussen het rokende puin van verwoeste gebouwen in de voorsteden van Moskou, in Petsjatniki en langs de Kasjirskoje-weg, terwijl brandweerlieden de overblijfselen opgroeven van de gewone levens die daar in het rond waren gestrooid. Goedkope banken lagen versplinterd tot luciferhoutjes tussen de hopen bakstenen, en plastic speeltjes kraakten onder mijn voeten. In totaal werden meer dan driehonderd mensen gedood in deze aanslagen.

De schuld werd toegeschreven aan Tsjetsjeense rebellen, en binnen enkele weken reed het Russische leger de afgescheiden rebelse republiek binnen. Buitenlandse verslaggevers mochten niet langer onafhankelijk reizen, maar alleen in door het Kremlin georganiseerde bustochten die de frontlinies zorgvuldig vermeden. Ik was een groot deel van de winter bezig nieuwe manieren te bedenken om ongezien Tsjetsjenië in te komen, soms met de rebellen, soms met Moskou-gezinde Tsjetsjenen, en verscheidene keren door mezelf aan te sluiten bij Russische journalisten en door met plaatselijke Russische commandanten overeenkomsten te sluiten om tijd door te brengen bij hun eenheden.

Tijdens mijn laatste reis naar Tsjetsjenië – de dertiende – bevonden ik en mijn vriend Robert King, een fotograaf, ons in de buurt van het dorp Komsomolskoje. Het Russische leger had de restanten van het rebellenleger, die zich uit Grozny hadden teruggetrokken, omsingeld in dat gehucht en had hen drie dagen lang bestookt met raketten en artillerie. Wij kwamen er aan op de vierde dag, toen de ochtendmist juist optrok, en ontdekten dat de Russische bataljons die zich dagenlang rond het dorp hadden ingegraven, nu weg waren, en alleen hopen afval en velden van door tanks omgewoelde modder hadden achtergelaten. We konden zonder problemen Komsomolskoje binnenrijden.

Andere Tsjetsjeense steden en dorpen die ik had gezien waren platgebombardeerd; de plaats van de huizen was ingenomen door diepe, rokende kraters. Hier was het anders. Het dorp was huis voor huis bevochten, elk gebouw was doorzeefd met kogelgaten in ingewikkelde patronen en door de muren waren granaten ingeslagen. Door de moestuinen van de dorpelingen liepen kriskras de ondiepe loopgraven en de geïmproviseerde fortificaties van de ten dode opgeschreven rebellen. Er hing een sterke geur van cordiet, van verbrand hout, van vers opgegraven aarde, en van de dood.

De lichamen van de rebellen lagen met drie of vier bij elkaar. De eerste die we zagen lagen in de hoek van een huis, met het gezicht naar boven opgestapeld onder het puin van het ingestorte dak. Hun handen waren gebonden, en van hun borstkas was door kogels een bloedige massa gemaakt. Wat verderop kwamen we bij het lijk van weer een rebel, een reus van een man met een pluizige rode baard, wiens handen achter zijn rug waren vastgezet met in elkaar gedraaid ijzerdraad. Diep in de zijkant van zijn hoofd begraven zat een Russisch werktuig om loopgraven te maken waarmee hij was doodgeslagen. In een greppel lag een rij lijken, onzedelijk in elkaar verstrengeld, liggend waar ze gevallen waren na met machinegeweervuur te zijn neergeschoten. Robert liep door de ravage heen en weer en nam er foto's van; zijn beroepsinstincten namen de leiding. Ik krabbelde onder het lopen in mijn opschrijfboekje en legde de beelden zo snel als ik kon in woorden op papier vast – misschien om te zorgen dat ze niet in mijn geest zouden blijven hangen.

We telden meer dan tachtig lichamen, en dit was nog maar de rand van het dorp. In totaal waren er in en rondom Komsomolskoje achthonderd van de mannen van de rebellenleider Roeslan Gelajev gedood. Ik had weinig trek om verder te gaan. Ik was ook bang voor mijnen en boobytraps. Ik liep naar een huis van sintelblokken dat gedeeltelijk was afgebrand. Het dak van gegolfd beton was ingestort en lag verbrijzeld tussen een warboel van ijzeren bedden en plastic picknickstoelen. Tussen de brokken van het dak zag ik een deken, die om een lichaam gewikkeld leek te zijn. Ik raapte een stuk dakmateriaal op – een stuk tegel van dertig centimeter – en begon de rommel weg te halen. Ik trok de deken voorzichtig weg om het gezicht van een man te onthullen, en terwijl ik dat deed raakte de tegel zijn wang. Het vlees was hard en gaf niet mee, het had absoluut niets weg van het aanraken van een mens.

De dode man was een Afrikaan; zijn huid was diepzwart maar met Europese trekken, misschien een Somaliër. Hij leek een van de buitenlandse strijders te zijn geweest die naar Tsjetsjenië waren gekomen om zich bij de jihad aan te sluiten, en was uiteindelijk in deze troosteloze hoek van de Kaukasus bij zijn Schepper uitgekomen. Hij zag eruit als een fatsoenlijke jongeman: iemand aan wie je de weg zou vragen als je verdwaald was in een vreemde stad, of aan wie je je camera zou toevertrouwen om een foto van jou te nemen.

Later – en ik zou nog vaak aan hem denken – stelde ik me voor hoe hij met zijn goedkope bagage in een polyester pak op een vliegveld stond op weg naar de heilige oorlog, zenuwachtig maar opgewonden. En ik dacht aan een familie ergens in Afrika die deed wat ze elke dag deden, kibbelende zusjes en een vittende moeder, zonder te weten dat hun zoon hier in het puin van een Tsjetsjeens huis lag waar hij gestorven was terwijl hij vocht in de oorlog van iemand anders.

Ik had genoeg gehad. We haastten ons terug naar onze auto, een gedeukte Russische militaire jeep die bestuurd werd door een eigenwijze jonge Tsjetsjeen die Beslan heette en die prat ging op zijn rijvaardigheid. We hadden vier uur voor de enige vlucht naar Moskou van die dag die van het vliegveld Nazran in Ingoesjetië vertrok. Beslan beloofde ons daar ruim op tijd heen te brengen. Hij liet de motor razen terwijl we de hoofdweg op reden, en we denderden westwaarts naar de grens. Robert en ik zaten opgepropt op de achterbank met onze Tsjetsjeense gids, Moesa, een functionaris in de Moskou-gezinde regering die ons door controleposten praatte door met zijn identiteitskaart van de regering te zwaaien. Twee Russische politieagenten, die we voor vijftig dollar per dag als lijfwachten hadden ingehuurd, zaten samen op de passagiersstoel voorin. Halverwege de grens zagen we een Russische bewapende Mi-24 helikopter dreigend hangen boven een hakhoutbosje waaruit rook opsteeg. De helikopter wendde zich langzaam in de lucht zodat hij recht tegenover ons kwam te hangen.

Het volgende dat ik me herinner, was dat het uitzicht over vochtige velden door de voorruit vervangen werd door een muur van aarde. Ik herinner me dat ik mijn armen zo stevig mogelijk tegen de voorstoelen drukte, en er was een ogenblik van grote fysieke druk en daarna verlichting toen ik voelde dat mijn lichaam zich overgaf aan de overweldigende fysieke wetten en naar voren vloog door de voorruit. Gelukkig voor mij was het glas net een paar seconden eerder verbrijzeld door het hoofd van een van onze politiebegeleiders.

De ogenblikken die volgden waren vol van oneindige vrede. Ik lag op mijn rug op het grind van de weg, met mijn armen en benen gespreid, en keek omhoog naar de wolken die langs de grote Tsjetsjeense hemel dreven. Ik was me meer dan ooit tevoren of nadien bewust van het feit dat ik leefde, en hoewel ik besefte dat ik waarschijnlijk ernstig gewond was, waren de tekenen daarvan ergens ver weg, als een rinkelende telefoon die je rustig kon negeren. Langzaam bewoog ik mijn vingers langs het oppervlak van het wegdek, en rolde zo steentjes en stukjes gruis heen en weer. Ergens kon ik stemmen horen, en ik ademde diep in door mijn neus om na te gaan of ik benzine rook, of cordiet, of iets wat brandde. Ik rook alleen de geur van klei, en van de bloeiende grassen langs de kant van de weg.

Mijn geest gaat vaak terug naar dit moment, en schrijft er verschillende betekenissen aan toe, al naargelang mijn stemming. De enige gedachte die ik met volstrekte eerlijkheid aan die tijd en die plaats kan toeschrijven is deze: ik voelde een diepe tevredenheid dat ik in Moskou iemand had die op me wachtte, en een overweldigend verlangen om terug te gaan naar Xenia en Moskou, en nooit meer weg te gaan.

Boven me verscheen een bebaard gezicht, dat begon te spreken. Een soort reflex kreeg vat op me; ik begon te antwoorden, heel kalm, en bevelen te geven. Mijn schouder was ontwricht, en ik vermoedde dat er een paar ribben gebroken waren. Ik zei tegen de Tsjetsjeense dorpeling dat hij zijn voet op mijn sleutelbeen moest zetten, mijn onbruikbare rechterarm pakken, en trekken. Waarschijnlijk werd de pijn door shock geblokkeerd, want ik bleef aanwijzingen geven tot het gewricht terug op zijn plaats wipte. Ik zag Robert naast me knielen, en hij wond voorzichtig de sjaal van mijn hals en maakte er een geïmproviseerde mitella van. Toen ik rechtop ging zitten, zag ik dat Beslans geliefde jeep in een anderhalve meter diep gat was gestort dat een granaat in de weg had geslagen. Beslan zelf, zag ik met enige voldoening, was met zijn hoofd tegen zijn eigen stuurwiel gesmakt, en zat bloed te deppen. De twee politiemannen waren ernstiger gewond; ze lagen langs de kant van de weg, bewusteloos.

Alles begon snel te gaan. Ik haalde geld tevoorschijn om iedereen te betalen. Uit het dichtstbij gelegen dorp werd een auto opgeroepen om Robert, Moesa en mijzelf verder te vervoeren. Ik had maar twee gedachten in mijn hoofd – dat vliegtuig te halen, en nooit terug te komen in Tsjetsjenië. Zelfs toen onze tweede auto door een gat in de weg reed, en mijn gewonde schouder weer uit de kom schoot, onderdrukte het verlangen om op weg naar huis te gaan alle pijn, en zelfs alles in de wereld wat niet te maken had met doorrijden naar Ingoesjetië, en veiligheid.

Op de een of andere manier haalden we het. Op de Nazran-luchthaven wemelde het van officieren van de Federale Veiligheidsdienst, de FSB, de opvolger van de KGB, die argwanend door onze papieren bladerden en ons ondervroegen over waar we geweest waren. Robert en ik vormden een verdacht stel. We droegen allebei een Russische soldatenjas en een zwarte gebreide muts; dit was onze zwakke vermomming tegen op buitenlanders jagende kidnappers. We waren allebei smerig en stonken naar rook en lijken. Met bovenmenselijke wilsinspanning bewaarde ik mijn kalmte en hield vol dat we nooit uit Ingoesjetië weg waren geweest en dat we nooit in het verboden gebied Tsjetsjenië waren geweest. Terwijl we in de bus stapten die ons naar het vliegtuig zou brengen, kwamen er nog meer FSB-beambten aanhollen die naar Roberts nog niet ontwikkelde foto's wilden kijken. Ik bepraatte hen, maakte grappen met hen, en na enkele martelende minuten gingen ze weg. We beklommen de trap van de oude Toepolev 134 in de angst dat ze van gedachten zouden veranderen en ons uit het vliegtuig zouden sleuren, ons terughalen in de wereld van Tsjetsjenië.

Pas later die avond in het Amerikaanse Medisch Centrum in Moskou, toen een arts uit Ohio met een koude stalen schaar het stinkende T-shirt van het Russische leger van mijn lichaam af knipte, barstte ik in tranen van pijn en opluchting uit. Xenia wachtte op me buiten de Eerste Hulp. Nooit had ik zo hartgrondig gevoeld dat ik was thuisgekomen.

Oorlog en de herinnering zijn vreemde zaken. Je ziet ontstellende dingen die van de oppervlakte van je geest af stuiten als een flipperbal die over het bord stuitert. Maar van tijd tot tijd heeft zich plotseling een herinnering, een beeld of een gedachte in een gat gevestigd en dringt regelrecht door tot in je diepste hart. Voor mij was die herinnering de dode zwarte man in Komsomolskoje, die in mijn dromen kwam spoken. Mijn schouder genas snel genoeg, maar mijn geest leek geïnfecteerd te zijn. Bij Xenia's datsja wandelden we langs de rivier, pratend. Maar wanneer we bij een lege weide kwamen waar de voorjaarsstilte alleen doorbroken werd door het kraken van de dennen die zwaaiden in de wind, liet ik me neervallen in een diepe, vochtige sneeuwbank en weigerde in beweging te komen. 'Laat me hier nou maar een paar minuten liggen,' fluisterde ik, met mijn ogen gericht op de grijs-witte hemel. 'Laat me even alleen.'

Ik raakte ervan overtuigd dat de onrustige geest van de dode rebel die ik had aangeraakt mij was binnengedrongen. Ik herbeleefde het moment van lichamelijk contact met zijn koude wang, en geloofde dat de geest van de man op de een of andere manier, als een elektrische lading, in mijn levende lichaam was gesprongen. Ik droomde van de omgewoelde velden van Komsomolskoje, en stelde me voor dat de boze zielen van de dode mannen slap langs de grond fladderden, als gewonde vogels.

Het was Xenia die me hieruit haalde. Ze reed met een onwillige Robert en mij naar een kerk in de buurt van mijn appartement, waar we allebei kaarsen aanstaken voor de dode mannen. Maar, belangrijker, ze hielp me door een thuis te maken, een echt gezinshuis, het eerste dat ik had gehad sinds ik zeven jaar eerder uit Londen was weggegaan. Ik verliet mijn vrijgezellenflat en huurde een datsja, diep in de Moskouse bossen bij Zvenigorod, niet ver van de datsja van Xenia's ouders bij Nikolina Gora. We schilderden de kamers in vrolijke kleuren. Ik kocht Dagestaanse kelims en oude meubels, en we haalden de oude Russische kachel in de woonkamer uit elkaar en gebruikten de zware oude tegels om op de plaats van de kachel een open haard te bouwen. Xenia verving de koperen knoppen op het haardrooster dat we hadden gekocht door twee kleine kopjes van klei die ze geboetseerd had. Het ene was een portret van mij, het andere van haar, en onze kleine kleibeeldjes keken elkaar aan over de vlammen van de haard heen.

Epiloog

Veel beter dat je het vergeet, en glimlacht,
Dan dat je je het herinnert, en treurig bent.
Christina Rossetti

Mila en Mervyn kwamen op Heathrow aan in een grauw Londens motregentje. Ze namen de bus naar Victoria; een taxi zou te duur zijn geweest. Terwijl ze over de Westway reden, leek Londen, vertelde Mila me, 'erg arm te zijn, erg haveloos'. Toen ze oude vrouwen zag lopen in wollen jassen en met hoofddoeken, zei ze tegen haar nieuwe echtgenoot dat die 'net zo zijn als onze Russische baboesjka's'.

Mervyns kleine flat met één slaapkamer aan Belgrave Road in Pimlico was een ascetische woning, met een sjofel vloerkleed, die nauwelijks verwarmd werd door grote bruine elektrische pakhuiskachels die laag waren gezet om geld uit te sparen. Mijn moeder herinnert zich dat Mervyns eenpersoonsbed maar vijfenzeventig centimeter breed was, en bedekt met dunne legerdekens. Toen de zojuist vrijgelaten Gerald Brooke langskwam om te vragen of er iets was wat Mila nodig had, was het eerste waar ze aan dacht echt wollen dekens. Na de oververhitte woningen van Moskou vond Mila de flat akelig koud. Om warm te worden ging ze vaak een eind stevig stappen door de straten van Pimlico. De herinnering aan die eerste winter in Londen die haar is bijgebleven was 'de vreselijke vochtige kou die tot in je botten doordrong – veel erger dan de Russische winter'.

Mijn ouders gingen wandelen in het St James's Park, en bezochten het Hogerhuis om thee te drinken met Lord Brockway, een van de hoogwaardigheidsbekleders die Mervyn had weten over te halen zijn campagne te steunen. Een vriendin van Mervyn nam Mila mee naar Harrods, maar ze was niet onder de indruk. De westerse overvloed verbaasde haar niet, zoals die sommige bezoekers uit de Sovjet-Unie verbaasde. 'Dit hadden we in Rusland ook allemaal – voor de Revolutie,' zei ze voor de grap terwijl ze eerbiedig de zalen met etenswaren werd binnengeleid. Mervyn reed met haar naar Swansea, stopte onderweg in Oxford, en stelde Mila aan zijn moeder voor. Ondanks al de smeekbeden die Lillian in de loop van de jaren aan Mervyn had gericht om zijn strijd op te geven, omhelsde ze Mila hartelijk.

Mijn moeder ging meteen aan de slag om de flat van mijn vader zo gezellig mogelijk te maken; ze zette het antieke porselein neer dat ze uit Rusland had meegenomen en zette haar boeken in de boekenkast. Ze deed erg haar best om de volmaakte echtgenote te worden die ze zich voorstelde; ze kookte maaltijden volgens haar beduimelde exemplaar van *1000 Smakelijke Recepten*, de culinaire bijbel van de Russische huisvrouwen. Ze probeerde vriendschap te sluiten met de buren, maar de meesten keken haar met de nek aan en wilden haar zelfs in de hal niet groeten – of dit nu lag aan Britse koelte of aan het feit dat Mila een burger was van een vijandig rijk, daar is ze nooit achter gekomen. Tijdens haar eerste zes maanden werd ze vaak overvallen door de schok van het ontheemd-zijn, en dan barstte ze in tranen uit. Ze huilde van de kou terwijl ze vertalingen uittikte om wat geld te verdienen, zodat haar tranen tussen de toetsen van de schrijfmachine vielen. Mervyn had geen idee hoe hij haar moest troosten. Hij koos ervoor haar maar te laten uithuilen.

'Ik kan niet zeggen dat ik totaal ongelukkig was,' herinnerde mijn moeder zich. 'Maar ik denk dat ik een zo groot deel van mijn leven in Moskou had doorgebracht dat weggaan een vreselijk trauma moest zijn.'

Ze miste haar vrienden, en de hartstocht en opwinding van de dissidente stijl van leven – het onderling ruilen van samizdatboeken, het wachten op het volgende nummer van de krant *Novy Mir* (die het zelfs aandurfde Solzjenitsyn te publiceren), het deel uitmaken van een toegewijde groep gelijkgestemde mensen die een soort familie voor haar waren geworden. En hoewel ze nooit rijk was geweest, waren zelfs de kleine luxes van het Sovjetleven altijd betaalbaar geweest. Maar in Londen was Mervyns salaris nauwelijks voldoende om zijn eigen behoeften te bekostigen, laat staan die van Mila. Ze herinnert zich dat ze huilend buiten een station van de metro stond nadat ze bij een handelaar in garen en band in Warren Street al haar geld had besteed aan cadeautjes voor haar vrienden in Moskou, en niet genoeg overhad voor een kaartje. In een uitbarsting van gulheid nam mijn vader haar mee naar Woolworth's en kocht voor een pond een groene wollen jurk voor haar. Het was het enige kledingstuk dat ze in dat hele eerste jaar kocht.

Voor het eerst in haar leven voelde Mila zich depressief, niet in staat haar onoverwinnelijke wilskracht op te roepen die sinds de ziekte in haar kindertijd altijd de brandstof had geleverd voor haar gevechten. Ze schreef aan haar zuster in Moskou over haar vreselijke heimwee. Mijn moeder zei niet openlijk dat ze terug wilde komen, maar Lenina was bang dat dat alleen zo was omdat haar koppige zus het niet kon verdragen aan zichzelf toe te geven dat al die jaren van strijd een vergissing waren geweest. Lenina liet haar brief lezen aan Sasja, die aan de keukentafel ging zitten om een antwoord samen te stellen. 'Liefste Mila, er is voor jou geen weg terug,' schreef hij. 'Je hebt je lot gekozen en je moet ermee leven. Hou van Mervyn; krijg kinderen.'

Kon na zulke hoge verwachtingen, zoveel idealisering, zoveel offers en brandende, hoge idealen, de werkelijkheid iets anders dan een teleurstelling zijn geweest? Welk huwelijk, welk leven in het sprookjesland van het Westen kon ooit de verwachtingen waarmaken van zes jaren van verlangen? Ik geloof dat het gevecht voor mijn ouders eerder een doel op zichzelf was geworden dan een van hen beiden ook maar besefte. Toen de overwinning kwam, wisten ze allebei niet hoe het verhaal verder moest gaan. Jarenlang waren

Mervyn en Mila voor elkaar bovenmenselijke wezens geweest, die over bergen en dalen sprongen, op de deuren van de hemel klopten, de moloch van de geschiedenis aan de kaak stelden. Maar toen ze eindelijk bij elkaar kwamen als echte, levende mensen, bleek dat ze iets moesten uitvinden wat geen van hen beiden ooit had gekend – een gelukkig huisgezin. Na een leven als acteurs in een groot drama ontdekten ze dat het moeilijkste van alles was gewoon weer menselijk te worden.

In het voorjaar van 1970, toen ze na het geven van een cursus Russisch per trein terugkwam uit Brighton, kreeg ze weer een aanval van melancholie en barstte in tranen uit. Anders dan in Rusland kwam er geen medepassagier naar haar toe om haar te troosten of te vragen wat er aan de hand was. Maar zij keek op uit het raam naar de groene Engelse velden. 'Wat ben ik een idioot,' herinnert mijn moeder zich te hebben gedacht. 'Ik heb zes maanden gehuild. Deze Russische zwartheid moet ophouden.' Langzaamaan begon Mila in Londen een leven voor zichzelf te maken. Mijn vader was altijd verlegen in gezelschap en had nooit veel goede vrienden, maar mijn sociabele moeder maakte algauw Engelse vrienden die van haar warmte en haar geestigheid hielden, en met wie ze naar het toneel en ballet kon gaan. Zij werden nooit de hechte, kameraadschappelijke surrogaatfamilie die de vriendenkring van mijn moeders jeugd had gevormd, maar het samenzijn met ontwikkelde mensen hielp de pijn van het verlies van haar oude leven in Moskou verzachten.

Mijn moeder nam nog meer vertaalwerk aan en ging parttime lesgeven aan de universiteit van Sussex. Een organisatie die zich Overseas Publications noemde, bood haar een baan aan als persklaarmaker van Russische samizdatliteratuur, wat haar de gelegenheid bood om haar oude dissidente enthousiasmes voort te zetten. Ze redigeerde *Laat de geschiedenis oordelen*, een nauwgezette aanklacht tegen het stalinisme door de dissidente historicus Roy Medvedev, evenals vele andere boeken die door Overseas Publications werden uitgegeven en waarvan exemplaren door een netwerk van Russische emigranten in heel Europa via pakketpost de Sovjet-Unie in werden gestuurd. Verrassend genoeg kwamen bijna alle boeken erdoor, om gretig te worden overgetypt en rondgestuurd door Mila's vrienden in Moskou. De directeur van de organisatie vertelde Mila dat dit gefinancierd werd door een rijke Amerikaanse industrieel; in werkelijkheid gebeurde dit door het geheime budget dat de CIA voor anti-Sovjetactiviteiten had bestemd, net als Radio Liberty, waar mijn moeder eveneens werk kreeg als redacteur. Radio Liberty bood haar zelfs een rol als presentator aan, maar dat weigerde ze, voor het geval dat dit haar kansen zou schaden om ooit nog een bezoek te brengen aan haar geboorteland.

Mila verdiende algauw genoeg eigen geld om heimelijk het krappe huishoudgeld aan te vullen dat haar man haar gaf om kleren en boeken te kopen. Hoewel ze allebei in armoede waren opgegroeid, vond mijn moeder het fijn om geld uit te geven, zoals mijn vader het nooit had gekund. Ze had altijd van mooie dingen gehouden, en zodra ze het kon, kocht ze oude meubels en schilderijen.

Mila volgde Sasja's raad op: in de zomer van 1971 was ze zwanger. Ik werd op 9 december 1971 geboren, in het Westminster Hospital, dat volgens Mila 'even luxueus was als de kliniek in het Kremlin'. Het was een moeilijke bevalling vanwege de misvormde heup van mijn moeder, en ik werd met een tang de wereld in getrokken. De artsen zeiden tegen haar dat ze 'een mooie baby' had – een opmerking die diepe indruk op haar maakte, en die ze in mijn kindertijd vaak tegen me herhaalde. Sovjetartsen hielden hun mening gewoonlijk voor zich. Mijn vader schraapte de aanbetaling bij elkaar voor een victoriaans rijtjeshuis van 16.000 pond aan Alderney Street, dat mijn moeder behing met oranje behang met een paisleypatroon dat ze in de uitverkoop bij Peter Jones had gevonden. Voor het eerst sinds haar allerprilste jeugd maakte Mila eindelijk deel uit van een echt eigen gezin.

In de winter van 1978, negen jaar nadat ze was weggegaan, keerde mijn moeder terug voor een bezoek aan de Sovjet-Unie, en ze nam mij en mijn kleine zusje Emily mee. We logeerden in de flat van Lenina. Ik herinner me een voortdurende stroom van bezoekers die in de gang huilend mijn moeder omhelsden; ze hadden nooit verwacht haar terug te zien. Ik vond alles totaal anders dan in Engeland, van de rijen in de bakkerswinkels tot de enorme sneeuwhopen en de paleisachtige Metro. Ik dacht dat ik precies begreep wat Poesjkin bedoelde met de geur van Rusland. Het was een aparte lucht, deels een goedkoop ontsmettingmiddel, deels (hoewel onverklaarbaar) de geur van een bepaald Sovjetmerk vitamine C-tabletten, scherp en kunstmatig. Russische mensen hadden ook een geur, zoals die bij Engelse mensen nooit te ruiken was, een overweldigend sterke lichaamsgeur die niet onaangenaam was, al had ik het gevoel dat de vleselijkheid ervan niet erg decent of respectabel was.

Hoewel ik als kind veel had gereisd om mijn vader te bezoeken op diverse academische posten over de hele wereld, werd ik in Rusland voor het eerst overweldigd door mijn eigen buitenlanderschap. Iedereen wilde me laten zien hoe het allemaal was '*oe nas*', oftewel *chez nous*, en vroeg me of Engelse chocolade net zo lekker was als Russische-Beer-wafels (antwoord: ja), of we champagne hadden of speelgoedsoldaatjes of sneeuw of zelfs (deze vraag werd gesteld door een bijzonder imbeciele en patriottische vriend van mijn nichtje Olga) net zulke mooie auto's als de Sovjetauto's. Zelfs op mijn zevende kon ik al zien dat Sovjetauto's waardeloos waren. Maar ondanks de levendigheid van Rusland voor mijn verbeelding heb ik zelfs toen al nooit gevoeld dat dit iets anders was dan een vreemd en buitenlands oord.

Heimwee naar een verloren thuisland is een typisch Russische aandoening; op feesten die de Russische emigrantenvrienden van mijn moeder gaven, probeerden de gastvrouwen in voorstedelijk Londen een verloren wereld van Russisch-heid terug te halen. De tafels kraakten onder steur en kaviaar, tafelzuur en wodka, er hing een dikke rook van Russische papirossigaretten, en er werd gepraat over reizen terug naar de Rodina, die kortgeleden waren gemaakt of die gepland waren. Maar al was mijn moeder ook nog zo emotioneel van aard, ze deed nooit sentimenteel over het Moederland, en ik geloof niet dat ze Rusland ooit echt heeft gemist – althans niet nadat ze over die eerste, prangende periode van heimwee kort na haar aankomst in Engeland heen was. In mijn hele kindertijd was ze altijd vol lof over wat zij als de typisch Engelse deugden zag: stiptheid, degelijkheid en goede smaak; het enige wat haar irriteerde was Engelse zuinigheid, wat zij zag als zelfzuchtigheid van geest. Iets wat ze deelde met haar mede-emigranten was een diepe verachting voor het Sovjetregime, evenals een voorkeur voor de laatste cynische politieke anekdotes uit Rusland. Een van haar favoriete grappen ging over de moeder van Brezjnev: de oude vrouw komt haar zoon, de Partijbaas, opzoeken in zijn luxueuze villa aan zee en staat zenuwachtig de schilderijen, meubelen en auto's te bewonderen. 'Het is prachtig, zoon,' zegt ze. 'Maar wat ga je doen als de Roden terugkomen?'

Mila's voorbeeld bleek aanstekelijk te werken. Een voor een zouden bijna al haar vrienden en kennissen hetzij uit Rusland weggaan, hetzij met buitenlanders trouwen. In 1979 kregen Lenina's oudste dochter Nadja en haar Joodse echtgenoot, Joeri, die bij Mila's huwelijk tegen de fotografen had geschreeuwd, verlof om te emigreren, en vertrokken met hun dochtertje Natasja naar Duitsland. Sasja huilde hysterisch op de luchthaven en probeerde zijn dochter achterna te rennen toen ze door de paspoortcontrole liep, hinkend op zijn kunstbeen. 'Ik zal je nooit meer zien!' schreeuwde hij.

Zes maanden later werd Sasja door zijn baas op het ministerie van Justitie opgeroepen. De man stond bij zijn bureau en schold op Sasja omdat hij de organisatie van de Partij niet had meegedeeld dat hij niet alleen een schoonzuster, maar ook een dochter in het Westen had. Sasja viel ter plaatse in het kantoor van de minister op de grond met een hevige hartaanval en overleed die middag in een ziekenhuis. Nadja kreeg geen toestemming om uit Duitsland terug te komen voor de begrafenis, en bleef zichzelf nadien voorgoed de schuld geven van de vroege dood van haar vader.

Mijn moeders verlegen balletgekke vriend Valery Golovitser, die mijn ouders aan elkaar had voorgesteld, kreeg na negen of tien aanvragen eindelijk een uitreisvisum. In 1980 vertrok hij, tegelijk met duizenden Russische Joden, met zijn gezin naar de Verenigde Staten. Hij verliet zijn vrouw niet lang daarna en kwam eindelijk als homoseksueel uit de kast; hij ging met Slava, die al heel lang zijn geliefde was geweest, in New York wonen en organiseerde balletreizen van Russische kunstenaars.

Valery Sjein, Mervyns zigeunervriend van het festival, maakte een enorm succesvolle carrière in het theatermanagement, werd rijk en beroemd en trouwde in 1987 met een mooie Russofiele Engelse. Ze had naam gemaakt bij Valery's vrienden omdat ze een uur in een rij had gestaan voor bananen en toen maar één kilo had gekocht – een normale Sovjetburger die boodschappen deed zou zoveel hebben gekocht als hij kon dragen.

Georges Nivats verloofde Irina Ivinskaja werd eind 1963 uit de goelag vrijgelaten. Ze trouwde met een bekende dissident en emigreerde later naar Parijs. Haar moeder Olga, de Lara van Pasternak, bleef in Moskou, waar ze in 1995 overleed.

Mila's nichtje Olga volgde haar zus in 1990 naar Duitsland door middel van een gefingeerd huwelijk met een Engelsman, en liet haar dochter Masja in Moskou achter om te worden grootgebracht door haar grootmoeder, mijn tante Lenina. Toen Masja van school af kwam, vertrok ook zij, voor een kankeroperatie in Duitsland, en bleef daar. Uiteindelijk overleed ze aan de ziekte. Lenina bleef alleen achter in Moskou, waar ze nog steeds is.

Mijn vader is zijn *wanderlust* nooit kwijtgeraakt. Gedurende mijn hele jeugd ging hij geregeld maandenlang weg om in Harvard, Stanford, Jeruzalem, Ontario, Australië een gasthoogleraarschap te vervullen. Ik was dol op de heerlijke brieven die hij stuurde, geïllustreerd met gekleurde tekeningen van Australische hagedissen, piraten en kleine karikaturen van hemzelf in grappige situaties – terwijl hij uit een boot viel, aan de verkeerde kant van de weg in een auto reed. En ik miste hem vreselijk, en wachtte wanhopig op zijn brieven. Verscheidene malen ben ik in mijn eentje per vliegtuig – als 'onvergezelde minderjarige' compleet met een label met mijn gegevens stevig aan mijn jas gehecht, net als het beertje Paddington

– naar hem toe gereisd in Cambridge, Massachusetts, en San Francisco, Californië. Als mannen alleen aten we pizza in onze pyjama en bleven laat op terwijl we op de televisie naar Godzilla-films keken. Hij leerde me een rubberbootje te besturen op de Charles River in Boston.

Thuis was de situatie minder harmonieus, hoewel ik nooit ook maar een seconde het gevoel heb gehad dat er niet van me gehouden werd. Eigenlijk eerder het tegendeel: zonder epische strijd die gevoerd moest worden, richtte mijn moeder al haar energie op de mensen die het dichtste bij haar waren – haar man en kinderen – en het resultaat was vaak overweldigend. Een rijtjeshuis in Pimlico was veel te klein om zo'n dynamo van emotionele energie te bevatten. De reactie van mijn vader op de veelvuldige drama's in huis was zich terug te trekken in zijn eigen privéwereld, na een kleine onenigheid zwijgend weg te stappen van de eettafel, mijn moeder in tranen achter te laten, en zich terug te trekken in het bolwerk van zijn studeerkamer. Soms voelde je de spanning in huis knetteren als vorst.

In december 1988 begon mijn vader weer geregeld naar Rusland te gaan, dankzij de Perestrojka van Michail Gorbatsjov. Het Moskou van de late Sovjet-Unie leek hem naar buiten toe hetzelfde als de stad die hij had gekend, maar op zijn eerste trolleybusrit zag hij nergens KGB-auto's, nergens goons. Voor het eerst voelde mijn vader zich vrij in de straten van de stad, eindelijk anoniem.

Drie jaren later, en het communisme in Oost-Europa was ingestort. Ik gebruikte de zomervakantie van 1991 om daarheen te reizen met mijn vriendin Louise. Toevallig kwamen we in Leningrad aan op de avond van 19 augustus 1991 – de vooravond van de poging van voorstanders van de harde lijn in de Partij Gorbatsjov ten val te brengen, wat de laatste stuiptrekking van de Communistische Partij van de Sovjet-Unie zou zijn. Bij het wakker worden zagen we op de televisie het grimmige gezicht van generaal Samsonov, het hoofd van het garnizoen van Leningrad, die de burgers waarschuwde dat bijeenkomsten van meer dan drie mensen verboden waren. Een dag later stond ik op een balkon van het oude Winterpaleis en zag het Paleisplein vol met mensen, een deinende zee van gezichten en posters. Bij het St Isaac's Plein hielpen we studenten dwars over de straat barricades bouwen van houten banken en stalen stangen. De volgende dag was Nevsky Prospekt tot zover het oog reikte in beide richtingen gevuld met een half miljoen mensen die protesteerden tegen het systeem dat gedurende drie generaties bijna elk aspect van hun leven had bepaald. De leuzen op de zelfgemaakte posters die de demonstranten droegen waren variaties op de woorden 'vrijheid' en 'democratie'. Diezelfde dag kwam Boris Jeltsin in Moskou naar buiten uit het Witte Huis – waar de regering van de Russische Federale Socialistische Republiek huisde – en ging op een tank staan om de bijeengekomen menigte toe te spreken, teneinde het gebouw te beschermen tegen de krachten van de reactie. Het was een iconisch moment, en hoewel wij het in Leningrad niet zagen omdat de staatstelevisie in handen was van de putschplegers, markeerde het het einde van vierenzeventig jaar communistisch bewind. De coup stortte die avond in na een mislukte poging van troepen die loyaal waren aan de KGB om het Witte Huis te bestormen.

Op een geheimzinnige manier krijgen grote bijeenkomsten van mensen een eigen collectieve persoonlijkheid, en zoals ik het zag, was de bezielende kracht van die grote menigte in Sint-Petersburg een overweldigend gevoel van gerechtvaardigdheid, een gevoel dat de geschiedenis aan onze kant stond. Er heerste een tamelijk naïef Sovjetgevoel dat de rede onoverwinnelijk was – dat het leven nu eens niet gecompliceerd was, dat wij gelijk hadden en dat communisme verkeerd was. Ik had die dag een diep geluksgevoel. Misschien, dacht ik, werd alle kwaad van het land, het vergif dat Rusland had aangetast, nu eindelijk uitgedreven door deze honderdduizenden mensen die de straat op waren gekomen om het einde te eisen van een systeem dat miljoenen had gedood in naam van een stralende toekomst die nooit kwam. In later tijd zouden de meesten van de mensen die in die augustusdagen demonstreerden bitter worden teleurgesteld door de vruchten van de democratie.

Maar voor velen van de generatie van mijn ouders – althans voor diegenen, zoals Lenina, die geleden hadden onder Stalin – zou de val van het Sovjetsysteem altijd iets zeldzaam wonderbaarlijks blijven. Een oude vriendin stuurde een briefkaart aan mijn moeder. *'Nejoezjeli dozjili?'* schreef ze, de heerlijk bondige Russische zin die betekent: 'Is het mogelijk dat we geleefd hebben om deze dag te zien?'

Vreemd genoeg leek mijn moeder tamelijk onaangedaan door de aardverschuivingen van die herfst, die begonnen met de overwinning van Jeltsins democraten en eindigden met Gorbatsjovs aftreden op eerste kerstdag. Rusland was voor haar inmiddels een plek van het verleden; eigenzinnig als ze was had ze emotioneel een streep gezet door haar oude leven en was ze iets nieuws geworden. Ze was er natuurlijk blij mee, en zag het als een overwinning voor de dissidente beweging waaraan ze zelf ook een kleine bijdrage had geleverd. Ze zegt nu dat ze de hele ineenstorting van de Sovjet-Unie vanuit haar 'glorieuze isolement' in Londen aanzag; ze voelde geen grote golf van emotie bij het nieuws. Maar er was één moment, denk ik, dat voor haar weerklank had: de nacht kort na het mislukken van de coup toen een brullende menigte samenstroomde buiten het oude hoofdkwartier van de KGB aan het Loebjanka-plein, schreeuwend om wraak voor de ondersteuning door de KGB van de reactionairen. Er werd een stalen kabel om de hals gelegd van het sinistere standbeeld van Felix Dzerzjinski, dat midden op het plein op een sokkel stond, en een hijskraan trok IJzeren Felix omhoog in de lucht, waar hij boven de menigte hing alsof hij gelyncht was. Zij had altijd geloofd dat de Sovjetmacht nog tijdens haar leven zou bezwijken, zei ze, maar dat was het moment waarop ze echt geloofde dat het eindelijk gebeurd was.

Een jaar later, in 1992, duwde mijn vader de deuren van de Loebjanka open op weg naar een afspraak met de nieuw gevormde afdeling public relations van de KGB. Alexej Kondaurov zat in een weelderig kantoor dat uitzicht bood op de binnenplaats waar vroeger gevangenen waren terechtgesteld. De KGB – of FSK, zoals de dienst heette in de eerste jaren van Jeltsin – was erin geïnteresseerd 'bruggen te bouwen' met westerse sovjetologen, zei Kondaurov enthousiast terwijl Mervyn citroenthee dronk. Hij vroeg Mervyn zelfs voor het nieuwe tijdschrift van de FSK een artikel te schrijven over hoe hij vanuit het buitenland onderzoek had gedaan naar de KGB. Mijn vader was er meer in geïnteresseerd contact te krijgen met de man die graag zijn baas was geweest, Alexej Soentsov. De FSK-man reageerde vriendelijk, maar er kwam niets van.

We hadden meer geluk in 1998, toen ik ten behoeve van mijn vader contact legde met het persbureau van de Russische Buitenlandse Inlichtingendienst. Ik praatte met generaal Joeri Kobaladze, hun gladde persagent, en nam hem mee voor een dure lunch te midden van de expatonderhandelaars in het beste Franse restaurant van Moskou, Le Gastronome. Kobaladze vertelde me dat Soentsov overleden was, maar dat zijn weduwe nog leefde.

We vonden Ina Vadimovna Soentsova via Valery Velitsjko, het hoofd van de club van KGB-veteranen. In de clubruimte achter het metrostation Okjabrskaja werd hij voorgesteld aan een mollige, zeventigjarige vrouw met een vriendelijk gezicht. Mijn vader en zij schudden elkaar voorzichtig de hand. Geen van beiden herkende de ander, hoewel ze elkaar twee keer hadden ontmoet: een keer in 1959 in het restaurant Ararat – nee, corrigeerde Soentsova, het restaurant Boedapest; en ze waren ook in Alexejs auto de Lenin-heuvels op gereden om Moskou bij nacht te zien.

Soentsova rommelde in haar tas en haalde er een foto uit van Alexej in uniform, hetgeen een schok was voor Mervyn, ook al had hij wel geweten dat hij een actieve KGB-agent was.

'Ik weet dat hij bitter teleurgesteld was over u, en erover klaagde,' vertelde Ina mijn vader. '"Matthews, die nare vent, hij heeft me laten zitten, na alles wat ik voor hem heb gedaan." Toen het niet lukte met u, had dat duidelijk een negatieve invloed op de positie van mijn man bij de dienst.'

Mervyn vroeg niet wie zijn huwelijk had tegengehouden. Hij betwijfelde of het Alexej was, en betwijfelde of Ina het zou weten. Ze maakte een verbaasde indruk toen Mervyn haar het verhaal van zijn strijd vertelde. Na enig aarzelen gaf Ina Mervyn een foto van Alexej in burgerkleding.

Mervyns oudste Russische vriend, de KGB-man Vadim Popov, was verdwenen. Mervyn probeerde hem op te zoeken in de Lenin-bibliotheek, maar afgezien van zijn doctoraalscriptie waren er verder geen publicaties, en het Instituut van Oriëntaalse Studies, waar hij gestudeerd had, was gefuseerd.

Het lukte mijn vader echter wel Igor Vail te vinden – de postdoctoraal student die door de KGB gebruikt was om Mervyn in de val te lokken – door middel van de eenvoudige methode in het telefoonboek van Moskou te kijken. Het bleek dat Vail dertig jaar had gewacht om zijn excuses aan te bieden voor het incident van de rode trui. Op die noodlottige morgen was hij opgeroepen door de Loebjanka, vertelde hij mijn vader, en twee uur lang bedreigd. Ze hadden Mervyns kamer van afluisterapparatuur voorzien, en hadden compromitterende dingen opgenomen die Igor had gezegd terwijl hij bij Mervyn op bezoek was. Igor zou van de universiteit worden verdreven als hij niet meewerkte aan het in de val lokken; hij had weinig keus gehad. Mervyn vergaf het hem met liefde. 'Dat was een ander leven, en een andere wereld,' zei hij tegen Vail. 'Het ligt nu allemaal achter ons.'

Mijn vader en ik zagen elkaar in Moskou af en toe gedurende de jaren negentig. Het samenzijn was zelden plezierig. Mijn vader keurde mijn twijfelachtige bohemienstijl van leven duidelijk af. Ik beschouwde hem op mijn beurt als een zure spelbreker. Boosheid is altijd een stuk minder gecompliceerd dan liefde, en gedurende grote delen van mijn volwassen leven koos ik ervoor boos te zijn op mijn vader; waarom kan ik niet direct zeggen. Boos om verbeelde (en reële) kleineringen in mijn puberjaren, boos om zijn gebrek aan fantasie en zijn weigering me financieel te steunen terwijl ik me overgaf aan die van mij. Ik denk dat hij me verwend vond, en ondankbaar. 'Jij hebt zoveel voordelen gehad, Owen,' zei hij streng tegen me toen ik een kind was. 'Zo enorm veel voordelen.'

Het was pas tegen het eind van mijn tijd in Moskou, nadat ik veel van mijn agressie tegen de wereld in het algemeen een plaats had weten te geven, dat ik het de moeite waard vond om eens te gaan proberen mijn vader, op wiens leven het mijne onbedoeld zo was gaan lijken, te begrijpen. Nadat ik eerst had geweigerd te geloven dat de levens van mijn ouders iets met het mijne te maken hadden, erkende ik eindelijk dat de tijd gekomen was om die momenten vast te leggen waarop Rusland zijn uitwerking had gehad op mij, zoals het uitwerking had gehad op mijn vader. Allebei hadden we hier iets van onszelf gevonden, en dat besef bracht mij een gevoel van kameraadschap met de oude man. Het gevoel was geluidloos, maar het knetterde.

Mijn vader heeft een groot deel van zijn ouderdom gebruikt om zich in zichzelf terug te trekken, en zijn best gedaan om zichzelf af te schermen achter muren van eenzaamheid. Het is vreemd dat er, toen mijn ouders door politiek, door een schijnbaar onoverbrugbare ideologische scheidslijn, uit elkaar werden gehouden, een soort kracht was, van wil, van magnetisme, die hen naar elkaar toe trok en hun gedurende zes jaren van gescheiden zijn hoop en moed gaf. Maar nu, een half leven later, is de bepalende impuls van ons gezin een centrifugale kracht die ons lichamelijk uiteen heeft gedreven. Mijn vader brengt tegenwoordig een groot deel van zijn tijd door in het Verre Oosten, ver weg van iedereen die hem kent; hij reist in Nepal, China en Thailand, scharrelt rond op stranden, woont in huurkamers, leest en schrijft. Thuis in Londen hebben mijn ouders een soort bestand bereikt – misschien gebaseerd op een besef dat het leven plotseling voorbij is gegaan en dat de lopende reeks huiselijke twisten die ze met elkaar uitvochten geen winnaar kon hebben.

Mijn vader en ik hebben een soort verzoening bereikt, hebben op de tast een weg naar elkaar gevonden, nadat ik met Xenia was getrouwd. We verhuisden naar Istanbul, waar Nikita geboren werd, maar kwamen elk jaar terug om de winter door te brengen in de datsja van Xenia's familie. Mijn vader kwam logeren in het rommelige appartement van mijn schoonouders in de achterafstraatjes bij de Arbat, vlak om de hoek van Starokonoesjenni Pereoelok. Hij zwierf er rond langs boekhandels, verbaasd over het feit dat er zoveel literatuur te vinden was in de Dom Knigi aan de Nieuwe Arbat, en dat hij met zijn Engelse creditcard kon betalen. Op straat zag hij reclames voor de Russische uitgave van *GQ* (waarvan het laatste nummer zelfs een vleiende persoonsbeschrijving van zijn eigen zoon de oorlogsverslaggever bevatte) en een kiosk waar mobiele telefoons te koop waren.

In de laatste dagen van 2002 reden we de stad uit naar de datsja. Het vroor flink, en de hoge sparren van Nikolina Gora tekenden zich af tegen een babyblauwe winterhemel. In de verte was een rij bomen te zien, diepzwart tegen de sneeuwvelden. De lucht was zo koud dat het brandde in je longen.

Mijn vader en ik gingen wandelen over de bevroren Moskwa. Ik leende hem de zware jas die hij in de jaren vijftig in Oxford had gekocht, en droeg zelf een voddige Sovjetlegerjas van schapenvacht. Mijn vader begon zichtbaar bejaard te worden, hij had last van zijn heup en hij hinkte en strompelde door de sneeuwbanken van de rivieroever. Het was zo koud dat de dikke laag sneeuw die het ijs van de rivier bedekte, onder onze laarzen kraakte als planken.

'Geen grote dingen, eigenlijk,' zei mijn vader, over zijn leven. 'Geen grote dingen. Toen ik besefte dat ik niet terug zou komen in Oxford heb ik het opgegeven. Wanneer ik kijk naar wat ik gepresteerd heb, is dat maar heel bescheiden. Heel bescheiden.'

Het bleef lang stil, terwijl de wind met een laag kreunen de sneeuw deed opdwarrelen.

'Maar je hebt wel gewonnen. Je hebt moeder uit Rusland weg gekregen. Dat was toch een enorme prestatie, of niet soms?'

Hij gaf een geringschattend knikje, en zuchtte. 'Ik dacht dat ik waanzinnig gelukkig zou zijn wanneer ik haar eruit kreeg, maar dat was niet zo. De problemen begonnen bijna meteen, allerlei spanningen. Ik dacht dat ik het een paar maanden zou aanzien, om te kijken of het beter zou gaan, en dat gebeurde ook wel, in zekere mate. Dus ik liet het maar op zijn beloop, eigenlijk.'

'Heb je er dan ooit over gedacht het op te geven?'

'Nee. Daar heb ik niet één keer over gedacht. Ik had mijn besluit genomen en haar mijn woord gegeven, en dat was dat. Al had ik nooit gedacht dat het zo lang zou duren. Na vijf jaar waren we nog steeds even ver. Als zij het had afgebroken, denk ik dat ik daar vrij snel overheen zou zijn gekomen. Er was die Erik... Ik heb nooit geweten of er iets gaande was tussen hen, maar ik dacht dat ze misschien met hem zou doorgaan als het niet goed ging tussen ons.'

Hij sprak alsof het niet over hemzelf ging maar over iemand die hij kende – afstandelijk, zonder pijn maar met een zweem van professionele spijt, als een chirurg die een zwakke patiënt sondeert.

'Ik was erg geroerd toen ze me vertelde wat ze had doorgemaakt, haar jeugd, de oorlog. Echt vreselijk. Het raakte me diep. Ze had zo'n ellendig leven gehad dat ik haar een fatsoenlijke behandeling wilde geven. Dat was een belangrijk deel ervan. En dan was er nog haar handicap.'

In de verte kwam een jetski brullend in zicht, en mijn vader stapte met een pijnlijk vertrokken gezicht opzij toen het ding in een wolk uitlaatgas voorbijreed. Door de bomen op de hoge oever van de rivier konden we de puntige daken zien van de datsja's van Ruslands nieuwe superrijken, Xenia's nieuwe buren, gebouwd op lapjes grond die miljoenen waard waren. De oude datsja van Andrej Vysjinski, de openbaar aanklager die het doodvonnis van mijn grootvader had ondertekend, was herbouwd in de vorm van een namaak Frans château. Een nieuwe wereld.

'Wie zou gedacht hebben dat het allemaal zo snel zou veranderen. Ik heb nooit, echt nooit gedacht dat het nog tijdens mijn leven zou gebeuren.'

Die avond, in de keuken van de datsja, roerde mijn vader zijn thee met dezelfde oude geperforeerde lepel die hem altijd als een talisman op zijn reizen heeft vergezeld. We kregen even ruzie over mijn zus, en hij stapte de trap op naar boven, terwijl hij me wuivend met zijn theekopje van zich af hield. Een halfuur later kwam hij terug, we begonnen over iets anders en praatten nog wat. Toen hij opstond en wegliep om naar bed te gaan, bleef hij plotseling staan en omhelsde me terwijl ik nog aan de keukentafel zat, en gaf me een kusje op mijn hoofd.

Een laatste beeld. Mijn moeder, op het terras van onze tuin in Istanbul, met de vier jaar oude Nikita. Ze is tweeënzeventig jaar oud, ze heeft problemen met haar heup en loopt met een stok. Maar nu ik uit het raam van mijn werkkamer kijk, zie ik dat de stok is weggelegd, en dat ze met een schaar een stuk oud touw afknipt. Terwijl Kit verrukt toekijkt, begint ze te springen, langzamer, sneller, en kruist het touw voor zich terwijl ze touwtjespringliedjes zingt die ze op de speelplaats in Vysje-Dneprovsk heeft geleerd. Kit vindt het prachtig en begint zelf ook de liedjes te zingen, terwijl hij met zijn armen door de lucht zwaait en in kinderlijke opwinding in kringen rondrent. 'Een-twee-drie, een-twee-drie, het konijntje kijkt van achter zijn boom,' zingt mijn moeder, precies zoals ze het geleerd heeft toen ze Kits leeftijd had en een van de kinderen van Stalin was. Net als veel Russische kinderliedjes is het prachtig ritmisch, absurd, en gewelddadig.

De jager mikt met zijn geweer,
Schiet het konijntje pang-pang neer,
Vlug met hem naar het ziekenhuis!
Ons konijn lijkt dood te zijn,
Breng hem naar huis, en wacht eens even,
Kijk! Het konijntje is nog in leven!

Dankwoord

Het heeft ontzettend lang geduurd om dit boek te maken – in feite is de helft van mijn volwassen leven voorbijgegaan sinds ik voor het eerst aantekeningen maakte voor een boek dat ik, toen in 1998, *Moskou Babylon* wilde noemen. Gelukkig voor alle betrokkenen is dat boek nooit verschenen; in plaats daarvan nam het project in de loop van de jaren de memoirevorm aan die het nu heeft. Ik ben een grote hoeveelheid dankbaarheid verschuldigd aan alle vrienden en collega's die al die tijd met mijn schrijversleed werden geconfronteerd, en die me hebben geholpen te beseffen dat waar ik werkelijk over zou moeten schrijven (en wat ik moest proberen te begrijpen) niet ikzelf was, maar Rusland.

De meesten van mijn naaste vrienden hebben in de laatste tien jaar het geluk gehad diverse delen van het manuscript te lezen. Andrew Paulson bleef, jaar in jaar uit, tegen me zeggen dat ik mooi kon schrijven, hetgeen wel hielp ook al was het waarschijnlijk in de meeste gevallen niet waar. Melik Kaylan zei complimenteus tegen me dat hij het 'verrassend goed' vond hoe ik schreef. Charlie Graeber, Andrew Meier, Michael FitzGerald en Mark Franchetti waren zo vriendelijk het hele geval te redigeren en te becommentariëren, toen het eenmaal min of meer vorm had gekregen; hun advies en vriendschap zijn van onschatbare waarde geweest.

Mia Foster was de eerste die met het voorstel kwam voor dit project: 'Waarom schrijf je geen *boek*, Owen?' zei ze bij de haard in Charlie Bausmans datsja in Nikolina Gora – en het was Charlie die me aanspoorde om er echt mee te beginnen. Maar de enige reden dat ik er ook maar over kon denken een historisch werk te schrijven, zelfs over mijn persoonlijke geschiedenis, is te danken aan mijn geschiedenisdocenten op Christ Church: William Thomas, Katya Andreyev en wijlen Patrick Wormald. Robin Aizlewood opende de Russische literatuur voor mij als een intellectuele ervaring, in plaats van de emotionele ervaring die mijn moeder me als kind leerde kennen.

In Rusland verdienen verscheidene vrienden en medeplichtigen vermelding, al zullen ze ongetwijfeld ontzet zijn te zien dat ze bij elkaar in één lijst staan: Isabel Gorst, Ed Lucas en Masja Naimoesjina, en ook Ab Farman-Farmaian, Vidzjay Mahesjwari en Robert King. Ik deelde een duistere fascinatie voor – en vele tochten naar – de macabere onderkant van Moskou met Mark Ames en Matt Taibbi. Zij bleken de grote chroniqueurs van die vreemde en wilde tijd te zijn.

In Istanbul, waarheen ik ontsnapte gedurende een flink deel van de periode waarin ik dit boek schreef, is Gunduz Vassaf een wijze en altijd even goede vriend geweest, evenals professor Norman Stone. Andrew Jeffreys is mijn naaste vertrouweling geweest, deelgenoot van mijn na-Moskouse avonturen. Georgiana Campbell leende mij haar cottage in Dorset om aan het schrijven te beginnen. Jean-Christophe Iseux heeft me beter en langer gekend dan bijna wie ook; hij is een van de paar mensen die ik ken die echt een leven leidt waar hij zelf voor heeft gekozen, en dat inspireert mij om dat ooit ook te doen.

Marc Champion en Jay Ross bij de *Moscow Times* hebben een journalist van me gemaakt, al heb ik hun leven ongetwijfeld vergald omdat ik dacht dat ik veel beter in dat werk was dan ik werkelijk was. Bij *Newsweek* was Bill Powell een ideale baas en mentor, *il miglior fabbro* van verhalen voor een nieuwsblad die ik ooit heb ontmoet. Chris Dickey is een belangrijke invloed geweest en een kameraad door dik en dun. Mike Meyer en Fareed Zakaria hebben het jarenlang moeten stellen met een correspondent die altijd voor de helft met dit boek doende was, en toch nooit geklaagd. En nu ik me in de vreemde positie bevind dat ik de baan van mijn vroegere baas heb als Moskous bureauhoofd van *Newsweek*, heb ik Anna

Nemtsova als de nieuwe ik – alleen voert zij de taak van tweede correspondent veel beter uit dan ik ooit heb gedaan.

Maar als allerbelangrijkste heeft Mike Fishwick in Bloomsbury een gigantisch vertrouwen gesteld in dit boek, ver uit gaand boven wat plicht en rede vereisten. 'Wacht op mij, maar wacht alleen uit alle macht,' schreef Konstantin Simonov over de Sovjetvrouwen die wachtten tot hun geliefden zouden thuiskomen uit de oorlog, zonder ooit te weten of ze dat echt zouden doen. Fishwick weet hoe zij zich voelden. Zonder zijn geloof in mij zou niets hiervan ooit zijn doorgegaan. Trâm-Anh Doan en Emily Sweet zijn voorbeelden van geduld en efficiëntie geweest.

Van de thuisploeg heeft Diana Finch, mijn agent in de VS, er enorm veel tijd en emotionele energie aan besteed dit boek op gang te krijgen. Meer dan wie ook heeft zij mij als schrijver gemaakt. Bill Hamilton, mijn agent in Londen, is een voorbeeld van standvastigheid geweest tegenover de alarmerende veranderingen van plan, werkschema en fortuin van zijn auteur.

Tot slot is dit boek niet alleen opgedragen aan mijn ouders, maar ben ik hun enorm veel dank verschuldigd voor hun hulp bij het schrijven van dit verslag van hun levens. Ik heb veel ontleend aan de twee delen memoires van mijn vader, *Mervyn's Lot* en *Mila and Mervusya*, en mijn moeder heeft niet alleen uitvoerig met mij gepraat over haar herinneringen, maar ook gedetailleerde aantekeningen geschreven bij het uiteindelijke manuscript. Mijn tante Lenina is al jaren een lieve vriendin en inspiratiebron voor me; het is voor mij een bron van grote droefheid dat zij, nu ik dit dankwoord schrijf, in Moskou ernstig ziek is. Mijn zus Emily heeft intelligente en onbevreesde kritiek geleverd op het boek in al zijn diverse incarnaties. Mijn schoonouders Alexej en Anna Kravtsjenko hebben niet alleen tactvol de andere kant op gekeken tijdens jaren waarin ik last had van sombere buien, alcoholisme, wanhoop en diverse andere aandoeningen van het literaire leven, maar stonden er ook altijd op mij aan alle gasten voor te stellen als 'de schrijver' van de familie. Na een decennium van inspanning is dit eindelijk min of meer waar.

Maar verreweg de grootste last heeft mijn vrouw, Xenia, moeten dragen. Zo lang ze me heeft gekend heb ik aan dit boek geschreven. Twee oorlogen, twee kinderen en een verhuizing naar een nieuw land later was ik er nog steeds mee bezig. Op de een of andere manier zal ze eraan moeten wennen alleen met mij te leven, nu het boek eindelijk geboren is en zelf zijn weg moet vinden in de wereld. Zonder haar had ik het niet kunnen doen.